DANS LA MÊME COLLECTION

Déjà parus :

A.N.G.E., tome 1 – Antichristus
A.N.G.E., tome 2 – Reptilis
A.N.G.E., tome 3 – Perfidia
A.N.G.E., tome 4 – Sicarius
A.N.G.E., tome 5 – Codex Angelicus
A.N.G.E., tome 6 – Tribulare
A.N.G.E., tome 7 – Absinthium
A.N.G.E., tome 8 – Periculum

À paraître bientôt :

ANGE, tome 10 – *Obscuritas*

* * *

À ce jour, Anne Robillard a publié vingt-huit romans, dont la saga à succès des *Chevaliers d'Émeraude* et sa suite, les *Héritiers d'Enkidiev,* ainsi que quatre livres compagnons. Pour plus de détails sur ces autres parutions, n'hésitez pas à consulter son site officiel :

www.anne-robillard.com

A.N.G.E.
9
Cenotaphium

Catalogage avant publication de Bibliothèque et Archives
nationales du Québec et Bibliothèque et Archives Canada

Robillard, Anne

A.N.G.E.
Sommaire : t. 9. Cenotaphium.

ISBN 978-2-9810428-9-7 (v. 9)

I. Titre. II. Titre : Cenotaphium.

PS8585.O325A88 2007   C843'.6   C2007-004099-0
PS9585.O325A88 2007

Wellan Inc.
C.P. 57067 - Centre Maxi
Longueuil, QC   J4L 4T6
Courriel : info@anne-robillard.com

Couverture et illustration : Jean-Pierre Lapointe
Mise en pages : Claudia Robillard
Révision : Danielle Patenaude

Distribution : Prologue
1650, boul. Lionel-Bertrand
Boisbriand, QC   J7H 1N7
Téléphone : 450-434-0306 / 1-800-363-2864
Télécopieur : 450-434-2627 / 1-800-361-8088

Dépôt légal - Bibliothèque et Archives nationales du Québec, 2011
Dépôt légal - Bibliothèque et Archives Canada, 2011

ANNE ROBILLARD

A.N.G.E.
9

Cenotaphium

001...

Les yeux rivés aux écrans de télévision et d'ordinateur, des millions de personnes observaient le chaos qui régnait à Jérusalem, sans rien pouvoir y faire. Ces segments de film étaient transmis par des caméras stationnaires dont des satellites captaient le signal, car il n'y avait plus personne pour les réaliser. Bon nombre de journalistes prétendaient que ces vidéos ne pouvaient être authentiques, car les hideuses créatures ailées qui poursuivaient les humains n'existaient pas. Certains allaient jusqu'à dire qu'il s'agissait d'un habile canular monté de toutes pièces par Asgad Ben-Adnah, qui avait embauché les meilleurs cinéastes de films d'horreur afin de faire comprendre aux chefs politiques du monde entier l'urgence d'adhérer à son Union eurasiatique.

Tout comme les autres directeurs de l'ANGE, Aodhan Loup Blanc regardait ces scènes incroyables montrant des hommes et des femmes qui fuyaient les rues de Jérusalem, poursuivis par d'énormes chauves-souris noires les happant au passage. Toutefois, contrairement à la majorité des gens, l'Amérindien savait trop bien que ces terribles événements étaient réels. Seul dans son bureau de la base de Longueuil, il se torturait l'esprit pour trouver le moyen d'aider ceux qui avaient eu le malheur de se trouver en Terre sainte au moment où Satan en avait pris possession.

La décapitation des deux Témoins sur le toit du Temple de Salomon continuait de faire la une des journaux. Pour ceux qui avaient pris la peine de se renseigner sur les prophéties de la fin du monde, la situation était compréhensible. Pour les autres, il s'agissait du meurtre gratuit de deux saints hommes qui n'avaient pas hésité à dénoncer les agissements du nouveau gouvernement de Ben-Adnah.

— Que va-t-il se passer ensuite? murmura le directeur, découragé.

— Les documents sacrés indiquent que Satan imposera aux hommes la marque de la Bête, répondit Cassiopée, l'ordinateur central.

— Pour ça, il faudrait que ses reptiliens cessent de les manger.

— D'après mon analyse, à partir des images recueillies par notre satellite, on compte au moins mille personnes pour un seul démon, y compris les soldats.

— Ces statistiques sont répugnantes, Cassiopée.

— Ce que j'essaie de vous dire, c'est qu'à ce rythme, ces cannibales pourront se repaître pendant plusieurs années.

— J'avais compris, merci. Les autres bases en ont-elles tiré des conclusions différentes?

— Il est difficile d'identifier les protagonistes de ce chaos. Tout ce qu'on peut affirmer avec conviction, c'est que certains sont humains et d'autres pas. Quant aux caméras stationnaires, rien ne prouve qu'elles nous renvoient la réalité de ce pays. Les scènes qu'elles nous présentent peuvent avoir été filmées il y a des semaines, car on n'y voit aucune mention de la date ni de l'heure auxquelles elles ont été prises.

Aodhan demeura silencieux. Pensant qu'il était en train de réfléchir Cassiopée attendit qu'il lui demande autre chose, alors qu'en réalité, celui-ci venait d'entrer en transe. Son corps était toujours assis derrière son gros bureau en chêne, mais son esprit était à l'écoute d'un message en provenance d'une autre dimension. C'est parce qu'il avait hérité des aptitudes psychiques de son grand-père chaman qu'Aodhan avait été choisi par Cael Madden pour sauver les âmes de ceux qui croyaient encore en Dieu au Québec. L'Amérindien se rendait régulièrement à la montagne de Saint-Bruno afin de rassurer les disciples qui s'y étaient réfugiés et les encourager à venir en aide à leurs prochains. La Croix-Rouge avait établi un large campement sur le site pour soigner les blessés et répondre aux besoins urgents de la population de la Rive-Sud.

Les derniers mots prononcés par l'ordinateur résonnèrent faiblement dans les oreilles du directeur avant de faire place à ceux du prophète angélique.

Aodhan, j'ai une fois de plus besoin de toi…

L'Amérindien fut instantanément transporté dans un lieu étrange, où tout était bleu, un peu comme au cinéma où l'on utilisait un fond de la même teinte pour filmer d'abord les acteurs et ensuite y incruster un décor.

— Merci d'avoir répondu à mon appel, mon ami, fit Cael en s'avançant vers Aodhan.

— En réalité, je ne sais pas trop bien ce qui s'est passé, avoua le directeur.

— Un lien s'est établi entre nos âmes, qui leur permet de communiquer directement entre elles.

— C'est donc mon âme qui se trouve devant toi, et non mon corps.

Cael hocha doucement la tête pour signifier qu'il avait raison. Il portait un costume d'exécution Naga tout blanc et son précieux katana était attaché à sa ceinture. Une aura d'infinie bonté entourait cet ange et, pourtant, il n'hésitait jamais un instant à tuer ses ennemis.

— La situation à Jérusalem est catastrophique, annonça-t-il. Avec l'aide de Mithri et de Reiyel, je vais faire sortir le plus de fidèles du pays, mais ils auront besoin d'une terre d'asile, et l'Europe connaît ses propres problèmes. Je compte donc sur toi pour que l'Amérique leur ouvre les bras.

— L'Amérique, c'est bien plus grand que le Québec, et je ne suis qu'un directeur régional, lui rappela Aodhan.

— J'ai confiance en toi. Va, mon ami, et fais ce que tu peux.

L'Amérindien se sentit basculer vers l'arrière.

— Monsieur Loup Blanc ?

— Aodhan ?

Il battit des paupières et aperçut le regard inquiet d'Athénaïs Lawson, le médecin de la base.

— Un peu plus et je vous faisais transporter à la section médicale, l'informa-t-elle.

— Je vais bien, je vous assure. C'était tout simplement un échange avec un ange.

— Je croyais qu'il n'y avait que Vincent qui avait ce privilège.

— Il reçoit surtout des prophéties, mais j'imagine qu'on nous envoie des messages concomitants.

— Que nous annonce-t-on, cette fois ? demanda Athénaïs en prenant son pouls.

— Nous devons nous préparer à accueillir des réfugiés.

Pendant que le médecin terminait son examen, Aodhan échafauda son plan. Les disciples de Cael ne pourraient pas loger des milliers de personnes à Saint-Bruno, malgré toute leur bonne volonté. Toutefois, l'ange Naga en avait conquis beaucoup d'autres tant aux États-Unis qu'au Canada. Pour accomplir cette mission, tous les bergers devaient maintenant travailler ensemble. L'Amérindien ne les connaissait pas tous, alors il utiliserait le seul moyen de les identifier, même si cela allait fondamentalement à l'encontre des règlements de l'ANGE.

Dès qu'Athénaïs quitta son bureau, le directeur demanda à parler à Kevin Lucas, le dirigeant du Canada. Cassiopée les mit aussitôt en communication. Depuis le début des bouleversements au Moyen-Orient, Kevin avait perdu son sourire d'enfant qui le caractérisait tant. Son visage était maintenant grave et les cernes sous ses yeux affichaient un manque de sommeil évident.

— Si ce sont de mauvaises nouvelles, rappelle-moi plus tard, Aodhan, grommela le pauvre homme.

— En fait, je m'interrogeais sur le sort de ceux qui échapperont miraculeusement aux mauvais traitements de Ben-Adnah à Jérusalem.

— Nous souhaitons évidemment qu'ils réussissent à s'enfuir.

— Ils auront besoin d'une terre d'asile.

— L'ANGE n'est pas un gouvernement, mais une agence qui exerce une surveillance constante de la Terre. Nous n'avons aucune autorité en la matière, Aodhan.

— C'est pour cette raison que j'aimerais parler aux médias en tant que guide spirituel, pas en tant qu'agent.

Le froncement de sourcils du directeur canadien indiqua tout de suite à l'Amérindien qu'il n'approuvait pas cette idée.

— Je n'ai aucune intention de mettre l'ANGE en mauvaise posture, loin de là. C'est mon cœur qui me pousse à venir en aide à ceux qui échapperont à la torture.

— Même si tu risques qu'un journaliste tant soit peu futé découvre ta véritable identité en fouillant dans ton passé ?

— Beaucoup de gens savent déjà que je suis l'un des bergers de Cael Madden.

— J'éprouve beaucoup d'hésitation à t'accorder ce que tu demandes…

— Je prends très au sérieux mon poste de directeur, monsieur Lucas, mais le sort de cette planète me préoccupe également. À quoi servirons-nous s'il ne reste plus personne à protéger ?

— De quelle façon comptes-tu t'y prendre ?

— Je vais convier les journalistes à une conférence de presse à Saint-Bruno et mobiliser l'aide de l'Amérique.

— Dans ce cas, je te souhaite bonne chance.

— Merci, monsieur Lucas.

Le logo de l'ANGE remplaça le visage inquiet du directeur.

— Il a raison. Les journalistes faisant preuve de profession-
nalisme vérifient toujours le parcours de ceux qui émettent ce
genre de déclaration.

— Ils n'apprendront pas grand-chose, car j'ai toujours été
un bon garçon sans histoire.

— Mais vos origines amérindiennes…

— J'en suis fier, Cassiopée. Ce sujet est clos.

Aodhan enfila sa veste de cuir.

— Puis-je rédiger et diffuser le communiqué de presse ?

— Certainement pas.

L'Amérindien sortit de son bureau et s'arrêta dans la grande
salle des Renseignements stratégiques, le temps d'informer son
équipe de son absence. Il poursuivit sa route jusqu'au garage
de la base. Même si l'armée, les services municipaux et les
citoyens continuaient de travailler d'arrache-pied pour dégager
les rues, celles-ci n'étaient pas encore toutes carrossables. Afin
que personne ne puisse le relier à l'Agence, Aodhan ne fit pas
appel à l'hélicoptère, mais demanda plutôt qu'on lui prépare
sa motocyclette. Il se rendit jusqu'au mont Saint-Bruno en
observant ce qui se passait dans les villes qu'il traversait. À
première vue, l'Amérique ne semblait pas vraiment prête à
accueillir qui que ce soit. Les inondations avaient endommagé
des milliers de maisons que leurs propriétaires avaient peine
à rénover, puisque les matériaux de construction se faisaient
rares.

Les disciples de Cael vivaient dans des tentes, privés d'électricité. Les services d'urgence leur procuraient de l'eau et des
vivres, mais comment ces braves gens affronteraient-ils le dur
hiver québécois ? Reconnaissant Aodhan, les hommes et les
femmes le saluaient au passage, tandis qu'il se dirigeait vers
l'estrade où, tous les soirs, des volontaires animaient des prières et des méditations. Il était impensable de demander aux
journalistes des quatre coins du continent de se déplacer pour

venir l'écouter dans ce village de fortune. En contrepartie, le directeur de l'ANGE avait alors décidé d'utiliser la technologie de l'Agence, même s'il n'en avait pas demandé la permission à Kevin Lucas.

Lorsqu'ils virent l'Amérindien grimper sur les planches, les rescapés se rassemblèrent devant l'estrade, et l'un d'eux lui apporta un micro sans fil, qui fonctionnait heureusement avec des piles. Aodhan l'accepta avec un sourire reconnaissant. Au même moment, il mit en marche un petit appareil fixé au collet de sa veste qui le mettrait en contact avec le satellite. «Lorsque Cédric aura réintégré son poste de directeur international, c'est certain qu'il me congédiera», pensa-t-il.

— Je ne m'adresse pas uniquement à vous, amis de Cael Madden réfugiés sur cette montagne! s'exclama l'Amérindien. Je parle aussi à tous ses disciples du Canada, des États-Unis et du Mexique, ainsi qu'aux chefs de leurs gouvernements. Des innocents se font actuellement torturés à l'autre bout du monde par un homme politique qui s'est transformé en bête maléfique assoiffée de sang. Cael et ses alliés ont trouvé une façon d'aider les martyrs à franchir la zone dangereuse, afin qu'ils puissent traverser l'océan et trouver asile chez nous. Ce message est un appel à tous les bons Samaritains. Je vous en conjure, ouvrez-leur les bras, peu importe leur foi ou leurs coutumes. Fournissez-leur un sanctuaire jusqu'à ce que le dictateur soit vaincu et que leur pays retrouve la paix. Le règne de Satan ne durera pas, les prophètes nous le promettent. Donnons au monde entier un exemple de bonté, de fraternité et de solidarité.

Pendant qu'Aodhan était chaleureusement applaudi par son auditoire, aux Renseignements stratégiques de la base d'Ottawa, debout derrière les techniciens, Kevin Lucas cachait difficilement sa surprise devant l'image que lui renvoyait le satellite de l'ANGE.

— Si les systèmes de défense des pays militarisés parviennent à retracer l'origine de cette transmission, ils nous mettront dans de beaux draps, murmura le directeur, découragé.

002...

Nullement impressionné par les ultimatums qu'il recevait des autres pays, Satan avait continué d'imposer sa domination sur Israël à partir du Temple de Jérusalem. Pour récompenser les démons qui lui avaient permis de s'emparer de la Ville sainte, il les avait d'abord laissés se repaître de tous les humains qui leur tombaient sous la main. Puis, il remit de l'ordre dans ce chaos. Soucieux de maintenir un cheptel viable, il devait éviter que ses serviteurs ne le déciment dès les premiers jours. Il leur imposa donc un nombre maximal de victimes par semaine, sachant fort bien qu'ils n'avaient pas besoin de manger tous les jours. Aussi, pour éviter de perdre ses réserves de nourriture, il avait organisé des patrouilles sur toutes ses frontières et fermé tous les aéroports. Il ne semblait pas comprendre que le feu qui ravageait le pays pourrait fort bien faire périr tous ses prisonniers.

Assis sur son trône en or, qu'il avait fait transporter directement de l'enfer et installé dans la salle principale du temple, Satan n'avait nul besoin de se déplacer pour savoir ce qui se passait dans son nouveau domaine. Il n'avait qu'à le parcourir avec son esprit.

Alternant entre sa nature reptilienne et son enveloppe humaine, Satan commandait ses troupes d'une main de fer. Il éprouvait un vif plaisir à recevoir leurs offrandes ou à écouter les gémissements des personnalités importantes qu'on jetait à ses pieds avant de les égorger. Sous sa forme de démon, il avait troqué sa silhouette effilée de Naas pour le corps plus robuste de l'Anantas dont il s'était emparé. Même ceux qui avaient servi à ses côtés durant l'interminable guerre dans les cieux contre l'Archange Michael le craignaient lorsqu'il adoptait cette apparence. Sa morphologie humaine était tout aussi imposante. Asgad Ben-Adnah avait été un homme plus grand que la moyenne. Lorsqu'il portait des complets, il était beaucoup moins menaçant que dans les habits noirs qu'il affectionnait désormais. Il ne coupait plus ses cheveux bouclés qui tombaient sur ses épaules. Parfois, il faisait surgir de longues ailes sombres dans son dos, qui disparaissaient au moment de se déplacer dans l'immense complexe.

Disposant d'une armée de millions de soldats kamikazes prêts à se battre pour transformer la planète en un immense nid de serpents, Satan ne craignait personne.

Une fois que les humains, autant les ressortissants du pays que les pauvres touristes coincés sur les lieux depuis le début des catastrophes géologiques, furent sagement confinés dans plusieurs quartiers distincts de Jérusalem, le Prince des Ténèbres exigea que ses serviteurs défilent devant lui et lui prêtent le serment d'allégeance. Satan savait fort bien que les soldats de lumière de son ancien maître réagiraient devant son impudence. Il avait donc besoin de s'assurer que ses démons lui demeureraient fidèles lorsque les anges se matérialiseraient sur Terre pour tenter de le déloger.

De son trône, Satan regarda les Naas, les Orphis, les Cécrops, les Saèphes, les Draghanis, les Sheshas et les Neterou se succéder et verser dans le grand vase sacré le sang qu'ils lui offraient. Il aurait bien aimé asservir les Dracos et les Nagas, mais ceux-ci étaient les ennemis jurés des Anantas depuis le commencement du monde.

Ahriman, le bras droit de Satan, vint alors se planter à la gauche de son maître, le visage rayonnant de satisfaction. Il avait été humilié lorsqu'un Naga l'avait poussé dans le vide depuis le toit du temple. À l'aide de ses facultés magiques, il avait amorti sa chute, mais n'avait pas été capable de seconder Satan tandis qu'il s'en prenait aux autres traqueurs qui avaient tenté d'empêcher l'exécution des Témoins.

Il n'avait pas été facile pour Ahriman d'exécuter les ordres de son maître. Bien des casse-pieds lui avaient mis des bâtons dans les roues, mais où étaient-ils maintenant? Décapités ou disparus. Le règne de la terreur ne faisait que commencer et il allait s'étendre sur toute la planète grâce à lui.

— As-tu retrouvé Cristobal? demanda Satan sans même le regarder.

— Nous poursuivons nos recherches, mon seigneur. Ne craignez rien, il ne peut pas être très loin. Je vous promets de vous le ramener, pieds et mains liés.

— La reine des Anantas l'a sans doute repris.

— C'est pour cette raison que nous ratissons le désert.

— Très bien.

Le Prince des Ténèbres se cala dans le dossier moelleux de son siège élevé.

— Mes frontières ne sont pas aussi étanches que tu cherches à me le faire croire, Arimanius, laissa-t-il tomber au bout d'un moment. Tu connais le sort que je réserve à ceux qui me mentent.

— Je vous ai dit la vérité. Il y a cependant une petite région qui nous résiste, mais nous en prendrons possession dans les heures qui viennent.

— Elle est sous l'emprise d'une puissance angélique.

— Nous en sommes conscients, mais cela ne nous rebute pas.

Pour la plupart des hommes, Satan était d'un calme désarmant, mais Ahriman se méfiait de sa torpeur. Il savait mieux que quiconque que sous son apparente sérénité brûlait un volcan qui pouvait se réveiller à tout moment.

— Vous continuez de recevoir des demandes impératives de la part des grandes puissances de ce monde, mon seigneur.

Ils vous somment de vous retirer d'Israël. Vous allez devoir leur répondre, un jour ou l'autre.

— Dis-leur qu'ils sont sur le point de subir le même sort que les fomenteurs de complots de mon propre pays.

— Vos soldats meurent d'envie de se battre.

— Les rois de l'est sont en train de rassembler une grande armée, alors ça ne saurait tarder. Dis-leur de se préparer.

— Y a-t-il autre chose que je puisse faire pour vous ?

Satan ne tourna que les yeux vers son principal lieutenant.

— Jetons de l'huile sur le feu, déclara-t-il avec un sourire cruel.

— Dites-moi ce qui vous ferait plaisir.

— À partir de maintenant, tous les humains que nous capturerons devront porter une marque spécifique qui les reliera à moi sans l'ombre d'un doute. Elle devra être visible et indélébile.

— Je m'en occupe personnellement.

— Annonce au monde qu'Israël n'existe plus. Ce pays fait désormais partie de mon empire. Dis-leur que je suis le nouveau César et que je ne m'arrêterai pas avant d'avoir instauré le nouvel ordre mondial. Tous les chefs de gouvernement devront s'incliner devant moi ou périr.

— Avec plaisir, mon seigneur.

— Je vais aussi te confier une mission plus particulière encore.

« Enfin », se réjouit le Faux Prophète.

— Je veux que tu t'empares du Vatican afin qu'il devienne le haut lieu de mon propre culte. Fonde-moi une religion et mets en place des prêtres qui obligeront le peuple à m'adorer.

— Rien de plus simple. Puis-je utiliser votre armée ?

— Non. Je la réserve à un assaut massif. Trouve une autre façon de m'impressionner.

— Je vais me pencher immédiatement sur la question, mon seigneur.

Pourtant, Ahriman resta debout près de son maître, tandis que la longue procession de démons se poursuivait.

— Pourquoi es-tu encore là, Orphis ?

— Il y a un autre sujet dont je dois vous entretenir.

— Parle.

— Avant que vous ne vous empariez du corps de l'Anantas, ce dernier a conçu un fils.

— L'hybridation ne m'intéresse pas, Arimanius.

— La femelle qu'il avait choisie était Anantas, elle aussi.

— Est-ce la reine ?

— Non.

— Tu m'as pourtant affirmé que les Nagas avaient tué tous ses enfants, sauf Cristobal, ainsi que tous ses petits-enfants partout dans le monde.

— Ils ont oublié celle-là.

— Retrouve-la, tue-la et ramène-moi l'enfant.

Le Faux Prophète se courba et s'évapora.

— Un héritier… murmura le Prince des Ténèbres. Tout ceci, je ne le fais donc pas uniquement pour moi.

Cette nouvelle ajouta à la satisfaction qu'il éprouvait déjà d'avoir échappé à Michael juste à temps pour s'emparer d'un monde beaucoup plus intéressant.

003...

Ayant échappé à la fureur de l'Antéchrist, Thierry Morin et Adielle Tobias étaient réapparus à l'intérieur d'une tombe sur le mont des Oliviers. Puisque son couvercle en pierre avait été fendu lors du dernier tremblement de terre, la directrice de Jérusalem put non seulement respirer de nouveau, mais aussi voir, grâce à la faible lumière, le visage de celui qui lui avait sauvé la vie. Morin n'était pas le premier Naga qu'elle rencontrait, car elle avait traversé le désert de Judée en compagnie de Cael Madden. Ces créatures, qui ressemblaient à des hommes, la fascinaient, car, comme elle, ils avaient tous été entraînés à tuer.

Adielle était devenue directrice à un jeune âge, au moment où les trois directeurs choisis par l'ANGE à l'époque avaient été successivement assassinés quelques jours à peine après leur arrivée. C'étaient d'anciens agents dont le parcours était impressionnant, mais qui provenaient de pays n'ayant jamais connu les problèmes inhérents à la Terre sainte. Lorsque la directrice internationale l'avait enfin compris, elle s'était tournée vers la jeune femme qui faisait alors partie d'une équipe d'escarpes parfois utilisée *in extremis* par l'Agence, quand il n'existait aucune autre façon de neutraliser une situation potentiellement dangereuse. Jamais elle n'avait regretté son choix.

Le Naga et la directrice demeurèrent d'abord silencieux, écoutant ce qui se passait à l'extérieur, afin d'évaluer leurs chances de survie.

— Ils n'osent pas descendre jusqu'ici, chuchota finalement Thierry, qui avait repris sa forme humaine.

— Nous ne l'avouons jamais ouvertement, mais nous sommes superstitieux, rétorqua Adielle.

Elle repoussa les ossements qui la forçaient à demeurer collée contre le Naga. Ils s'effritèrent derrière elle, lui permettant de reculer un peu dans l'espace restreint.

— Si Satan ne peut pas être tué par une lame de katana, je ne vois pas très bien comment nous allons nous débarrasser de lui, se désespéra-t-elle.

— C'est en effet très troublant, avoua Thierry.

— Je me demande comment nous allons pouvoir quitter le cimetière avec ces monstres qui courent partout et ces locustes qui piquent tout le monde.

— Le mieux, c'est d'attendre l'obscurité.

— Habituellement, je ne suis pas pleurnicharde, mais si nous sommes obligés de rester cachés pendant tout ce temps, ne pourrions-nous pas trouver un endroit un peu plus spacieux ?

— Ces tombeaux sont pas mal tous de la même taille.

— Ces reptiliens pourraient-ils nous flairer ?

— Sans doute, s'ils n'avaient rien à se mettre sous la dent, mais ils sont occupés à pourchasser des proies beaucoup plus intéressantes.

La directrice se rappela qu'elle avait vu le *varan* pour la première fois quelques heures plus tôt, en compagnie de deux autres jeunes hommes aussi blonds que lui.

— Tout ce que je sais de vous, c'est que vous vous appelez Théo.

— C'est le nom que me donnait mon maître, mais je m'appelle Thierry Morin.

— Moi, c'est Adielle Tobias, directrice de la base de l'ANGE à Jérusalem.

— Votre façon de travailler m'a plutôt fait penser que vous étiez à la solde d'une unité policière ou militaire.

— Je suis… j'ai déjà été tireuse d'élite, et j'ai continué à m'entraîner, même lorsqu'on m'a confié un poste derrière un bureau.

— Je suis un *varan,* formé depuis l'enfance à exécuter les reptiliens qui empoisonnent la vie des humains.

— Cael Madden m'a parlé des Nagas, et je dois dire que je les admire beaucoup.

Thierry conserva un silence timide.

— Comment allons-nous nous y prendre pour éliminer la plus grosse menace à laquelle nous n'ayons jamais fait face? demanda Adielle.

— Je n'arrête pas d'y penser.

— Peut-être qu'avec un bazooka, Satan n'aurait pas le temps de recueillir tous ses morceaux.

Un léger sourire flotta sur les lèvres du Naga.

— Je n'ai pas dit ça pour être drôle, ajouta la directrice.

— Malgré l'image qu'elle vient de faire naître dans mon esprit, je pense que cette idée en vaut bien une autre.

— Avez-vous encore votre katana?

— Oui, je m'y suis accroché lorsque nous nous sommes échappés. Je ne vois pas très bien à quoi il pourrait me servir contre cet Anantas.

— Racontez-moi votre enfance dans tous ses détails.

— Pourquoi?

— Pour passer le temps, évidemment. Ensuite, ce sera à moi d'en faire autant.

Thierry aurait préféré méditer ou discuter avec Silvère de ce qui venait de se passer, mais il sentait le malaise de cette femme qui avait le cran de presser sur une détente, mais qui n'aimait pas être captive dans un endroit restreint. Il lui parla donc de sa vie, qu'il jugeait tout à fait inintéressante, puisqu'il l'avait entièrement passée sous le Vatican, dans un dojo. Pourtant, Adielle lui prêtait une oreille attentive. Lorsque la directrice lui relata son propre parcours, le *varan* fut lui aussi captivé.

Cette femme svelte, aux longs cheveux bouclés, avait grandi à Tel-Aviv et fait son service militaire comme tous les jeunes du pays. Lorsqu'elle avoua avoir fait partie du Sayeret Maktal, l'un des sourcils du Naga s'arqua. «Ça explique son cran», songea-t-il. C'était au retour d'une mission de sauvetage que l'ANGE l'avait approchée.

— Je n'avais pas fait beaucoup de travail sur le terrain pour l'Agence quand on m'a demandé de prendre la tête de la base de Jérusalem. Heureusement que j'avais acquis de l'expérience ailleurs.

Lorsque le temps se mit à rafraîchir et que l'obscurité descendit enfin sur la ville, Thierry passa doucement la tête à travers la pierre du tombeau. Le cimetière était désert. Il entoura alors la taille d'Adielle de ses bras et la sortit de là. Elle respira profondément l'air frais en prenant soin de ne pas faire de bruit.

— Je suggère que nous terminions cette conversation dans ma base, chuchota-t-elle.

— De quel côté se trouve-t-elle?

Adielle pointa un doigt vers la direction.

— Êtes-vous prête à faire tout le trajet sous terre?

— Si vous me servez de respirateur, je ne m'y oppose pas.

Elle se pressa contre lui et appuya ses lèvres contre les siennes. Un courant électrique traversa le corps du Naga, mais il y ferma son esprit, s'enfonçant plutôt dans la terre avec sa passagère. Pendant qu'il était immobile dans le sarcophage, il avait fait taire toute sensation physique pour mieux se concentrer sur les paroles d'Adielle et ce qui se passait à l'extérieur. Maintenant qu'il était une fois de plus en mouvement, une douleur sourde se réveilla dans son dos. Plus il avançait dans la terre et le roc, plus celle-ci devenait insupportable. Lorsqu'il traversa enfin l'épais mur de métal et de béton qui protégeait la base souterraine, il lâcha la directrice et tomba sur les genoux. Adielle se pencha aussitôt vers lui pendant que retentissait le signal d'alerte.

— Thierry, est-ce que ça va ?

— Finalement, je ne suis peut-être pas sorti indemne de ma chute du toit du temple, répondit-il en grimaçant.

La directrice donna son identité pour mettre fin à l'alarme et ordonna à l'ordinateur de prévenir le service médical. Quelques secondes plus tard, deux hommes arrivaient avec une civière. Avec précaution, ils soulevèrent le Naga et le transportèrent à l'infirmerie.

— Dites-moi ce que je peux faire pour vous aider, fit Adielle tandis que les hommes déposaient Thierry dans un lit.

— J'ai besoin d'être seul.

Le médecin venait tout juste de mettre un pied dans la pièce que la directrice le chassait en lui promettant de lui expliquer plus tard pourquoi il ne pouvait pas examiner le nouveau patient. Elle referma la porte derrière lui et demanda aux infirmiers de ne laisser entrer personne dans la pièce. Puis, elle courut dans le long couloir de la base. Le détecteur rétinien l'identifia, et la porte métallique glissa devant elle.

Elle fonça dans la salle des Renseignements stratégiques et s'arrêta net en constatant que tout le personnel la regardait comme si elle était un fantôme. Seul Eisik était tout sourire, heureux de la revoir.

— Mais qu'est-ce que vous avez ? s'exclama la directrice, agacée.

— Vous êtes vivante… s'étrangla l'une des techniciennes.

— Je vous l'avais bien dit ! exulta Eisik.

Adielle poursuivit sa route jusqu'au poste de son fidèle bras droit. Elle leva les yeux sur les écrans et constata que l'équipe était en train de regarder en boucle la chute de Thierry et le placage qu'avait servi leur directrice à Satan lorsqu'il avait voulu s'en prendre au *varan*. Puis, la scène où ce dernier s'emparait d'elle, avant de s'enfoncer dans le sol.

— Nous pensions que vous aviez été emportée par un démon, vous aussi, parvint à articuler un de ses radaristes.

— Cet homme n'est pas un démon! le défendit énergiquement Adielle. Il m'a sauvé la vie! N'avez-vous rien de mieux à faire que de regarder ce segment de film?

— Pour tout vous dire, la plupart de nos capteurs ont été détruits par le feu ou croqués par des gargouilles animées, expliqua Eisik. Nous recevons des transmissions en provenance des caméras d'État et quelques images par-ci, par-là de notre satellite, et ce n'est rien de très réjouissant. Nous sommes coupés du reste de l'Agence et rien ne prouve que qui que ce soit viendra à notre aide.

— Le train-train quotidien, quoi?

Sa réaction fit naître un sourire sur les visages crispés de son équipe.

— Combien de temps pourrons-nous tenir ici avant que la situation ne devienne critique?

— Tout au plus six mois, affirma Eisik. Nous avons déjà commencé à nous soumettre au rationnement.

— Très bien. Ce sera à moi de trouver une solution avant que nous en venions au cannibalisme. Y a-t-il quelque chose que je devrais savoir?

— Nous sommes tous très heureux de vous revoir.

— Combien de fois vous ai-je dit que j'étais la personne la plus résiliente que je connaisse? Montrez-moi vos rapports et que ça bouge!

Pendant que les techniciens s'empressaient de rassembler le tout, Adielle fila sous la douche, dans son bureau, et changea de vêtements. Elle avait encore les cheveux trempés lorsque son écran personnel afficha le résultat des analyses. Elle les parcourut rapidement en dévorant une barre protéinée, puis retourna à la section médicale pour s'assurer que son invité ne lui avait pas faussé compagnie.

Ce fut avec un curieux soulagement qu'elle constata que le Naga était toujours couché sur son lit. Il ouvrit lentement ses yeux bleus et l'observa en silence. Adielle s'assit à son chevet. Habituée à évaluer rapidement les gens et les événements, elle ressentit la tristesse du traqueur.

— Je reconnais cet air pour l'avoir vu jadis sur les visages de mes coéquipiers lorsqu'ils avaient manqué leur cible, fit-elle sur un ton amical.

Thierry détourna le regard.

— En ce qui me concerne, vous avez abattu le tyran comme c'était votre intention, poursuivit-elle. Nous ne pouvions pas savoir qu'il était à ce point maléfique. Vous n'avez aucune raison de vous en vouloir.

— Si ce n'était que ça…

— C'est le moment ou jamais de vous confier, et c'est beaucoup plus confortable ainsi qu'au fond d'une tombe.

Adielle aurait aimé le dérider un peu, mais il demeura abattu.

— L'arrivée au pouvoir des Anantas signale un règne de terreur qui ne se compare même pas à ce que les Dracos ont fait vivre aux habitants de cette planète depuis deux mille ans.

— Je ne suis pas croyante, mais les textes sacrés ne prédisent-ils pas que ce règne aura une fin? Si je me fie aux conclusions que m'ont présentées les membres de mon équipe, il nous faudra tenir le coup pendant encore trois ans, puis le Messie que nous attendons depuis si longtemps viendra pour nous sauver.

— Et que ferons-nous en attendant?

— Vous commencerez par vous rétablir et, ensuite, nous nous mettrons à la recherche des membres de l'ANGE qui n'ont pas réussi à réintégrer la base, comme Cindy Bloom et Cédric Orléans, par exemple.

— Les jumeaux…

En grimaçant, Thierry poussa sur ses coudes pour se relever, mais il fut immédiatement plaqué contre son lit par la directrice.

— Restez couché.

— Je vous recommande de mettre les mains sur vos oreilles.

— Qu'avez-vous l'intention de faire?

Le traqueur se métamorphosa en reptilien et poussa des grincements discordants qui retentirent certainement jusqu'à la surface.

— Vous allez nous faire découvrir! s'écria Adielle, mécontente.

— Ne craignez rien. La propagation de ces vibrations dans le sol est trop vaste. C'est comme tenter de retrouver une baleine dans l'océan à l'aide d'un microphone.

— Quel est ce message que vous venez de lancer? J'espère que ce n'est pas une provocation en duel.

Des cris stridents résonnèrent entre les murs de la base.

— Dites-moi que ce n'est pas Satan.

— Ce sont les jeunes traqueurs dont j'ai achevé l'entraînement. Ils sont saufs. Mieux encore, Damalis, Cindy, Cédric et sa fiancée sont avec eux.

— Maintenant que vous êtes rassuré, je vous prie de cesser ces hurlements.

Exténué, le Naga reprit son apparence humaine. Il ferma les yeux et s'abandonna au sommeil. Adielle résista à une soudaine envie d'effleurer ses lèvres d'un baiser et quitta précipitamment l'infirmerie.

004...

Tout comme le leur avait ordonné Mithri, Reiyel et Cael avaient quitté le sommet de la Tour de David sous forme d'énergie afin de récupérer les corps des deux Témoins que Satan venait d'exécuter devant la population de la Terre entière. Si le démon l'avait fait exprès d'être vu de tous, les deux anges, eux, ne voulaient surtout pas être surpris par les nouveaux occupants de la ville. Prenant chacun une direction différente, l'un s'empara des têtes de Képhas et de Yahuda, tandis que l'autre allait chercher leurs corps. À la vitesse de la lumière, ils filèrent ensuite vers le désert, où un tombeau vide avait été creusé dans la paroi d'une falaise. Quelle ne fut pas leur surprise, lorsqu'ils se matérialisèrent, de trouver plusieurs centaines de personnes devant l'entrée. Mithri leur avait pourtant affirmé que ce lieu de sépulture avait été réservé aux Témoins.

Les anges déposèrent les restes des victimes sur le sol et s'employèrent à apaiser la foule qui réclamait les apôtres à grands cris.

— Pourquoi êtes-vous ici? demanda Cael.

— Nous avions besoin de vous voir, maître, répondit une voix féminine.

— Qui êtes-vous?

— Nous sommes vos brebis.

La jeune femme sortit des rangs et s'agenouilla devant le prophète.

— Je suis Haleli.

Cael prit ses mains en lui souriant.

— Et toi, tu es l'un de mes bergers.

— J'ai vu ce tombeau dans un songe, lui confia Haleli, alors j'ai conduit votre troupeau jusqu'ici. Nous ne savions pas pour qui il était destiné.

L'Israélienne baissa les yeux sur les corps des Témoins.

— Nous laisserez-vous nous occuper d'eux ?

— Je vous en prie, l'y invita Cael.

Les deux anges assistèrent alors à l'enveloppement de Képhas et de Yahuda dans de grands linceuls en lin. La foule se mit alors à prononcer des prières pour le salut de leur âme. Reiyel fit un pas vers les fidèles avec l'intention de les informer que ces deux apôtres n'en avaient pas besoin, car ils étaient déjà auprès du Père, mais Cael lui saisit le bras pour l'en empêcher.

— Laisse-les faire.

Ayant réuni leurs corps et leurs têtes, de jeunes gens transportèrent les cadavres à l'intérieur de la grotte creusée dans le roc, puis ils firent rouler la grosse pierre devant l'entrée.

— Ne retournez pas à Jérusalem, les avertit Cael, une fois les rites funéraires achevés. Satan en a pris possession.

— Nous resterons dans le désert et nous continuerons de prier pour ceux qu'il fera souffrir.

— Les démons finiront par les repérer, chuchota Reiyel à son ami.

— Les Témoins seront en mesure de les protéger eux-mêmes.

— Mithri a besoin de nous.

Ils attendirent que les litanies recommencent avant de s'évaporer et retournèrent auprès du troisième ange qui avait créé à travers la Ville sainte un long corridor éclatant que seuls les croyants pouvaient apercevoir.

Attirés comme des papillons de nuit par cette lumière divine, ils arrivaient de partout. Dès qu'ils y pénétraient, ils devenaient aussitôt invisibles aux yeux du mal et échappaient à leurs poursuivants ailés.

Mithri supervisait le sauvetage, debout sur les débris d'un ancien édifice, telle une statue. Le tunnel salvateur était peu large, mais il se prolongeait sur des kilomètres vers le sud-est, jusqu'à une vallée où des hélicoptères furtifs de l'armée américaine attendaient les fugitifs.

— Nous ne pourrons pas duper Satan bien longtemps, déplora Reiyel.

— Sauvons le plus de méritants possible tandis qu'il est occupé ailleurs, rétorqua Cael.

Ils se mirent donc à indiquer la route à ceux qui fuyaient leur foyer tout en leur recommandant de ne pas accepter la marque de la Bête. Les fidèles ignoraient en quoi elle consistait, mais ils étaient tellement sous l'emprise de la panique qu'ils acquiescèrent tout en continuant de courir. Les démons ne les avaient pas encore flairés, mais ce n'était qu'une question de temps. À ce moment-là, les anges les attireraient loin du couloir pour permettre au plus grand nombre de gens de leur échapper.

Parmi les proies potentielles des reptiliens figuraient deux hommes de l'entourage de Ben-Adnah à qui l'armée israélienne avait cessé de s'intéresser, persuadée qu'ils seraient eux aussi démembrés par les reptiliens qui avaient envahi le pays. De toute façon, les militaires qui n'avaient pas été recrutés par Ahriman étaient aux prises avec leurs propres problèmes. Ceux qui étaient demeurés fidèles à leur patrie s'étaient barricadés dans la base souterraine en essayant de comprendre pourquoi leur chef d'État s'était soudain métamorphosé en dictateur sanguinaire, après avoir rétabli la paix au Proche-Orient. Benhayil et Antinous ne faisaient plus partie de leurs priorités.

Lorsque le jeune Grec était entré dans la vie de son patron, Benhayil l'avait tout naturellement pris sous son aile, consterné par sa naïveté et sa vulnérabilité. Après l'arrivée d'Océane dans la maison, il avait dû consoler le pauvre Antinous et, la plupart du temps, jouer au gardien d'enfant avec lui. Mais depuis qu'Asgad avait complètement perdu la raison, les rôles s'étaient curieusement renversés. C'était maintenant Antinous qui servait de protecteur à l'ancien secrétaire de son amant.

Déterminé à survivre, le jeune Grec avait réussi à les faire sortir tous les deux des griffes des soldats et à trouver leur chemin jusqu'à un camp de réfugiés. Comme par hasard, ils étaient tombés sur celui où les Témoins s'étaient arrêtés pour prévenir les hommes de ce qui les attendait et leur demander de faire confiance au Père, car celui-ci n'abandonnait jamais ses enfants. Ces paroles continuaient de résonner dans la tête d'Antinous, qui avait jadis reçu une éducation religieuse fort différente. Au risque d'être reconnu par les militaires qui les recherchaient, Benhayil et lui, il s'était porté volontaire pour s'occuper des malades et des blessés dans le camp de réfugiés. Et, malgré sa connaissance rudimentaire de leur langue, il s'efforçait de réconforter ceux qui avaient tout perdu.

Le jour où fut annoncée l'exécution des Témoins, Antinous était en train de manger sa ration de nourriture, assis près de Benhayil. Il avait les yeux cernés et dormait presque debout, mais il était satisfait du travail qu'il avait accompli en si peu de temps.

— Je pense que le Dieu des Témoins sera content de moi, déclara-t-il.

— Il ne te demande pas de rendre service jusqu'à en mourir, Antinous. Il veut seulement que tu traites les autres comme tu aimerais être traité.

— C'est ce que je fais!

Un homme était alors passé en hurlant de terreur: le président allait faire exécuter Képhas et Yahuda sur la place publique dans les heures qui suivraient. Horrifiés, Antinous et Benhayil avaient suivi les convertis jusqu'au temple. Ils étaient arrivés au moment où Asgad, affublé de vêtements de cuir sombre et d'une paire d'ailes noires dans le dos s'apprêtait à faire décapiter les deux apôtres.

— Pourquoi Dieu permet-il une telle injustice ? avait sangloté le jeune Grec. L'homme que j'ai aimé n'aurait jamais fait une chose pareille.

— Il n'existe plus, Antinous, le consola Benhayil. Il va falloir quitter le pays si nous voulons échapper à une fin semblable.

Persuadé que son ancien patron allait ensuite attaquer la foule, le secrétaire avait saisi Antinous par le bras afin de retourner sur leurs pas. Les démons ailés étaient alors apparus dans le ciel et avaient fondu sur les humains terrifiés. Les deux hommes avaient couru à en perdre haleine, zigzaguant de leur mieux parmi les fuyards pour ne pas être agrippés par ces horribles créatures.

— Regarde là-bas ! avait crié le jeune Grec.

— Regarde quoi ?

— La lumière blanche !

— Mais je ne vois rien du tout, Antinous !

Une petite voix dans la conscience de l'adolescent lui disait qu'il s'agissait de leur seule porte de sortie. Il tira donc Benhayil derrière lui jusqu'à ce qu'ils baignent tous les deux dans le flot lumineux. Les Naas passèrent au-dessus de leurs têtes sans les voir.

— Il faut suivre ce chemin, Pallas.

— Je ne vois pas ce que tu vois, mon jeune ami.

— Alors, fais-moi confiance.

De plus en plus de réfugiés se greffèrent à la procession qui se dirigeait en toute sécurité vers le désert. Étrangement, aucun d'entre eux n'éprouvait la moindre fatigue. Ils marchèrent ainsi pendant des heures, jusqu'à ce qu'ils arrivent dans un col étroit, entre deux montagnes.

— J'espère que ce n'est pas un guet-apens, s'inquiéta Benhayil.

Antinous ne semblait nullement alarmé. Au contraire, un sourire de soulagement s'ébauchait sur son visage.

— Que sais-tu que j'ignore ? tenta de se rassurer le secrétaire.

— Nous sommes sauvés.

Un gros hélicoptère surgit alors du ciel obscur et survola les environs.

005

Après leur échec lamentable sur le toit du Temple de Salomon, les jumeaux Nagas avaient obéi à leur mentor et emmené les autres participants du sauvetage avec eux dans la terre pour les soustraire à la colère de Satan. Afin de les mettre en sûreté, ils les avaient conduits dans la grotte des Chrétiens où Yahuda et Képhas avaient pris l'habitude de se retirer après leurs sermons. Possédant la faculté de voyager à travers la matière, Damalis et Alexa n'avaient eu aucune difficulté à les suivre. Tandis que Neil et Darrell transportaient le corps inanimé de Cédric, Damalis avait saisi la main de Cindy, car elle ne maîtrisait pas encore ce type de déplacement.

Les jumeaux déposèrent le directeur international de l'ANGE sur le sofa poussiéreux. Heureusement, ce dernier avait conservé son apparence humaine, même dans l'inconscience. Ils aidèrent Alexa à lui ôter son veston et à déboutonner sa chemise maculée de sang. La balle du fusil d'Adielle était passée près de son cœur, mais n'avait pas fait éclater d'artères importantes ou fracasser les os de son épaule.

— Celui qui a tiré sur lui l'a manqué, fit remarquer Darrell.

— Je suis d'avis contraire, riposta Alexa en constatant que le projectile était ressorti sous l'omoplate. Ce n'était pas une tentative d'assassinat.

— On a seulement voulu le mettre hors combat, ajouta Damalis en s'approchant.

— Y a-t-il une trousse de premiers soins, ici? demanda la Brasskins.

Cindy pivota lentement en regardant les murs. Pourquoi cet endroit lui semblait-il familier ? C'était pourtant la première fois qu'elle mettait les pieds dans une grotte sous Jérusalem… «On dirait le loft de Yannick!» découvrit-elle finalement. Puisqu'elle y avait passé plusieurs semaines, lorsqu'il se trouvait à Montréal, elle se rendit à l'armoire où l'ex-agent de l'ANGE rangeait les pansements. Maintenant qu'elle connaissait sa véritable identité, Cindy comprit que c'était seulement pour la forme. Elle apporta la boîte blanche à Alexa et l'ouvrit sur la table basse.

— Qu'est-ce qu'on fait maintenant ? voulut savoir Damalis.

— On ne peut plus aider les Témoins qui ont été décapités, commença Neil.

Le souvenir de la tête de Yahuda roulant à ses pieds revint dans l'esprit de Cindy qui éclata en sanglots. Darrell s'empressa d'aller la serrer dans ses bras. Neil se contenta de froncer un sourcil, car ce n'était guère un comportement de *varan*.

— Essaie de ne pas y penser, la réconforta le Naga.

— C'est horrible de mourir comme ça…

Neil se tourna plutôt vers Damalis.

— Nous pouvons sans doute soigner la blessure de Cédric, continua-t-il, mais nous ignorons s'il est toujours sous la domination de l'Anantas. Nous devons être très prudents.

— Et Théo ? demanda Darrell. Nous devrions partir à sa recherche.

— Je pense qu'il devinera que nous sommes ici. Le mieux, c'est d'éviter de nous déplacer inutilement.

— Les démons peuvent-ils se rendre jusqu'à cette grotte ? s'inquiéta Cindy.

— J'imagine que s'ils sont déterminés à nous tuer, ils pourraient utiliser les galeries, répondit Neil. Il n'y a que les Nagas, les Brasskins, les Anantas et quelques Orphis qui parviennent à traverser la matière.

— Il nous faut un plan, insista Damalis. Il n'est pas question que nous restions enfermés jusqu'à la fin du monde.

— Lorsque Cédric sortira du coma, je suis certaine qu'il aura quelque chose à proposer, affirma Alexa en collant un pansement sur l'épaule du directeur.

Damalis aida la jeune femme à retourner son amant sur le ventre, afin qu'elle puisse aussi soigner le point de sortie de la balle.

— Je suis tout de même d'avis que nous devons évaluer la situation avant qu'il reprenne connaissance, s'entêta Damalis.

Il avait été mercenaire toute sa vie et le fait d'être aussi proactif l'avait conservé en vie.

— De nous tous, il n'y a que Cindy qui ne maîtrise pas les déplacements sous terre.

— C'est seulement par manque d'entraînement, protesta la jeune femme. Je suis Naga, tout de même.

— Il suffit donc de savoir qui nous devons mettre en sécurité et qui voudra poursuivre le combat, proposa Neil.

— Cédric ferait mieux de retourner en Suisse, suggéra Alexa, car toute une organisation compte sur lui. Ce ne serait pas une bonne idée qu'il fasse partie de votre guérilla. Je propose aussi que nous emmenions Cindy.

— Mais je veux me battre ! s'exclama la jeune agente.

— C'est le diable que nous devons affronter, lui rappela Darrell.

— Ainsi que ses hordes de reptiliens, ajouta Damalis.

— J'en ai vu d'autres, continua de protester Cindy. Si je peux vous être utile, j'aimerais rester à Jérusalem.

Les trois hommes échangèrent un regard découragé.

— Ne me dites pas que vous ne voulez pas de femme dans votre équipe ?

— C'est surtout ton manque d'expérience qui nous ennuie, avoua Neil.

— Nous ne serons pas efficaces si nous devons sans cesse te sortir de l'embarras, précisa Damalis.

— C'est très insultant!

— Ils ont raison, les appuya Alexa. Lors d'une intervention de choc, il faut pouvoir compter sur tous ses coéquipiers.

Cindy se défit de Darrell et alla s'asseoir à l'autre extrémité de la grotte en faisant la tête. Les hommes étaient tous pareils. Pourtant, la beauté n'excluait pas l'efficacité.

— Notre premier objectif serait donc de trouver un transport pour la Suisse, poursuivit Damalis sans se préoccuper de la mauvaise humeur de la jeune femme.

— Cindy, ne pourrais-tu pas communiquer avec ta base? demanda Neil.

— Non, grommela-t-elle.

Darrell fit signe à son frère de ne pas insister. Il l'amadouerait plus tard.

— Notre second objectif serait de nous assurer que Cédric quitte Jérusalem dans le plus grand secret.

— En voyageant sous terre, nous devrions être capables de nous rendre jusqu'au moyen de transport, acquiesça Neil.

— Et quel serait votre troisième objectif? s'enquit Cindy qui leur tournait toujours le dos.

— Nous avons été conçus pour une seule raison: tuer les mauvais reptiliens, répondit Neil.

— Nous en éliminerons autant que nous le pourrons, affirma son jumeau.

Ils gardèrent ensuite le silence, tandis qu'Alexa achevait de panser les blessures de Cédric. La Brasskins était inquiète de ne pas le voir ouvrir les yeux, mais faisait un gros effort pour le cacher aux autres, car ils avaient déjà suffisamment de soucis. À elle seule, la balle de fusil ne pouvait pas avoir provoqué un tel coma. S'était-il frappé la tête en tombant? Elle passa doucement les doigts dans les cheveux noirs de son amoureux, mais ne trouva rien d'anormal sur son scalp. «Pourquoi ne se réveille-t-il pas ?» se découragea Alexa.

Les Nagas étaient profondément perdus dans leurs pensées lorsqu'ils entendirent des sifflements aigus qu'ils reconnurent aussitôt. Tandis qu'ils prêtaient attention au contenu du message, de larges sourires illuminaient leurs visages. Dès que les grincements stridents cessèrent, Neil y répondit de la façon la plus brève possible, pour ne pas être repéré par les sbires de Satan.

— Bon, j'avoue que même si je suis Naga, je ne comprends toujours rien à votre langue, soupira Cindy. Qu'est-ce que c'était ?

— Théo est vivant, se réjouit Darrell.

— Mais Satan aussi, même s'il lui a coupé la tête, ajouta Neil.

— Comment est-ce possible ? s'étonna Cindy.

— Il l'a apparemment recollée à son corps et il a tenté de tuer Théo.

— Il est donc immortel, laissa tomber Alexa.

Cette nouvelle redonna de l'espoir à Cindy. Si le Prince des Ténèbres pouvait accomplir ce miracle, sans doute Yahuda et Képhas pouvaient en faire autant !

— Que lui as-tu répondu ? voulut-elle savoir.

— Je lui ai dit que nous étions sains et saufs et que nous allions bientôt nous mettre à sa recherche, l'informa Neil.

— Ne serait-il pas plus logique que ce soit lui qui vienne à nous ?

— Si j'en juge par son ton de voix, il pourrait avoir été blessé durant le combat.

— Tu es capable de déduire son état de santé dans ces grincements discordants ?

— Oui, bien sûr.

Darrell quitta le fauteuil où il était confortablement installé et vint s'asseoir près de Cindy.

— Je t'en prie, fais-le pour Cédric, minauda-t-il.

— Toi, quand tu me regardes ainsi, je ne peux rien te refuser, maugréa-t-elle.

Elle fouilla dans ses poches et en sortit l'oreillette, puis elle appuya à quelques reprises sur le cadran de sa montre.

006...

La trahison des Nagas faisait bouillir de colère le sang de Caritas, la reine des Anantas. Son combat contre Perfidia et la destruction de la troupe de soldats qui voulait s'en prendre à elle l'avait beaucoup affaiblie. Contrairement à la reine des Dracos, elle n'avait pas mis des milliers d'enfants au monde. Elle n'avait eu que quatre fils et deux d'entre eux gisaient entre ses pattes de devant, décapités. Aucun autre détachement militaire, terrestre ou aérien, n'était venu troubler son deuil. Sous sa forme de formidable dragon bleu, elle avait léché ses enfants, puis avait creusé un grand trou où elle les avait déposés en versant des larmes de tristesse. Puis, en les enterrant, elle s'était juré de les venger.

Alejandro et ses semblables allaient payer de leur vie ce crime abominable, mais même si les Nagas étaient peu nombreux, elle ne pourrait pas tous les retrouver par elle-même. Elle avait besoin d'un exécuteur sur lequel elle pourrait compter, quelqu'un qui détestait ces *varans* autant qu'elle.

Les Orphis et les Anantas étaient les seuls reptiliens à posséder des facultés surnaturelles. Le pouvoir de traverser la matière que possédaient les Nagas n'en faisait nullement des êtres extraordinaires, selon Caritas. C'était uniquement une technique de camouflage dont les avaient dotés les stupides Pléiadiens, qui n'étaient pas capables de mener leurs propres combats. Ils ne pouvaient pas, comme elle, faire appel à des forces encore plus destructrices qu'eux.

Une fois qu'elle fut bien reposée et que ses blessures eurent cessé de la faire souffrir, Caritas prit son envol et se rendit au sommet d'une montagne rocheuse. Elle flaira le vent pendant un long moment, à la recherche d'une odeur très particulière, soit celle d'une faille menant au monde souterrain des reptiliens inférieurs. Il y en avait une du côté de la Ville sainte, mais il était nullement question qu'elle y atterrisse sous cette apparence. Elle tourna sur elle-même et capta un filon intéressant vers l'est. Caritas battit des ailes et se rendit jusqu'à une étroite vallée, coincée entre les montagnes desséchées du désert. Elle renifla le sable, puis recula de plusieurs pas.

Des sifflements tantôt doux, tantôt menaçants se succédèrent dans sa gorge. Ses écailles bleues se mirent à émettre une faible lumière. Tout à coup, le sable commença à tourbillonner au milieu de la combe, puis le sol craqua. La fissure s'élargit de plus en plus et des reflets ignés y apparurent.

— Viens à moi, démon vengeur ! ordonna Caritas.

Une spirale de flammes s'éleva de la crevasse, emprisonnant un reptilien à la peau bleuâtre. Toutefois, ce n'était pas un Anantas. Les deux seuls mâles de cette race étaient Cristobal et Herryk, mais la reine suspectait que ce dernier avait été réclamé par le Prince des Ténèbres.

Sa prise était en fait un Shesha. Même si leurs écailles étaient de la même couleur que celles des Anantas, ces races ne faisaient pas partie de la même caste et ne possédaient pas les mêmes pouvoirs. Toutefois, les deux faisaient partie des plus féroces prédateurs sur la planète. Caritas n'avait évidemment pas peur des Sheshas, surtout sous sa forme de dragon. Seule une autre reine pouvait lui faire perdre la vie.

Asmodeus ne savait pas pourquoi une telle force l'avait retiré de l'enfer où Ahriman l'avait enfermé, mais il ne se débattit pas tandis qu'il tournait lentement dans le tourbillon enflammé.

Lorsque ses pieds touchèrent enfin le sol, il se retrouva devant l'animal le plus craint de toute la création. Il mit aussitôt un genou en terre et se courba devant Caritas.

— Est-ce vous qui m'avez rappelé des ténèbres, Majesté ? osa-t-il demander puisque la reine l'observait en silence.

— J'ai besoin d'un serviteur qui ne me trahira pas.

— Ma loyauté est légendaire.

— Parle-moi de toi.

— Je suis Asmodeus, le plus puissant des démons à avoir servi Satan, jusqu'à ce que son fallacieux lieutenant Ahriman m'écarte de son chemin par envie. Dites-moi comment je peux vous venir en aide.

— Les Nagas ont formé une alliance avec moi, mais au lieu de respecter leur partie du marché, ils ont tué mes enfants. Il n'en reste qu'un. J'ai besoin de quelqu'un qui tuera tous les Nagas.

— Je peux certainement assouvir votre besoin de vengeance, Majesté, mais éliminer ces traqueurs prendra du temps, puisqu'ils sont disséminés sur toute la planète.

— Je ne suis pas pressée.

Asmodeus non plus, mais ce que lui désirait, c'était de régler ses comptes avec Ahriman. Les deux missions n'étaient toutefois pas contradictoires.

— Je ferai en sorte qu'ils regrettent le jour où ils sont nés, répondit finalement le démon.

— Pour me prouver qu'ils sont morts, tu devras me rapporter leur glande mnémonique.

— Rien de plus facile.

— Va et ne me déçois pas.

La reine s'envola, laissant son nouveau serviteur seul au milieu du désert. Contrairement à ses semblables qui n'étaient que de vulgaires reptiliens munis de dents acérées et de longues griffes, Asmodeus avait volé de nombreux pouvoirs à d'autres démons. Ce serait un jeu d'enfants de débarrasser Israël de ces irritants Nagas, puis de les pister sur les autres continents.

— J'ai toujours eu envie de voyager, déclara-t-il en devenant aussi léger que l'air.

007...

C'est avec beaucoup de soulagement que Benhayil grimpa dans l'hélicoptère militaire et s'installa près d'Antinous. L'appareil pouvait facilement accueillir une quarantaine de personnes. Tandis qu'il s'élevait dans les airs, d'autres hélicoptères arrivaient de l'ouest. Les deux hommes ne savaient pas ce qui les attendait, mais tout ce qu'ils voulaient, c'était d'échapper au chaos dans lequel était plongé le pays. Le trajet jusqu'au porte-avions dura plusieurs heures et, curieusement, personne ne chercha à lancer des missiles sur les fuyards. «C'est trop beau pour être vrai», se dit Benhayil, sceptique. À côté de lui, le jeune Grec regardait dehors, même s'il faisait noir. «Quelle curieuse histoire que la sienne», songea le secrétaire.

Né deux mille ans plus tôt, quelque part en Grèce, Antinous était revenu à la vie à Jérusalem, au pire moment de son histoire. En quelques mois à peine, il avait appris à parler l'hébreu et le français, mais ne lisait ni l'une ni l'autre de ces langues. Il s'était aussi adapté à deux millénaires de progrès technologiques, tant sur le plan des communications que des transports et de la guerre. «Il est vraiment étonnant qu'il ne soit pas devenu fou», conclut Benhayil.

Cet adolescent d'une autre époque ressemblait à tous les autres jeunes de son âge depuis qu'il avait troqué son chiton pour une tenue plus moderne. Ses cheveux noirs avaient tellement allongé que ses boucles retombaient devant ses yeux. Malgré tout ce qu'il venait de traverser, il ne semblait pas se soucier outre mesure de son sort. Il se laissait une fois de plus conduire en terrain inconnu, sans inquiétude.

Pour Benhayil, qui avait suivi le parcours parfait qu'il s'était tracé, de son admission à l'école des affaires jusqu'à son embauche par le puissant homme d'affaires Asgad Ben-Adnah, rien n'allait plus. Pourquoi n'avait-il pas quitté son emploi lorsque son patron s'était mis à avoir de fréquentes pertes de connaissance? À partir de cet instant, au lieu de s'occuper uniquement de la bonne gestion des entreprises de Ben-Adnah, il était devenu son infirmier, son psychologue et bien souvent, son seul réconfort. La situation s'était aggravée le jour où son patron s'était arrêté dans le parc où les Témoins parlaient à la foule.

«Si je ne me trouve pas un nouvel emploi, je pourrai vendre notre incroyable histoire à un scénariste américain», pensa-t-il. Du jour au lendemain, Ben-Adnah s'était pris pour l'Empereur Hadrien. Il avait fait fuir la moitié de ses domestiques en menaçant de les faire fouetter chaque fois qu'ils faisaient la moindre erreur. Puis, le docteur Wolff était arrivé à la villa et avait encouragé les égarements de l'homme d'affaires. Il lui avait présenté le jeune Grec pour lui faire plaisir. Benhayil avait tout de suite pensé que c'était un autre patient du médecin, atteint du même mal, car lui aussi prétendait provenir du passé. Maintenant, il savait que les nécromants, les démons et Satan existaient vraiment.

L'hélicoptère se posa sur le pont de l'immense navire, tirant Benhayil de sa rêverie. Des soldats ouvrirent les portes de l'appareil et aidèrent les réfugiés à en descendre. Antinous prit la main du secrétaire et le tira derrière lui. Des hommes armés de puissantes lampes de poche les emmenèrent à l'intérieur. Ils suivirent les autres jusqu'à une grande pièce où les attendaient de la nourriture et des boissons. Benhayil lâcha la main du jeune Grec et alla s'asseoir dans un coin. Désemparé, il se referma comme une huître.

Antinous déposa une tasse de carton chaude dans sa main.

— C'est du café.

Benhayil baissa les yeux sur le liquide sombre et fumant.

— Bois, insista l'adolescent. Tu en as besoin.

— Pourquoi n'es-tu pas effrayé comme moi, Antinous?

— Parce que le danger est passé, évidemment.

— Nous ne savons pas où nous sommes, où on nous emmène et ce qu'il adviendra de nous.

— Je l'ai demandé aux hommes là-bas et ils m'ont répondu que dès que ce vaisseau aura reçu le nombre maximal de rescapés qu'il peut contenir, il voguera jusqu'à un pays qui s'appelle l'Amérique.

— C'est un continent, pas un pays.

— Ils m'ont aussi dit que des gens nous attendent là-bas. Ils nous fourniront un abri jusqu'à la fin des hostilités.

— Jusqu'à la fin du monde, tu veux dire.

— C'est ça qui te fait peur, Pallas?

— Que nous soyons morts étranglés par ces horribles créatures volantes ou que nous mourrions dans quelques mois dans une terrible explosion, quelle est la différence?

Antinous lui enleva sa boisson, la déposa sur une table et vint le serrer dans ses bras. À bout de force, le secrétaire éclata en sanglots contre sa poitrine.

— L'inconnu n'est pas forcément mauvais, assura l'éphèbe. C'est ce que me répétait sans cesse Hadrien, lorsqu'il m'emmenait dans une nouvelle province, et il avait raison. J'ai vu des paysages uniques, des animaux fabuleux, des maisons qui ne ressemblaient à rien de ce qui m'était familier. Une fois qu'on a fait face à l'inconnu, il disparaît sous nos yeux.

— Et si c'était la mort qui nous attendait en Amérique?

— Alors, nous l'affronterons bravement ensemble. Toutefois, je ne pressens aucun tel danger.

Des soldats déposèrent alors de chaudes couvertures sur leurs épaules pour leur redonner du courage.

— Nous allons vous conduire à vos cabines, annonça l'un d'entre eux.

Antinous aida son ami à se lever et l'entraîna dans le long couloir, à la suite des autres. Il remercia celui qui venait de leur ouvrir la porte de leurs nouveaux quartiers et poussa Benhayil à l'intérieur. C'était une petite pièce avec un bureau, une commode et deux lits superposés. Il força le secrétaire à s'allonger sur celui du bas.

— Tout ira très bien, Pallas.

Quelques coups furent donnés sur la porte métallique. Le jeune Grec alla répondre et trouva un homme de forte stature devant lui.

— Je suis le docteur Murphy. On m'a dit que l'un de vous avait peut-être besoin de mon aide.

— Mon ami est très angoissé.

— Ce qui est tout naturel après ce que vous avez traversé. Puis-je le voir ?

— Entrez, je vous prie.

Le médecin d'une quarantaine d'années s'accroupit à côté du lit où reposait le pauvre secrétaire de plus en plus pâle.

— Comment vous appelez-vous ?

— Benhayil Erad…

— Je suis le docteur Murphy. Me permettez-vous de vous examiner ?

Le secrétaire commença par résister, puis laissa l'Américain évaluer ses signes vitaux en lui confiant qu'il comprenait sa détresse. Il lui proposa ensuite un léger sédatif pour qu'il puisse trouver un sommeil réparateur. Benhayil refusa catégoriquement d'avaler quoi que ce soit. Antinous, qui était demeuré en retrait, décida d'intervenir.

— Nous avons traversé ensemble des épreuves qui auraient fait perdre la raison à d'autres hommes, mais nous nous en sommes sortis indemnes, Pallas. Maintenant que nous sommes saufs, il est normal que nos nerfs se relâchent, comme lorsqu'on rentre de la chasse au lion. Jadis, nous buvions du vin pour nous détendre et nous faire oublier que nous avions frôlé la mort. Ce que le médecin te propose, c'est seulement de dormir en paix.

Le jeune Grec déposa le somnifère au creux de la main de son ami.

— Ne crains rien. Je veille sur ton sommeil.

Benhayil porta la pilule à sa bouche et but l'eau que lui tendait le médecin, puis il se coucha.

— Merci, Antinous.

L'adolescent reconduisit le docteur Murphy à la porte de la cabine.

— Votre don de persuasion est vraiment impressionnant, jeune homme. J'espère que vous envisagerez une carrière en psychologie.

Antinous haussa les épaules avec un sourire. Lorsque le médecin fut parti, il revint s'asseoir près du secrétaire. Ce don, il l'avait acquis des années auparavant, auprès d'un empereur qui s'emportait pour un rien…

008

Ce ne fut pas l'accouchement qui vida Océane de ses forces pendant plusieurs jours, mais la mutation profonde de tout son corps. Les quelques cellules reptiliennes qu'elle possédait s'étaient multipliées à une vitesse fulgurante tout de suite après la ponte de son œuf. N'ayant pas appris à maîtriser la transformation de l'humaine en Anantas et vice versa, la pauvre femme subissait les métamorphoses sans pouvoir les arrêter, et elles se succédaient sans cesse toute la journée et toute la nuit.

Épuisée, l'ancienne espionne avait fini par s'appuyer le dos contre le mur brillant de sa cellule et s'était laissée glisser sur le sol en pleurant à chaudes larmes. Tout le monde lui avait recommandé de se débarrasser de son bébé, mais elle n'en avait fait qu'à sa tête. On l'avait avertie qu'elle deviendrait reptilienne au moment où elle lui donnerait naissance. Jamais Océane n'avait pensé que ce pouvait être aussi douloureux. Cédric et Thierry éprouvaient-ils les mêmes souffrances chaque fois qu'ils modifiaient leur constitution. Était-ce pour cette raison que son père détestait tant sa véritable nature ?

Les Pléiadiens lui apportaient ses repas, mais ils n'entraient jamais dans la pièce. «Je serais terrorisée moi aussi, à leur place», songea-t-elle lorsqu'ils firent une fois de plus glisser le plateau métallique sur le plancher. Ils lui servaient des fruits et de la viande crue, ne sachant jamais sous quel aspect il la trouverait. Trop épuisée pour bouger, elle tendit la main vers la nourriture.

— Si les Anantas ont des facultés magiques, alors pourquoi est-ce que je ne peux pas faire venir ce satané plateau jusqu'à moi ?

Un grincement métallique la fit sursauter.

— Non, pas encore… J'en ai assez…

Elle se coucha sur le sol et se mit à sangloter, craignant la douleur qui allait bientôt faire trembler tout son être, mais les écailles ne recouvrirent pas ses bras. Un couinement plus doux parvint à ses oreilles. Océane releva la tête.

— Qui est là ?

Elle promena son regard dans la pièce, intriguée, et vit que son œuf bleu, maintenant plus gros que celui d'une autruche, se balançait doucement de gauche à droite dans la couveuse.

— Qu'est-ce qui se passe ?

Océane se traîna sur le plancher et parvint à s'asseoir devant l'incubateur. Puisqu'il s'agissait d'un autre appareil pléiadien, il n'y avait aucun dispositif permettant d'ouvrir les panneaux transparents et d'avoir accès à son contenu. La mère dut donc se contenter d'appuyer la main sur le plexiglas.

— Dis-moi que tu n'es pas malade…

L'œuf émit alors de petits sifflements modulés, comme si un oiseau y avait été enfermé.

— Tu me parles, mais je ne comprends pas ce que tu me dis, Ethan.

Pourtant, la plupart des reptiliens pouvaient interpréter ces grincements.

— Thierry m'a déjà dit qu'il ne connaissait pas tous les dialectes des autres races. Est-ce aussi mon cas ?

Le bébé, aussi têtu qu'elle, continua de piailler.

— Comment vais-je pouvoir élever convenablement mon fils si je ne peux même pas communiquer avec lui ? se désespéra-t-elle.

Elle ferma les yeux et appuya le front contre la paroi. Lentement, l'œuf roula jusqu'à ce qu'il touche aussi le plexiglas.

– *Maman…*

Océane tressaillit.

– Je suis en train d'halluciner.

– *Pas pleurer…*

– Ça ne peut pas être toi qui me parles, Ethan. Tu n'es encore qu'un embryon. J'ignore quand tu vas finir par sortir de ton œuf…

Les sifflements se changèrent en doux ronronnements.

– Personne ici ne veut me dire quoi que ce soit. J'imagine qu'ils n'ont pas dû souvent pratiquer des accouchements sur des Anantas, à moins qu'ils aient aussi aidé ma grand-mère à pondre ses œufs.

– *Méchante…*

– Si c'est de Caritas que tu parles, je suis parfaitement d'accord, mais si c'est de moi, par contre…

– *Tuer cherche…*

– Il va vraiment falloir améliorer ton vocabulaire, fiston, parce que ce n'est vraiment pas clair. Est-ce moi qui suis méchante avec toi ?

– *Non, toi maman…*

– Je suis soulagée qu'on s'entende au moins sur ce point. C'est quoi cette histoire de «tuer cherche» ?

– *Tuer Ethan, maman…*

– Surtout ne crains rien, mon petit ange.

«Curieux choix de surnom pour le fils de Satan, ne put s'empêcher de penser Océane. Peut-être que je devrais plutôt l'appeler mon petit prince. »

– Il y a tellement de choses que tu ignores à mon sujet. Sache tout de suite que je suis une espionne et que j'ai appris à me défendre. Personne ne te fera de mal, surtout que maintenant, j'ai aussi des griffes et des dents quand je me transforme.

«Inutile de lui révéler que je ne maîtrise pas encore les métamorphoses. Je ne veux surtout pas l'angoisser. »

— Dès que tu sortiras de là, nous irons vivre sur une île déserte, toi et moi. Tu grandiras en toute innocence comme au jardin d'Eden. Nous éliminerons tous les serpents et nous abattrons tous les pommiers.

— Vous devriez manger, fit alors une voix en provenance de la porte.

Une Pléiadienne se tenait de l'autre côté de la barrière d'énergie, les mains jointes.

— Là d'où je viens, on associe la nourriture avec le plaisir. Comme vous avez certainement pu le constater, puisque vous épiez tous mes gestes, cette séquestration n'a rien d'agréable.

— Vous ne recouvrerez jamais vos forces en jeûnant.

— Je veux voir ma mère.

— Elle n'est pas ici.

— Je sais que vous pouvez communiquer avec elle. Dites-lui que j'ai besoin d'elle.

— Je crains que ce soit impossible.

— Ce mot ne fait pas partie de mon vocabulaire.

— Plus tard, vous comprendrez.

— Allez-vous me garder dans cette pièce jusqu'à ma mort ?

— Nous vous relâcherons lorsque cette planète ne représentera plus de danger pour l'enfant et vous.

— J'ai une meilleure idée. Emmenez-nous dans une autre galaxie où Satan n'a aucune emprise.

La Pléiadienne pivota sur ses talons.

— Dites-moi ce qui se passe à l'extérieur, exigea Océane.

Elle poursuivit sa route sans répondre.

— Ça doit aller vraiment mal, mon petit chéri, soupira l'ex-agente.

Océane caressa la paroi qui la séparait de son enfant avec le bout de ses doigts.

— *Manger, maman...*

— Tu as faim ?

— *Toi, manger...*

— Si tu penses que ça peut changer quelque chose, je veux bien essayer.

Elle se retourna, avec l'intention d'aller chercher le plateau, mais celui-ci se mit à glisser de lui-même et s'arrêta devant elle.

— *Toi, manger...*

— Si c'est toi qui viens de faire ça, alors là, je suis vraiment impressionnée.

Elle avala goulûment les fruits, mais plissa le nez avec dégoût devant la viande crue.

— Es-tu satisfait, maintenant?

— *Aime, maman...*

— Si tu savais à quel point j'ai hâte de te prendre dans mes bras, mon petit prince.

Sentant un regain de vie, elle repoussa le plateau et se tourna vers la couveuse.

— Peut-être qu'on devrait demander un jeu d'échecs aux Pléiadiens.

— *Échecs?*

— À mon avis, tous les parents devraient enseigner ce jeu à leurs enfants dès qu'ils sont capables un tant soit peu de raisonner, car il leur apprend à penser aux conséquences de leurs gestes. Ma mère l'a fait avec moi, sauf que dans mon cas, elle avait transformé toute sa cour en immense damier. Chaque pièce était de ma taille et devait être déplacée manuellement. Mais quand tu rencontreras Andromède, tu comprendras qu'elle est incapable de faire quoi que ce soit comme tout le monde.

— *Tuer cherche Andromède...*

— S'il y a quelqu'un qui sait comment échapper à ses poursuivants, c'est bien elle. Tout compte fait, j'espère que tu tiendras d'elle au lieu de moi ou de ton père.

— *Père, mort...*

— Est-ce que tu n'es pas un peu trop jeune pour continuellement parler de la mort? Si je te tenais dans mes bras, je te chatouillerais jusqu'à ce que tu cries grâce.

— *Toucher, maman...*

— Pour ça, il faudrait que je trouve la façon d'ouvrir ton incubateur, mais, en même temps, j'aurais peur de te priver de ta période d'incubation.

— *Toucher, maman...*

— Toi, quand tu veux quelque chose, tu es tenace.

Elle appuya la main sur le plexiglas. Sa tête se mit à tourner comme si elle avait trop bu d'alcool, puis elle sombra dans le sommeil. Lorsqu'elle ouvrit les yeux, elle se tenait debout dans un grand jardin, où les fleurs poussaient entre des blocs de granit. «On dirait un cimetière», songea-t-elle. Si cette scène avait été réelle, Océane aurait sans doute eu la chair de poule. «J'espère que je ne suis pas encore en train de rêver que je suis morte», espéra-t-elle.

Elle entendit alors le rire cristallin d'un enfant et tourna sur elle-même pour découvrir d'où il émanait. C'est alors qu'elle vit un bambin, qui ne devait pas avoir plus de deux ans, surgir d'entre deux grosses pierres carrées. Ses boucles noires soyeuses frémissaient sur sa tête tandis qu'il courait vers elle. Il portait un pull blanc, un jeans bleu et de petites espadrilles deux tons. Lorsqu'il fut suffisamment près d'elle, Océane distingua enfin ses traits. «On dirait une version hyper jeune de Cédric!» constata-t-elle.

L'enfant s'arrêta et tendit les bras. Océane le cueillit, étonnée qu'il soit aussi léger qu'une plume.

— Aime, maman... murmura-t-il dans son oreille.

— Mais comment arrives-tu à faire toutes ces choses?

Pendant l'espace d'un instant, les yeux sombres d'Ethan s'animèrent d'une curieuse lueur écarlate.

009

Pendant que sa fille faisait d'énormes efforts pour accepter son nouvel état, Andromède parcourait la planète en laissant des traces énergétiques partout, afin de semer ses ennemis. La guerre entre les Pléiadiens et les reptiliens remontait à des siècles. En fait, elle faisait déjà rage à l'époque où Antinous était né pour la première fois. Les pacifiques hommes blonds étaient arrivés sur la Terre alors que ses habitants n'étaient encore que des créatures primitives qui chassaient pour survivre et qui vivaient dans la crainte constante qu'un autre clan leur enlève leur nourriture et leur territoire. Avec beaucoup de patience, les Pléiadiens avaient civilisé ces peuplades en leur enseignant l'agriculture, le commerce, les mathématiques, l'écriture et l'astronomie. Au moment où ils semblaient avoir établi le même climat de paix et d'harmonie sur la planète, les reptiliens avaient surgi, en provenance de l'espace.

La présence des vaisseaux Dracos dans le ciel avait marqué les Terriens qui en avaient fait état dans leurs sculptures et certains de leurs écrits anciens. L'intervention des Pléiadiens dans leur univers avait été discrète, mais avait profondément transformé leur mode de vie. Celle des reptiliens avait été plus brutale. Pour eux, les humains n'étaient que du bétail qu'ils mettaient au travail ou qu'ils consommaient. L'affrontement avec les premiers colonisateurs des Pléiades avait donc été inévitable. Ces derniers avaient sommé les Dracos de retourner chez eux, ce qu'ils avaient évidemment refusé de faire. Une guerre s'ensuivit.

Malgré leur nature pacifique, les grands hommes blonds ne pouvaient tout simplement pas laisser les serpents détruire tout ce qu'ils avaient bâti. Avec l'aide des humains, ils avaient réussi à repousser les reptiliens sous la terre, où ils étaient restés pendant des centaines d'années. Puis, les Dracos, ainsi que les autres races de serpent qui avaient été vaincus en même temps qu'eux, avaient contre-attaqué en mêlant leur ADN à celui des hommes, ce qui leur avait permis d'adopter leur apparence et de se fondre parmi eux sans que les Pléiadiens ne s'en aperçoivent, au début. C'est parce qu'ils avaient du mal à différencier ces reptiliens des humains que les hommes blonds avaient créé les Nagas en les dotant d'une glande capable de détecter un Dracos à des kilomètres à la ronde.

Andromède n'était certes pas un Naga et jamais elle n'aurait fait de mal à une mouche, mais elle possédait par contre un fort instinct maternel. À aucun moment elle ne laisserait les démons s'en prendre à sa fille ou à son petit-fils. Alors, après s'être enfuie de la base de l'ANGE à Longueuil, elle avait zigzagué à la surface du globe, s'arrêtant à plusieurs endroits afin d'y refaire ses forces. Pour pouvoir se déplacer, elle n'avait qu'à visualiser le lieu où elle désirait se rendre et laissait jaillir de son plexus solaire suffisamment d'énergie pour ouvrir une porte sur un raccourci dans l'espace et le temps. C'était une opération épuisante, même pour une Pléiadienne aussi expérimentée qu'elle.

Elle venait de débarquer sur un pic de la cordillère des Andes lorsqu'elle ressentit la première menace. «Je suis pourtant très loin de Jérusalem», songea-t-elle en s'asseyant sur le sol. Certains démons possédaient des pouvoirs magiques, mais ils n'étaient pas légion, et ils ne vivaient pas à cette altitude, en Amérique du Sud. Andromède s'employa donc à rétablir sa force vitale le plus rapidement possible pour pouvoir s'enfuir.

Une créature aux longues ailes de chauve-souris tomba du ciel et se posa à quelques pas devant la Pléiadienne. Andromède recula sur ses mains jusqu'à ce que son dos heurte la paroi rocheuse. C'était un reptilien couvert d'écailles noires.

— Personne n'échappe à mon maître, déclara-t-il d'une voix rauque.

— Je ne le connais pas et je n'ai nullement envie de le connaître, répliqua Andromède en époussetant ses vêtements.

— Il veut vous poser des questions au sujet d'un enfant. Il faut que je vous ramène jusqu'à lui.

— C'est ce qu'on verra.

Le Naas se transforma en beau jeune homme aux longs cheveux noirs.

— On dirait bien qu'il connaît mes faiblesses... murmura la Pléiadienne, pour elle-même.

— Il m'a donné un talisman. Le voyage sera de courte durée.

— Dites-lui que j'ai fait mes propres réservations.

Andromède se leva et voulut poursuivre son chemin sur la corniche. Phénex lui bloqua la route.

— Ne m'obligez pas à vous blesser, le menaça sa proie.

— J'obéis toujours à mes ordres.

— Vous devriez plutôt apprendre à penser par vous-même. Pour commencer, comment êtes-vous certain que c'est moi qu'il recherche ?

— Vous avez la bonne odeur.

— Des milliers de femmes utilisent le même parfum que moi.

— Vous faites partie des Pléiadiens.

— Je suis Québécoise et j'habite à Saint-Hilaire.

Le démon ne comprenait rien à ses réponses, mais elles lui importaient peu. Sa mission était de la capturer et de la ramener à Ahriman.

— Laissez-moi tranquille ou je vais appeler la police.

Phénex regarda autour de lui. Plus haut, il y avait de la neige, et le premier village visible dormait au pied de la montagne.

Andromède essayait désespérément de faire traîner les choses afin de pouvoir ouvrir une porte dans l'espace-temps et s'échapper. Le démon sortit une grosse breloque de la poche de ses jeans. Elle ressemblait à un scarabée ou à un autre insecte de la même famille.

— Si vous ne résistez pas, vous ne serez pas blessée.

— Si vous me touchez, vous le serez.

Le jeune homme tendit la main vers la Pléiadienne. Malgré sa forme humaine, ses doigts se terminaient par des griffes acérées. Il attendit quelques secondes, espérant que sa prisonnière serait raisonnable, mais puisqu'elle ne bougeait pas, il la saisit par le bras. Andromède poussa un cri aigu qui se répercuta sur tous les pics environnants.

010

Tandis que les cardinaux étaient réunis à huis clos afin d'élire le prochain pape, Alonzo Siniscalchi, le camerlingue, à peine remis des soucis des obsèques d'Alexandre IX, se tenait à la fenêtre de ses appartements, observant la ville. Quelque part à Rome, un homme prétendant être la seconde incarnation du Christ, se promenait en toute tranquillité. Dès que l'élection serait terminée, Alonzo partirait à sa recherche. Depuis leur courte rencontre, il se sentait attiré par la pureté de son regard et la douceur de sa voix.

Le camerlingue avait veillé à l'organisation des lieux, soit la chapelle Sixtine où se tenait l'élection, ainsi que la Maison Sainte-Marthe où les électeurs iraient ensuite se reposer. Il leur avait rappelé qu'aucune correspondance ou communication avec l'extérieur n'étaient permises, sauf en cas d'urgence. La lecture de journaux et de périodiques ainsi que l'écoute de la radio et de la télévision ne leur seraient autorisées. L'usage d'appareils servant à enregistrer la voix, les images ou les écrits était strictement défendu. Toute infraction à ces obligations était passible d'une excommunication immédiate. Des gardes suisses avaient été postés à toutes les issues. Personne ne pourrait entrer ou sortir de la chapelle pendant le scrutin.

Les cardinaux avaient tiré au sort, parmi eux, trois scrutateurs, trois infirmarii pour recueillir les votes des malades et trois réviseurs. Maintenant, chaque électeur devait écrire sur son bulletin le nom de l'homme qui possédait les qualités nécessaires pour guider l'Église. En tenant son bulletin plié, il devait ensuite se rendre jusqu'à l'autel de la chapelle. Il prononçait alors un serment à haute voix, déposait son bulletin dans un grand calice faisant office d'urne. Puis, il s'inclinait vers l'autel et regagnait sa place. Avec près de cent vingt votants, chaque tour de scrutin durait un long moment. Il fallait ensuite faire le compte des bulletins, puis leur dépouillement. Pour pouvoir élire le prochain Pontife romain, deux tiers des suffrages étaient requis.

Comme tous les fidèles du monde entier, Alonzo ne pouvait qu'attendre. À la fin de la première journée, on vint le prévenir que la fumée qui s'échappait du vieux poêle dans la chapelle était noire. La nouvelle n'étonna pas le camerlingue, car les cardinaux n'arrivaient jamais à s'entendre sur quoi que ce soit.

— Accompagnez-les jusqu'à leurs chambres, ordonna-t-il au garde suisse.

Personne ne pouvait parler aux électeurs durant le conclave, sauf si, après trois jours de délibération, ils avaient toujours du mal à se mettre d'accord sur la personne à élire. Alonzo ne serait appelé à le faire qu'au terme d'une quatrième série de scrutins afin de les inviter à s'exprimer sur une nouvelle manière de procéder. Il attendit ainsi pendant plus d'une semaine, espérant que l'étranger qu'il voulait retrouver n'ait pas décidé d'aller visiter le reste du pays.

Alonzo avait réfléchi à plusieurs façons d'obtenir une élection valide, mais lorsqu'on lui demanda finalement de se présenter à la chapelle Sixtine, il n'eut pas le temps de les présenter. Le doyen vint aussitôt à sa rencontre, un air mécontent sur le visage.

— Tout ça, c'est ta faute, murmura-t-il en s'arrêtant devant lui.

— Je vous demande pardon ?

— Tu as empoisonné l'esprit de la moitié des cardinaux avec cet Américain qui prétend être l'agneau de Dieu.

— En quoi cela vous empêche-t-il d'élire le nouveau Pontife ?

— C'est son nom que l'on retrouve sur la moitié des bulletins de vote.

Le camerlingue réprima maladroitement un sourire.

— Ton devoir est de trouver une façon de nous sortir de ce dilemme, Alonzo, pas de prêcher pour cet homme qui t'a fait perdre la raison.

— Je ferai ce que je peux.

Alonzo écouta ce que les cardinaux avaient à proposer, mais lorsque ce fut à son tour d'exprimer sa pensée, il leur demanda de se recueillir et d'écouter ce que leur disait leur cœur.

— Nous vivons des temps difficiles et nous avons besoin d'un chef qui aura la force de s'opposer à Satan lorsqu'il tentera de détruire cette cité. Choisissez quelqu'un qui soit à la fois un sage et un guerrier, un stratège et un négociateur. Je suggère que vous votiez entre les deux candidats qui ont obtenu le plus grand nombre de voix jusqu'à présent et que celui qui obtiendra la majorité absolue l'emporte.

Il croisa ses doigts dans son dos et attendit leur réaction. Après avoir discuté entre eux pendant plusieurs minutes, ils acceptèrent les modalités de la nouvelle procédure.

— Que Dieu guide votre choix, conclut le camerlingue.

Il quitta la chapelle sans accorder un regard au doyen, mais il pouvait sentir sa colère. Pourtant, il n'avait pas encouragé les cardinaux à élire qui que ce soit. Il s'était contenté d'accélérer les choses. Il rédigea le compte rendu de cette décision, le fit approuver par ses trois cardinaux assistants et le déposa dans une enveloppe scellée qui serait éventuellement remise au nouveau pape.

Quelques heures plus tard, de la fumée blanche s'élevait vers le ciel, déclenchant l'euphorie sur la place St-Pierre. Le doyen rappela immédiatement le camerlingue à la chapelle.

— Maintenant que tu as réussi à le faire élire, il faut encore que tu puisses le retrouver, lui dit-il.

— Ils ont choisi Kaylin ? jubila Alonzo se retenant d'élever la voix.

— Ne te réjouis pas trop vite. Rien ne prouve qu'il acceptera cette lourde charge.

— S'il y a un homme qui la portera avec grâce et avec joie, je crois bien que ce sera lui.

Animé d'une nouvelle vitalité, Alonzo quitta les cardinaux pour accomplir sa nouvelle mission. « Seigneur, j'ai besoin d'un signe », pria-t-il en quittant le Vatican. De quel côté se tourner ? « Si j'étais Kaylin, où serais-je tenté d'aller ? » L'arc de Septime Sévère apparut dans son esprit.

— Le forum romain…

Le chef des gardes suisses avait voulu lui fournir une escorte, mais le camerlingue avait refusé. Il ne voulait pas attirer l'attention tandis qu'il circulait parmi les badauds, à la recherche d'une aiguille dans une meule de foin. Il acheta donc son billet comme tout le monde et entra dans le vaste espace qui regroupait de nombreuses ruines de l'époque romaine. Il parcourut la voie Sacrée jusqu'à l'Arc de Titus, sentant son cœur battre de plus en plus rapidement dans sa poitrine. C'est alors qu'il le vit, admirant le monument commémorant les victoires de l'empereur Domitien sur les juifs et la prise de Jérusalem, en particulier les bas-reliefs où on pouvait voir les Romains emportant le butin du temple.

— Es-tu venu me raconter comment les hommes ont oublié qu'ils étaient responsables de leur propre salut, Thomas ? demanda-t-il sans se retourner.

— Comment saviez-vous que je vous rejoindrais ici ?

— Contrairement au vôtre, mon cerveau ne se limite pas à ce que lui rapportent mes sens physiques. Je suis devant toi et partout à la fois.

— Ce n'est pas très clair dans mon esprit.

— Marchons, si tu le veux bien.

Ils rebroussèrent chemin sur la voie Sacrée, sans se presser.

— J'ai reçu un enseignement qui n'était dispensé que dans certains temples, jadis. J'ai transmis ces connaissances à mes disciples en leur demandant d'en faire autant à leur tour. J'espérais que ces préceptes survivent jusqu'à ce jour. Au lieu de revenir dans un monde de justice, d'équité et de fraternité, j'ai découvert des contrées morcelées par la guerre et des hommes qui se moquaient de leur prochain. J'essaie encore de comprendre ce qui a bien pu se passer.

— Je crains qu'ils aient utilisé la religion pour faire de la politique. Les messages originaux ont ainsi été perdus, voire oblitérés pour assurer une plus grande domination de l'idéologie pendant des siècles.

— Autrement dit, mon Église est corrompue ?

— Il y a de bons et de mauvais sujets partout. Malheureusement, on n'entend parler que des erreurs des derniers.

— Tu as servi un chef prévaricateur pendant toutes ces années ?

— Sa Sainteté avait des défauts comme tout le monde, mais à ma connaissance, elle ne s'est jamais rendue coupable d'actes de mauvaise foi envers qui que ce soit. Il n'est pas facile d'être le chef d'une aussi grande congrégation. Ce qui m'amène au but de ma visite.

— Ils m'ont choisi, n'est-ce pas ?

— Je pense que la portion de votre discours sur la fureur de Satan les a fait réfléchir. Vous nous avez proclamé que nous n'y survivrions pas sans vous.

Kaylin lui décocha un regard amusé.

— Je peux fort bien protéger les véritables croyants sans chausser les souliers du pape.

— Vous n'aimez pas beaucoup les conventions, on dirait.

— Pourquoi ai-je été crucifié, à ton avis ?

Au grand étonnement d'Alonzo, l'Américain s'esclaffa.

— Ne fais pas cette tête-là, Thomas, lui dit-il en riant. Ne te souviens-tu pas que j'aimais me moquer de vous, autrefois ?

— Non, je ne me souviens de rien avant cette vie.

— La mémoire te reviendra.

— Que dois-je annoncer aux cardinaux ?

— Dis-leur que je serai bientôt là.

— Très bien.

Le camerlingue le salua de la tête et poursuivit sa route vers la sortie du forum. Il retourna au Vatican et marcha sans se presser jusqu'à la chapelle Sixtine.

— Il sera là incessamment, annonça-t-il. En attendant, je vous suggère de vous reposer.

Pour sa part, Kaylin avait continué de flâner dans les ruines, puis s'était rendu sur une petite terrasse pour boire du thé. Tout comme lors de son premier passage sur la Terre, l'âme du Fils de Dieu avait emprunté le corps d'un homme mûr pour s'incarner. Il ne lui servait à rien de naître et de grandir en faisant semblant d'être un enfant normal. Lors de ses deux incarnations, il avait soigneusement choisi des sujets plus avancés spirituellement que leurs contemporains. En Galilée, il avait opté pour Jeshua, un jeune prophète qui avait déjà conquis bien des cœurs, tandis qu'au XXIe siècle, il avait persuadé l'âme de Kevin Kaylin, un jeune physicien qui avait connu l'illumination grâce à Cael Madden, de lui céder sa place. Les deux fois, il n'était entré dans ces corps qu'à un âge où on prenait les prophètes plus au sérieux.

Il était en train de songer à la meilleure façon d'approcher les cardinaux lorsqu'un homme s'assit sur la chaise de l'autre côté de sa table. Il ressemblait en tous points à un humain, mais Kaylin avait déjà détecté son appartenance reptilienne.

— Je m'appelle Sergei Bradac, déclara l'étranger.

— Il reste très peu de représentants de ta race.

— Il faut être Naga pour deviner aussi facilement cette information.

Un léger sourire flotta sur les lèvres de Kaylin.

— Et il faut être un Brasskins pour en parler aussi ouvertement, répliqua-t-il.

— J'étais là lorsque vous avez provoqué tout un émoi au Vatican.

— C'est une vieille institution qui réagit lentement. Toutefois, plusieurs de ses membres sont en faveur d'une profonde réforme. Quel nom portes-tu, parmi les tiens ?

— Je suis Iarek.

— Enchanté de faire ta connaissance, Iarek. Je m'appelle Kevin Kaylin, mais, parmi les miens, on me nomme Immanuel.

— Les Brasskins ont commis beaucoup d'erreurs, et je le regrette infiniment, maître Immanuel.

— Il nous arrive à tous d'errer. L'important, c'est de savoir réparer ses torts et faire amende honorable à ceux que nous avons lésés.

— Permettez-moi de passer le reste de mon existence à votre service.

— Je préférerais que ce soit au service des hommes, mais je ne m'oppose pas à ce que tu me suives jusqu'à ce que ton propre chemin s'illumine devant toi.

— Je vous en suis mille fois reconnaissant.

Kaylin poussa son thé devant Iarek et en commanda un autre, afin de boire à leur nouvelle amitié.

011

Ayant de la difficulté à accéder aux échanges entre les militaires en Israël, Vincent McLeod décida de contacter un technicien de la base de l'ANGE à Jérusalem et tomba sur Noâm Eisik. Comme ce dernier agissait souvent comme bras droit d'Adielle Tobias, il se devait de lire tous les rapports qui émanaient des bases du monde entier et, ces dernières années, le nom de Vincent était maintes fois ressorti dans ceux d'Alert Bay, d'Ottawa et de Longueuil. Il accepta la communication et fit apparaître le visage du jeune savant québécois sur l'écran devant lui.

— C'est un honneur de vous parler, agent McLeod, déclara-t-il fièrement.

— À la veille de la fin du monde, pourrait-on laisser tomber les formalités ?

— Oui, bien sûr. Même si c'est mon nom de famille, tous m'appellent Eisik.

— Ici, on n'utilise le mien que lorsqu'on est fâché contre moi.

— Ce sera Vincent, donc. Que puis-je faire pour toi, ô dieu de l'informatique ?

Le jeune savant de Longueuil éclata de rire.

— On m'a surnommé de bien des façons, mais celle-là, jamais ! avoua-t-il.

— Ici, on emploie tous les logiciels que tu as créés et on aimerait bien avoir ton cerveau.

— Moi, ça dépend des jours… Je fais appel à la base de Jérusalem, parce que je n'arrive pas à me brancher à quelque serveur que ce soit dans ce pays.

— Nous non plus. Depuis que le diable a pris possession de la nation, plus rien ne fonctionne. Que cherches-tu, au juste ?

— J'essaie de relier Asgad Ben-Adnah à la mort du pape.

— Tiens donc ! s'exclama Eisik. Nous avons eu la même idée. J'ai réussi à télécharger la conversation qu'ils ont échangée le jour de sa mort, mais elle ne contient rien qui puisse l'incriminer. En fait, je dirais qu'elle est plus embarrassante pour Alexandre IX que pour le président. Le pape s'est rendu à Jérusalem pour demander à Ben-Adnah de renforcer son influence sur les croyants du monde.

— J'imagine qu'il a refusé de l'aider.

— Il lui a répondu qu'il adorait une déesse que la religion catholique avait fait disparaître. Ensuite, il a ajouté que l'on ne s'improvisait pas meneur d'hommes et qu'il ne partageait son pouvoir avec personne.

— Donc, rien qui pousserait l'homme politique à se venger de l'homme religieux, soupira Vincent.

— J'ai cherché des images de l'accident qui a coûté la vie à Alexandre IX et j'ai finalement trouvé un segment de film tourné par le passager d'un avion privé qui faisait le chemin en sens inverse. Il a tenté de le vendre aux actualités en Italie, mais après l'avoir visionné, les propriétaires de la chaîne de télévision ont décidé de le payer pour le faire taire.

— Tu as accès aux banques de données de ce diffuseur ?

— Disons que j'ai, ou plutôt que j'avais, des entrées illégales un peu partout dans le pays. Regarde bien.

Eisik pianota sur son clavier, transmettant le fichier à Vincent sur son ordinateur sécurisé. Le savant examina plusieurs fois la bande vidéo en silence.

— Aucun missile n'a été lancé sur l'appareil, ajouta Eisik.

– L'explosion semble s'être produite à l'intérieur de l'hélicoptère. Je pourrais en faire une modélisation et analyser l'endroit exact de la déflagration pour voir s'il peut s'agir d'un bris mécanique.

– Si nous possédions vos ressources, il y aurait longtemps que j'aurais tenté l'expérience.

– J'ai du mal à comprendre que certaines bases ne soient pas aussi bien équipées que d'autres. Même à Alert Bay, je disposais du matériel nécessaire pour faire des recherches hypothétiques.

– Nous avons des problèmes concrets à régler à tout instant du jour depuis tellement d'années que nous avons peut-être oublié de demander des mises à niveau de notre équipement. Quoi qu'il en soit, je suis content que tu acceptes de te pencher sur cette énigme. Je prie seulement le ciel que tu puisses me communiquer tes résultats avant que Satan nous fasse tous griller.

– Fais-moi confiance, Eisik, ça ne fait pas partie des prophéties.

– C'est rassurant… enfin, je l'espère.

– Je te rappelle dès que j'ai une hypothèse plausible.

– Merci, Vincent.

Le jeune savant visionna plusieurs fois le film réalisé à partir d'un avion en vol. La séquence était suffisamment longue pour qu'il puisse la retravailler.

– Cass, j'ai besoin de toi.

– Mais je suis toujours là, Vincent.

– Pendant que j'établis la simulation informatique de cette vidéo, je veux que tu me fournisses les plans et la fiche signalétique de cet hélicoptère.

– Un jeu d'enfant.

– Essaie aussi de trouver tous les rapports d'accidents ou d'écrasements de ce type d'appareil.

– Tu as raison, à première vue, il semble bien s'agir d'un problème technique.

— Ouais et nous devons l'identifier le plus précisément possible.

Lorsque Vincent travaillait à l'ordinateur, il avait l'impression que le temps filait à vive allure. Il oubliait même de manger. Voyant qu'il ne se joignait pas au reste de l'équipe à l'heure du midi, Mélissa Collin alla le retrouver aux Laboratoires. Elle se planta derrière lui, sans qu'il remarque sa présence, et observa son travail. La jeune femme avait une bonne connaissance de l'informatique, mais entre les mains de Vincent McLeod, la science devenait un art. Il manipulait les formules comme un peintre composait les couleurs de ses huiles. Plus impressionnant encore, il ne revenait jamais en arrière pour corriger une opération. En quelques heures, il avait recréé le vol de l'hélicoptère qui transportait le pape et son explosion.

— Est-ce un nouveau jeu d'ordinateur ? demanda Mélissa.

Vincent, qui se croyait seul, sursauta. L'agente posa aussitôt les mains sur ses épaules pour l'empêcher de bondir de sa chaise.

— Je suis désolée ! Je ne voulais pas te faire peur !

— Non, ce n'est pas un jeu, affirma le savant en récupérant son souffle. C'est une simulation.

— C'est l'accident qui a coûté la vie à Alexandre IX, n'est-ce pas ?

— Très précisément.

— Continue. Je vais aller te chercher un sandwich, parce que j'entends ton estomac gronder.

— Quelle heure est-il ?

— Ne t'inquiète pas, je m'occupe de toi.

Mélissa n'avait pas quitté la salle que Vincent était replongé dans son logiciel. Lorsque la jeune femme revint avec son lunch, il ne lui restait plus que quelques ajustements à apporter à la fonction vidéo.

— J'imagine que tu veux découvrir qu'il s'agit d'un attentat? fit Mélissa en s'assoyant près de lui.

— Nous savons qu'aucun projectile n'a frappé l'hélicoptère et le segment de film que j'ai visionné semble indiquer que l'explosion s'est produite à l'intérieur de la cabine. J'essaie maintenant de déterminer si c'était la conséquence d'un bris mécanique ou d'une bombe.

— Tous les grands chefs ont des ennemis, c'est connu, mais l'appareil devait tout de même être sous haute surveillance, non? Un terroriste n'aurait jamais pu s'en approcher.

Le jeune homme se redressa brusquement sur son siège.

— Il n'y a qu'une façon de le savoir. Cass, mets-moi encore une fois en communication avec Eisik, je te prie.

— Tout de suite, Vincent.

— Qui est Eisik? questionna Mélissa.

— C'est un technicien de la base de Jérusalem. Nous avons beaucoup de choses en commun, lui et moi.

Le visage du jeune israélien apparut à l'écran. Mélissa fut surprise de constater qu'il avait les cheveux bruns et les yeux verts, puisqu'elle croyait qu'ils ressemblaient tous à Asgad. Dans la trentaine, Eisik avait les traits tirés et une barbe de quelques jours, car tout comme Vincent, il passait de longues heures à son poste.

— Ne me dis pas que tu as déjà terminé? s'étonna le bras droit d'Adielle.

Il avait un accent plutôt charmant qui ne laissa pas Mélissa indifférente.

— Il me manque des données pour avoir un modèle complet.

— Je t'écoute.

— Connais-tu le plan de vol de l'hélicoptère? Où s'est-il posé? Qui le surveillait?

— Je sais qu'il a passé environ une heure à la base militaire non loin d'ici, mais laisse-moi voir ce que je peux trouver. Reste en ligne. Nous allons nous livrer à cette petite exploration ensemble.

— Comme c'est excitant… murmura Mélissa.

— Ça, ce n'était certainement pas ta voix, nota Eisik.

— Je te présente l'agente Mélissa Collin de Longueuil, fit Vincent en tirant sa jeune amie devant la caméra.

— Bonjour, Eisik !

— Enchanté de faire votre connaissance, mademoiselle Collin. Ce que vous allez voir doit demeurer entre nous, car, théoriquement, je n'ai pas le droit d'effectuer des fouilles dans les dossiers militaires sans la permission de ma directrice.

— Nous avons aussi cette vilaine habitude, affirma Mélissa.

La liste des fichiers défila très rapidement à l'écran. De toute façon, seule Cassiopée aurait pu s'y retrouver, puisqu'ils étaient en hébreu.

— Nous y voilà, annonça Eisik.

— Si tu le dis, plaisanta Vincent qui ne reconnaissait aucune lettre de ce curieux alphabet.

Le technicien copia le fichier et ouvrit tout de suite celui qui le suivait. Il s'agissait des images captées par les caméras de surveillance de la base au moment de l'atterrissage de l'hélicoptère.

— Puisque nous ne pouvons pas nous permettre de les visionner pendant une heure, je vais les accélérer, annonça Eisik.

Même à grande vitesse, il était facile de voir que personne ne s'était approché de l'appareil jusqu'au retour du pape. Si une bombe y avait été placée, ce n'était pas à Israël.

— Qui êtes-vous ? fit alors une voix inconnue en hébreu. Identifiez-vous.

Comme l'exigeait le protocole de l'ANGE, Vincent voulut interrompre la communication et commencer à effacer ses traces, mais son ordinateur refusa de lui obéir.

— Cass !

— J'IDENTIFIE TOUT DE SUITE LE PROBLÈME.

— Je ne veux pas une analyse ! Je veux que tu fermes tout !

— IMPOSSIBLE, VINCENT. VOUS ÊTES RETENUS DANS UN FILET VIRTUEL.

— Un quoi ?

— Êtes-vous des alliés ? demanda l'étranger en français.

— Tout dépend pour qui vous travaillez, rétorqua Eisik.

— Il ne devrait pas lui répondre, chuchota Mélissa.

— Je suis certain qu'il cherche simplement à le distraire pendant qu'il est en train d'essayer de s'échapper, tout comme nous, d'ailleurs, lui répondit Vincent sur le même ton.

— Je croyais que notre nouvel ordinateur était à l'épreuve des pirates.

— Mélissa, ne provoque pas Cassiopée…

— Je m'appelle Benjamin Vogel et je suis en charge de la protection des données de l'armée israélienne, les informa le militaire.

— En fait, ce que je veux savoir c'est si vous êtes pour ou contre le président, précisa Eisik.

Il y eut un court silence qui traduisit l'hésitation de l'inconnu.

— Je parle évidemment de celui qui est en train de détruire le nouveau temple et qui laisse des hordes de démons tuer de pauvres innocents, poursuivit Eisik.

— Nous ne reconnaissons plus son autorité.

— Alors, nous avons deux choses en commun. Nous sommes juifs et nous essayons de sauver ce qu'il reste de notre pays.

— Pourquoi cherchez-vous à vous procurer ces renseignements ?

— JE POURRAI PROCÉDER À L'INTERRUPTION DE LA COMMUNICATION DANS CINQ SECONDES.

— Non, attends ! ordonna Vincent.

— Vous n'êtes certainement pas Israélien, commenta aussitôt Vogel.

— Ne lui dis rien, insista Mélissa dans l'oreille de son collègue.

— Vous avez raison, je ne le suis pas. Toutefois, j'ai aussi le désir de délivrer votre peuple de la tyrannie de Ben-Adnah.

Mélissa frappa Vincent sur le bras pour lui faire comprendre que son avertissement de silence était sérieux.

— Nous tentons de déterminer si le pape a été assassiné ou s'il a été victime d'un malencontreux accident, expliqua Eisik.

— Si c'est un attentat, il n'a été revendiqué par personne et le président n'a pas donné cet ordre non plus. Prenez ce que vous êtes venus chercher et disparaissez.

L'écran devint tout noir.

— Cassiopée! hurla Vincent en essayant de rétablir manuellement le contact.

— JE N'AI RIEN FAIT.

— Maintenant, c'est le moment de faire une analyse.

— L'ACTION A ÉTÉ DÉCLENCHÉE PAR LA BASE DE JÉRUSALEM.

— Pourquoi? Qu'est-ce qu'Eisik a tenté de faire?

— C'est évident, non? intervint Mélissa. Il ne voulait pas que nous soyons repérés.

— TEL QUE LE PRÉVOIENT LES PROTOCOLES DE L'ANGE.

— Mon intuition me dit que nous pouvons faire confiance à ce Vogel, se défendit Vincent. Compte tenu de la précarité dans laquelle se trouve la base d'Adielle Tobias, une alliance avec l'armée serait peut-être souhaitable.

— Comment pourrait-on être sûrs que des démons n'en font pas partie? continua de s'opposer Mélissa.

— JE REÇOIS DES FICHIERS AU MOYEN D'UN CANAL HAUTEMENT SÉCURISÉ.

— Le premier était censé l'être aussi, fit remarquer Mélissa.

— L'EXPÉDITEUR UTILISE LA LIGNE PERSONNELLE DE MONSIEUR LOUP BLANC.

— Ce ne peut être qu'Eisik, devina Vincent. Télécharge-les dans un secteur sûr et vérifie leur contenu avant de les afficher.

— IL S'AGIT DU PLAN DE VOL DU ASH-3D-TS QUI TRANSPORTAIT LE PAPE. JE PEUX LE TRADUIRE POUR TOI.

— Merveilleux ! Je vais pouvoir terminer ma modélisation.

— Merveilleux ? répéta Mélissa, incrédule. Vous avez failli faire repérer deux bases ultrasecrètes ! Un tel geste de la part de Shane ou de Jonah ne m'aurait pas étonnée, mais de toi ?

— JE NE RELÈVE AUCUNE TENTATIVE DE DÉTECTION SEMBLABLE DE LA PART DE LA BASE MILITAIRE.

— Ça ne doit plus jamais se produire, Vincent. Il ne faut pas qu'il nous arrive la même chose qu'à la base de Montréal, il y a quelques années.

Le visage du jeune savant devint livide. Il se leva et quitta précipitamment les Laboratoires.

— Vincent ! le rappela l'agente courroucée.

— SES SIGNES VITAUX INDIQUENT QU'IL EST SUR LE POINT D'AVOIR UNE INDIGESTION. À MON AVIS, IL VIENT D'APPRENDRE SA LEÇON.

012

Dans la grotte, sous la ville, Neil faisait les cent pas, sous le regard découragé de Cindy Bloom, tandis que ses compagnons reptiliens attendaient patiemment d'autres nouvelles de Thierry Morin. Cédric dormait paisiblement sur le sofa. S'ils n'avaient pas tous écouté battre son cœur dans sa poitrine, ils auraient pu croire qu'il était mort. Plus patient que son jumeau, Darrell s'était assis dans un coin avec un des livres de la passionnante bibliothèque de Yannick Jeffrey. Damalis aussi s'était isolé. Il se rongeait les ongles en songeant à tout ce qu'il avait perdu ces dernières années et à ce dont il serait privé à tout jamais lorsque la guerre éclaterait dans ce pays. Mais n'était-ce pas le tragique destin d'un Naga? S'il n'avait jamais pu devenir *varan,* parce qu'il était imparfait à la naissance, il ne se sentait pas moins reptilien pour autant. Il possédait la musculature des traqueurs et leur force morale. Tout comme eux, il pouvait traverser la matière. Toutefois, sans sa glande au milieu du front, il ne pouvait pas chasser comme les jumeaux. Il devait plutôt se fier à son entraînement militaire en situation de danger.

Assise près de Cédric, Alexa jouait dans les boucles noires de ce dernier en espérant qu'il ouvre les yeux. Il n'était pas normal que le directeur international soit toujours prisonnier de son coma. Sa blessure n'était pas aussi grave qu'elle l'avait cru. Cédric ne perdait plus de sang et il n'avait subi aucune hémorragie interne. Ce que la femme Brasskins ignorait, c'est que l'Anantas était le seul responsable de son état. Afin d'éviter d'obéir une fois de plus aux ordres de ses bourreaux, il forçait son esprit à se dissimuler profondément dans son corps. Il pouvait entendre tout ce qui se passait autour de lui, mais il ne réagissait à rien. Tant que ses fonctions vitales ne seraient pas menacées, il ne bougerait pas.

Malheureusement pour Cédric, Satan, qui habitait désormais l'enveloppe physique de son frère, ne l'avait pas oublié. Debout devant un écran géant que ses serviteurs avaient installé pour lui au milieu de la salle principale du temple, le Prince des Ténèbres regardait les images captées par les caméras le soir de l'exécution des Témoins. Aucun d'entre eux n'avait réussi à filmer celui qui avait tenté d'abattre Cristobal. Satan avait aussi questionné tous ceux parmi ses sbires qui se trouvaient sur les lieux, mais personne ne connaissait l'identité du coupable. Si l'Ange de l'Abîme ne récompensait que rarement ses collaborateurs, il ne se gênait pas pour punir cruellement ceux qui le décevaient. Plus il visionnait les vidéos, plus il devenait obsédé par l'intervention brutale du tireur.

Le satellite installé de toute urgence sur les murailles du temple venait juste d'intercepter un bulletin de nouvelles spécial que l'on diffusait en Amérique. Un cameraman indépendant, qui s'était échappé d'Israël, avait rendu public ce qu'il avait tourné pendant le chaos dans la Ville sainte, soit l'arrivée soudaine de trois hommes blonds sur le toit de l'édifice sacré.

Immobile, Satan enregistra mentalement les menus détails de l'attaque des Nagas, ce qu'il n'avait pu faire sur le coup. Les *varans* semblaient habitués de travailler ensemble. Si l'un d'eux bougeait, les deux autres le couvraient. Ils étaient sûrement de mèche avec celui qui avait abattu Cristobal.

— Imbéciles, grommela le nouveau maître du monde. Personne ne peut me tuer.

Tandis qu'il affrontait les Nagas, deux nouveaux reptiliens avaient émergé de la toiture et emporté le corps de Cristobal. Pourquoi ? Était-il lui aussi immortel ? Ses ravisseurs avaient-ils l'intention de se servir de ses impressionnants pouvoirs d'Anantas contre son frère?

— Où l'ont-ils emmené?

Le Prince des Ténèbres se mit à faire les cent pas autour de son trône en se demandant ce que ses ennemis mijotaient. Agissaient-ils sous les ordres de ces ridicules anges qui continuaient de lui voler des âmes sous son nez?

— Cristobal, viens à moi, ordonna-t-il.

Les mains de Cédric tremblèrent pendant quelques secondes, ce qui redonna de l'espoir à Alexa. Elle referma les doigts sur les siens pour le rassurer. Il sentit cette douce pression, mais l'amour de sa fiancée suffirait-il à l'empêcher de commettre un autre meurtre?

Je t'ai donné un ordre, Cristobal. Cédric se cramponna de toutes ses forces à son inconscience. *Cesse de croire que tu es un être vertueux. Dans tes veines coule le même sang que dans les miennes. Et tu sais qui je suis.* La respiration du directeur devint oppressée.

— On dirait que son état se détériore, constata Neil en s'approchant du sofa.

Cindy n'avait certes pas l'expertise médicale de son frère David, mais elle possédait cependant le don de voir plus loin que les apparences.

— Quand il était sur le toit et qu'il s'apprêtait à tuer les Témoins, on aurait dit qu'il était sous le pouvoir d'une autre personne, leur fit-elle remarquer. C'est peut-être encore le cas.

— Quelqu'un serait en train de l'implorer de demeurer paralysé? s'étonna Darrell.

— Et si c'était plutôt le contraire? avança Neil. Peut-être qu'il résiste aux ordres du manipulateur.

— Ça expliquerait pourquoi il ne se réveille pas, alors que le choc qu'il a subi n'est pas suffisamment grave pour le plonger dans un tel état catatonique, crut comprendre Alexa.

Ta place est à mes côtés, Cristobal. Cette fois, tout le corps du directeur fut secoué d'un spasme. *Viens me rejoindre dans le temple, maintenant.* Cédric se redressa si vivement qu'il fit sursauter tous ceux qui l'entouraient, y compris Neil qui, pourtant, n'était pas facile à impressionner.

— Il était temps, dit le *varan* en reprenant sa contenance.

Cédric ouvrit les yeux. Même s'il avait conservé jusqu'à présent son apparence humaine, ceux-ci étaient rouges comme le sang.

— Écartez-vous! cria Damalis en poussant Cindy et Alexa plus loin.

Le visage et les mains du directeur se couvrirent instantanément de petites écailles bleu sombre. Il se tourna lentement vers chacun de ses sauveteurs, comme s'il cherchait à les reconnaître.

— Tu es sauf, tenta de l'apaiser Alexa. Plus rien ne te menace, ici.

Ne laisse personne t'arrêter, Cristobal. D'un bond, Cédric fut devant les portes métalliques que Yahuda avait installées jadis, pour protéger les livres de son ami Képhas. D'un coup d'épaule, l'Anantas les fit sortir de leurs gonds et les projeta sur le mur opposé du tunnel.

— Empêchez-le de s'enfuir! s'exclama Cindy.

Incapable de résister à la volonté du Prince des Ténèbres, le directeur fonça dans le couloir. Les jumeaux s'élancèrent aussitôt à sa suite. Comme ils possédaient le gène du traqueur, ils ne perdraient pas sa trace même s'il prenait une considérable avance. Damalis réagit une fraction de seconde après eux. Puisque son corps humain ne lui permettait plus d'accomplir les prouesses d'autrefois, il se transforma en Naga afin de faire preuve de plus d'endurance. Il rattrapa ainsi rapidement les *varans*.

— Connaissez-vous ces galeries ? demanda Damalis aux jumeaux tout en courant.

— Pas vraiment, répondit Neil.

— J'ai remarqué, lorsque nous sommes arrivés, que celle-ci était la plus longue, précisa Darrell.

Donc, on ne sait pas si elle débouche quelque part, se découragea Damalis. S'il sort des grottes, les démons vont déceler sa présence sans aucune difficulté.

— Continue de le suivre, ordonna Neil. Nous allons nous assurer que cela ne se produise pas.

Les jumeaux s'enfoncèrent dans le mur rocheux au moment où le couloir bifurquait vers la droite. Damalis entendit des pas derrière lui et sut qu'Alexa et Cindy l'avaient rattrapé. Un faible tremblement de terre secoua alors l'antique refuge des chrétiens.

— On dirait un éboulis, déduisit Damalis.

Ils aperçurent de la lumière au bout du tunnel et perçurent les grognements de déplaisir de l'Anantas.

— Ralentissez, commanda l'ancien mercenaire aux femmes qui le flanquaient.

Elles adoptèrent immédiatement son allure.

— Essayez d'oublier qu'il est le grand patron de l'ANGE, poursuivit Damalis. En ce moment, Cédric est un reptilien très dangereux, surtout s'il est sous l'emprise de Satan.

— Il préférera mourir plutôt que de le servir, affirma Alexa.

— Nous ne le tuerons qu'en cas de légitime défense, mais je ne veux pas en arriver là.

— Ça prend combien de Nagas pour faire mourir un Anantas ? voulut savoir Cindy.

— Un seul : Thierry Morin.

Ils arrivèrent finalement au cul-de-sac où Cédric était coincé. Les jumeaux avaient provoqué l'affaissement du couloir qui menait à la ville. Au-dessus de sa tête, une étroite crevasse laissait entrer la lumière du jour. En voyant s'approcher le Naga et les deux femmes, l'Anantas se plaça en position défensive, toutes griffes dehors.

— Cédric, je t'en prie, écoute-moi, le supplia Alexa.

— Allez-vous-en ! hurla le directeur effrayé.

Les jumeaux sortirent de la paroi rocheuse derrière lui. Cédric fit volte-face en poussant des grincements stridents.

— Nous ne tentons pas de te faire du mal, lui dit Darrell. Nous voulons seulement te ramener dans la grotte afin de t'affranchir de l'oppression de Satan.

— Je dois lui obéir… Je n'ai pas le choix…

— Tout le monde est libre de choisir son camp dans la vie, répliqua Damalis.

Cédric se tourna de côté afin de surveiller à la fois les deux Nagas à sa gauche et celui à sa droite.

— Je me suis libéré du joug des Dracos, poursuivit le mercenaire.

— On pourrait lui retirer sa glande, murmura Darrell à son frère.

— Pour ça, il va falloir commencer par le capturer.

Neil sortit son sabre de son fourreau, ce qui mit son adversaire encore plus en colère. Darrell en fit autant. Cédric porta aussitôt son attention sur les siens qui étaient armés. D'un geste rapide, Damalis s'empara du katana qui pendait à la ceinture de Cindy et s'avança lui aussi vers le reptilien bleu.

— Partez avant qu'il me donne l'ordre de vous tuer ! hurla Cédric.

D'un bond prodigieux, l'Anantas sauta dans la fissure au-dessus de lui et planta ses griffes dans le roc afin de se hisser jusqu'à l'air libre. Damalis laissa tomber son arme et se suspendit aux jambes du fuyard pour le ramener dans la grotte. Neil et Darrell en firent autant. Incapable de supporter tout ce poids,

Cédric retomba sur le plancher avec les Nagas. Vif comme un chat, il s'en prit à l'un de ses opposants qui était le plus proche, soit Damalis. Celui-ci évita de justesse de se faire labourer le visage. Cédric l'empoigna et le lança brutalement sur le mur, puis voulut se ruer sur lui, tandis qu'il était au sol.

Pour le décrocher du mercenaire, Neil piqua vigoureusement le bout de son sabre dans l'épaule de Cédric. En poussant un cri déchirant, ce dernier se retourna et attaqua les *varans*. Ils se contentèrent toutefois de parer ses coups de griffe en reculant.

— Nous approchons du mur, fit remarquer Darrell à son jumeau.

— On dirait qu'il veut se faire tuer, souleva Neil sans l'écouter.

— Qu'est-ce qu'on fait?

— Je vais lui couper les mains.

— Tu ne peux pas faire ça!

Neil cessa de se replier et passa à l'offensive, malgré l'horreur qui venait d'apparaître sur le visage de son frère. Toutefois, avant qu'il puisse s'exécuter, l'Anantas s'écroula devant lui comme une poupée de chiffon, révélant derrière lui la fine silhouette de Cindy, qui tenait une grosse pierre.

— J'ai lu dans les recherches de Vincent que leur crâne était sensible, déclara-t-elle. J'espère que je ne l'ai pas frappé trop fort…

— Ramenons-le dans la grotte, ordonna Neil. Nous verrons ça plus tard.

Les jumeaux rengainèrent leur sabre et soulevèrent Cédric par les bras et par les jambes.

— Comment allons-nous l'immobiliser sous cette forme? se découragea Darrell.

Cindy alla aider Damalis à se relever. Il avait repris son apparence humaine.

— Athénaïs va me tuer, grimaça-t-il en se remettant péniblement debout, blessé au dos.

La jeune agente ramassa son katana et l'aida à marcher à la suite de ses amis.

— L'un de nous devra aller chercher des chaînes à la surface, ajouta-t-il en boitant.

— On dirait bien que ce sera moi, conclut Cindy.

— Tu n'es même pas capable de sortir d'ici toute seule.

— Ça ne signifie pas que je ne vais pas essayer.

Ils disparurent tous les six dans le sombre tunnel.

013

Une fois libéré de sa prison infernale, Asmodeus aurait très bien pu promettre n'importe quoi à la reine des Anantas et disparaître dans la nature. Mais il y avait un code d'honneur, même chez les démons. Caritas l'avait délivré en échange de ses services, alors il les lui rendrait, puis il partirait à la recherche de celui qui l'avait écarté de la course afin de devenir le favori de Satan. Il commença donc par passer au peigne fin la ville de Jérusalem. Il retrouva la trace de quelques Nagas, mais ils se cachaient tous sous terre. Il poursuivit son enquête et découvrit que la plupart des *varans* qui avaient récemment débarqué à Israël étaient tous repartis vers les pays où ils avaient l'habitude de chasser. Il en repéra cependant deux à Tel-Aviv. Alors, sans se presser, le Shesha se mit en route pour cette ville. Il n'était pas facile de tuer un traqueur d'expérience, mais Asmodeus avait acquis suffisamment de nouveaux pouvoirs pour les éliminer sans trop de difficulté.

Il suivit la piste de sa première proie jusqu'à l'aéroport de Ben-Gurion. L'emprise de Satan s'étendait désormais à toutes les villes du pays, alors n'en sortait pas qui le voulait. « Pourquoi un Naga s'est-il rendu jusqu'ici, puisqu'il n'y a plus aucun vol vers l'étranger ? » se demanda le Shesha. Il savait surtout des traqueurs qu'ils étaient de formidables ennemis, mais il ignorait qui les employait. Sans doute avaient-ils des alliés un peu partout dans le monde. Il n'était pas impossible que l'un d'eux ait offert un vol privé à des Nagas.

Les Naas qui faisaient la pluie et le beau temps à Tel-Aviv n'essayèrent même pas d'arrêter Asmodeus lorsqu'il entra dans le gros bâtiment. Il y avait du sang et des membres arrachés dispersés sur le plancher, mais le Shesha n'avait pas faim. Il parcourut tout l'aéroport à la recherche du Naga et l'aperçut finalement sur l'une des pistes désertées, se dirigeant vers un hangar. Il n'était pas difficile d'identifier ces reptiliens, tous blonds au corps athlétique.

Un sourire cruel sur les lèvres, Asmodeus le suivit sans se presser. Des démons volaient partout dans les airs, sauf à cet endroit. Il comprit pourquoi en ressentant de plus en plus l'énergie protectrice qui se dégageait de la terre. Un reptilien ordinaire aurait fait demi-tour, en proie à de terribles souffrances, mais Asmodeus était devenu tout aussi puissant qu'Ahriman. Il poursuivit donc son chemin sans se préoccuper des picotements sous ses pieds.

Il entra dans le hangar et s'immobilisa afin d'évaluer le nombre d'adversaires qu'il lui faudrait éliminer. Quelle ne fut pas sa déception de n'en apercevoir que deux. Un seul était Naga, tandis que l'autre était Pléiadien. Pourrait-il voler ses pouvoirs à ce dernier avant de l'égorger ? Il était bien connu jusqu'en enfer que ces êtres d'origine extraterrestre pouvaient se déplacer instantanément n'importe où sur la planète. « Ça me serait fort utile », songea Asmodeus. Quant aux *varans*, ils ne possédaient aucune faculté magique. Leur pouvoir de voyager dans la matière était génétique, tout comme leur grande force physique. Le Shesha ne savait tout simplement pas comment s'attribuer l'hérédité des Nagas.

Il observa les deux hommes qui discutaient près d'un petit jet privé, sans se douter qu'on les épiait. Ils se sentaient vraiment invulnérables dans cet endroit. Asmodeus s'approcha donc d'eux sans même chercher à se cacher. Ce fut le Pléiadien qui le vit le premier et qui signala sa présence au traqueur. Celui-ci fit volte-face. «Ce n'est qu'un enfant», constata le démon en analysant les traits de son visage.

— Monte dans l'avion, ordonna le Naga à son compagnon.

— Non, Chadek, laisse-moi lui parler, exigea le Pléiadien. S'il s'est rendu jusqu'ici sans souffrir, c'est qu'il est de notre côté.

Asmodeus avait adopté sa forme humaine, mais elle n'avait rien de très rassurant pour ces deux hommes en complet, puisqu'il affectionnait le style punk. Ses cheveux étaient redressés en crête sur son crâne et ses yeux étaient noircis au khôl. Il portait une veste de cuir agrémentée de chaînes et de petits boutons pointus par-dessus un t-shirt déchiré, ainsi qu'un pantalon noir beaucoup trop grand pour lui et des chaussures à cap d'acier.

— Cherchez-vous un transport? lui demanda celui qui était sûrement le pilote.

— En fait, je cherche plutôt la gloire, répondit moqueusement Asmodeus.

— Dans ce cas, vous n'êtes peut-être pas au bon endroit.

— Mon instinct me dit pourtant que si.

Dès qu'il fut tout près de sa proie, Asmodeus adopta sa forme reptilienne et planta ses griffes dans sa gorge. Le Naga dégaina aussitôt son sabre et n'attendit pas que son ami s'effondre sur le sol avant de frapper son ennemi. Asmodeus s'esquiva de justesse.

— Alors, tu t'appelles Chadek…

Le *varan* avait complètement fermé son esprit aux paroles de sa cible. Il tenait son katana à deux mains et s'approchait lentement d'elle en cherchant ses faiblesses. Vif comme l'éclair, il visa le cou du démon, mais sa lame heurta un obstacle invisible.

— Oups… je ne suis pas un Dracos.

Chadek l'avait déjà deviné, puisque ses écailles étaient bleues comme celles des Anantas. Pourtant, ses griffes et ses yeux indiquaient qu'il était un Shesha. Or, cette race de reptilien ne possédait aucune faculté magique…

— Est-ce qu'on vous entraîne à tuer n'importe qui, sans discrimination ?

Chadek conserva le silence. Pour augmenter sa puissance, il se transforma en Naga.

— Nous pourrions être des amis, toi et moi.

Le traqueur attaqua une seconde fois sans pouvoir atteindre son opposant. Curieusement, ces deux échecs ne semblèrent pas le décourager. Asmodeus ignorait évidemment que, contrairement aux humains, les Nagas ne craignaient pas la mort. Leur seul but était de remplir leurs missions, même s'ils ne devaient pas y survivre.

— Je pourrais me joindre à votre groupe et vous aider à tuer les vilains démons qui saccagent Israël. Qu'en dis-tu ?

Chadek était immobile et attentif comme un chat. Toutes les cibles finissaient par commettre une erreur, tôt ou tard, et les *varans* n'étaient jamais pressés.

Constatant que l'exécuteur ne bronchait pas, Asmodeus décida d'en finir avec lui, mais pour lui porter un coup, il lui fallait laisser complètement tomber sa garde magique. Or, la vitesse d'exécution des Nagas était légendaire. Puisqu'il aimait le danger, le démon choisit de jouer le tout pour le tout. Il se jeta au sol en effectuant une roulade et lança sur son adversaire une décharge électrique si intense qu'elle trancha le jeune homme à la taille. La lame de son katana cliqueta sur le plancher de béton, aussitôt suivi des deux parties de son corps.

— Un de moins, se réjouit le Shesha.

Malgré son attitude fanfaronne, Asmodeus ne savait que trop bien qu'il venait de faucher un traqueur débutant et que les plus âgés lui donneraient certainement plus de fil à retordre, mais le jeu en valait la chandelle. Il se releva, replaça sa veste et s'approcha d'abord du Pléiadien. Il posa la main sur son front et chercha à attirer dans sa paume les étonnants pouvoirs qu'il détenait. Son bras tout entier s'illumina et, comme s'il s'abreuvait à une fontaine, le démon ferma les yeux avec satisfaction.

— Des raccourcis dans l'espace-temps... comme c'est intéressant.

Il se tourna ensuite vers le *varan*. On disait, en enfer, que tout comme les Dracos et les Anantas, ces assassins possédaient dans leur glande, située au milieu du front, tous leurs souvenirs. Comment les en extraire ?

Asmodeus se changea une fois de plus en Shesha et plongea ses longues griffes entre les yeux de Chadek. Il retira doucement l'organe en question et l'examina. Au toucher, il n'y détectait rien d'anormal. Il ne contenait aucune énergie, aucune magie. Le démon haussa les épaules et l'avala comme si elle avait été un bonbon, puis se dirigea vers la sortie du hangar. Il avait à peine fait deux pas sur la piste qu'il fut pris de vertige et tomba sur ses genoux. Des images étranges se mirent aussitôt à défiler dans son esprit : des églises multicolores coiffées de coupoles, des traîneaux tirés par des chevaux glissant sur la glace, de gros flocons de neige tombant sur une ville...

— Mais qu'est-ce que c'est que ça ?

Il aperçut le visage grave d'un homme aux cheveux blancs qui le fixait avec désapprobation. Il le vit lever le bras et l'attaquer avec une arme en bois. La douleur qu'Asmodeus sentit sur sa main lui fit pousser une plainte sourde. Pendant plusieurs heures, il subit l'entraînement qu'avait reçu le jeune Naga, puis, à bout de force, le démon perdit connaissance.

Lorsque le Shesha revint finalement à lui, une fine pluie ruisselait sur ses joues. Il battit des paupières et parvint à se redresser. Se rappelant tout ce qu'il venait de vivre dans la mémoire de sa victime, il éprouva un nouveau respect pour les *varans*. Ces derniers passaient leur vie à se préparer pour leur funeste travail. Il avait goûté aux souffrances, aux sacrifices et aux doutes de Chadek. Jamais ce jeune traqueur ne s'était permis quelques minutes de bon temps durant sa courte existence.

– Même l'enfer est plus clément, grommela Asmodeus en se relevant.

Tandis qu'il traversait de nouveau l'aéroport, de nouvelles scènes se révélèrent à lui. Il vit les traits d'autres hommes blonds qui s'étaient rassemblés en toute hâte à Jérusalem à la demande de Caritas. Il y en avait une cinquantaine. L'un d'eux avait beaucoup impressionné le jeune Chadek. Il s'appelait Théo et c'était le plus grand de tous les traqueurs. Peut-être se trouvait-il encore dans la Ville sainte ?

Plutôt content de son initiative, Asmodeus se mit à la recherche de sa prochaine proie.

014

Satan arpentait les murs de la salle principale du temple, où il avait élevé son trône. Les démons avaient fini de se prosterner devant lui et de lui jurer fidélité, et Ahriman était parti afin d'exécuter ses ordres. Contrairement à l'empereur Hadrien qui avait ignoré de quoi était capable le corps de l'Anantas dans lequel il s'était installé, le Prince des Ténèbres, lui, avait choisi Asgad. Il savait pertinemment que ce reptilien possédait toutes les qualités qui lui avaient fait défaut tandis qu'il combattait les armées de Michael.

Après avoir été chassé des cieux en raison de son égocentrisme et de son mépris pour les autres anges, Salmael, le préféré du Père, s'était retrouvé dans la peau d'un Naas. Il n'avait accepté ni sa déchéance, ni les restrictions de sa nouvelle enveloppe corporelle. C'est l'Orphis Ahriman qui l'avait familiarisé avec les mœurs de l'enfer. D'une intelligence supérieure à celle de tous ces démons réunis, Salmael avait changé son nom pour celui de Satan et il avait commencé à imposer sa domination dans son nouveau monde. Au bout de quelques centaines d'années, avec l'aide de son bras droit, il était devenu le seigneur des réprouvés. Il avait monté une grande armée et s'était élancé à l'assaut de l'entrée du paradis, férocement défendue par l'archange Michael et ses troupes. Persuadé de pouvoir l'emporter, Satan y avait perdu la moitié de ses sombres soldats et avait dû battre en retraite.

Toutefois, pour porter un autre coup à ses ennemis, il avait choisi de se retirer sur la Terre, cette planète si chère au Père, mais qu'il traitait comme une adolescente. Au lieu de l'encadrer, Dieu avait décidé de lui laisser plus de liberté afin qu'elle acquière de la maturité. L'ange déchu allait lui faire regretter cette erreur monumentale, car s'il ne pouvait pas détrôner son maître dans les cieux, Satan deviendrait le nouveau César de son monde préféré. Il ne faisait plus partie de la caste inférieure des Naas, mais il avait troqué ses ailes pour le corps robuste et les pouvoirs surnaturels d'un Anantas, la créature la plus crainte de toute la création.

— Pourquoi Cristobal n'est-il pas encore ici ? siffla le Prince des Ténèbres entre ses dents.

Il piqua vers son trône et s'y assit. Une fois de plus, il ordonna à son frère de venir jusqu'à lui et de tuer quiconque tenterait de l'empêcher de se rendre au temple.

— Ôtez-vous de mon chemin ! ordonna une voix autoritaire.

Satan releva la tête et vit ses serviteurs aux prises avec une belle femme aux longs cheveux noirs, qu'ils tentaient d'intercepter à l'entrée de l'édifice. Plutôt que d'intervenir, l'Anantas décida d'observer ce qui allait survenir.

— Si vous ne me laissez pas passer, vous le paierez de votre vie !

Les Naas étaient non seulement les meilleurs chiens de chasse de l'enfer, mais également de véritables pestes quand ils s'acharnaient contre quelqu'un, comme l'étrangère était en train de l'apprendre. Cependant, cette dernière n'était pas une simple humaine. Lorsqu'elle tendit enfin les bras en croix, les démons ailés furent projetés dans toutes les directions, comme des quilles atteintes de plein fouet par une boule.

Libérée de cet obstacle, la visiteuse continua d'avancer dans le temple, se dirigeant tout droit vers son nouveau propriétaire. Elle portait une robe bleue seyante et des talons aiguilles. Satan ne fut pas insensible à sa démarche élégante et à la beauté de son visage. Elle était certainement reptilienne, mais ce n'est qu'à quelques pas de lui, qu'il identifia finalement sa race : elle était Anantas. Ahriman avait expliqué à son maître qu'il n'y avait que cinq représentants de cette caste sur la Terre et que deux d'entre eux avaient trouvé la mort dans le désert, traîtreusement assassinés par des Nagas. Il ne restait que Cristobal, lui et leur mère.

— J'imagine que si tu te es ici, c'est que tu t'es emparé du corps de mon fils Herryk, lui dit Caritas en s'arrêtant devant lui.

— Vous êtes la reine des Anantas, n'est-ce pas ?

— C'est exact.

Caritas se transforma en gigantesque dragon sous ses yeux, occupant presque tout l'espace. Les Naas, qui s'étaient relevés, prirent le large, laissant leur seigneur régler seul ses comptes avec la bête.

— Les mâles peuvent-ils faire la même chose ? demanda Satan.

La reine reprit son apparence de femme, mais puisque la métamorphose avait déchiré son vêtement, elle se retrouva complètement nue devant lui.

— Non, répondit-elle. C'est un privilège de reine.

Elle marcha jusqu'au Prince des Ténèbres et fit preuve d'audace en s'appuyant contre la poitrine en levant les yeux sur les siens. Son parfum était enivrant…

— Une mère tentant de séduire son fils ? se moqua-t-il. On ne voit ça qu'en enfer, habituellement.

— Tu t'es installé dans son corps, mais tu n'es pas mon fils.

Satan empoigna son épaisse chevelure noire et attira ses lèvres vers les siennes. Ils échangèrent des baisers enflammés et bientôt, ils se retrouvèrent enlacés sur le plancher, au milieu du temple. Caritas arracha les vêtements de son nouvel amant et lui laissa lui faire l'amour jusqu'à ce qu'il s'écroule à côté d'elle, assouvi.

— Quel est le but de ta visite… mère ? demanda-t-il narquoisement.

— Les Nagas ont assassiné tes frères Wilhelm et Svante.

— Tu veux que je les venge ?

— J'ai déjà retenu les services d'un exécuteur qui les tuera tous.

— À ce qu'on m'a dit, il est très difficile de se débarrasser d'un Naga.

— Ce sont des reptiliens comme les autres. C'est leur réputation qui terrorise les différentes castes, pas leurs sabres.

— Si tu n'as pas l'intention de me demander de les châtier, alors que désires-tu ?

— J'ai plusieurs désirs, mais tu n'es pas obligé de les combler tous en même temps.

Elle le laissa l'embrasser encore un moment avant de lui faire connaître le véritable but de sa visite.

— Que sais-tu des Anantas ? ronronna-t-elle dans son oreille.

— Ce sont les plus puissants de tous les reptiliens, mais ils ne sont pas nombreux.

— Connais-tu leurs pouvoirs ?

— Je les découvre un à un.

— Je pourrais te servir de mentor, si…

Elle alla chercher un baiser sur ses lèvres pour le faire languir.

— Si quoi ? demanda Satan, intéressé.

— Si tu me donnes d'autres fils, car il ne me reste que Cristobal, et je ne sais pas où il est.

— Moi non plus et je commence à croire que les Nagas l'ont tué, lui aussi.

— Je dois savoir ce qui lui est arrivé.

— Je finis toujours par découvrir ce qu'on essaie de me cacher, affirma le Prince des Ténèbres. Est-ce tout ?

— J'ai aussi besoin de ton aide pour éliminer ma principale rivale.

— Mon bras droit m'a pourtant affirmé que la reine des Dracos avait connu une fin atroce non loin d'ici.

— Ce n'est pas d'elle dont je parle.

— Il y a donc d'autres reines ?

— Une seule, et c'est une Anantas. Il ne peut pas y avoir deux souveraines reptiliennes sur la même planète.

— Et si elle était plus jolie que toi ?

— Il est malheureux que tu n'aies pas conservé la mémoire d'Herryk, car tu saurais qu'elle a tenté de t'assassiner plusieurs fois, avant de disparaître.

— Pourquoi a-t-elle échoué ?

— C'est sans doute grâce à tes phéromones que tu es toujours vivant.

— Elle n'a pas pu me tuer parce que je suis irrésistible ?

Satan éclata d'un rire fracassant qui résonna dans tout le temple.

— Moi aussi, j'ai des conditions, déclara-t-il en redevenant sérieux.

Il la ramena avec lui derrière le trône et, d'un geste de la main, fit apparaître de nulle part un somptueux mobilier de salon. Au même instant, des vêtements de l'Égypte ancienne se matérialisèrent sur les corps nus du couple Anantas.

— À moins que tu préfères une autre période de l'histoire… fit Satan avec un large sourire.

— Ça m'est égal, puisque je ne les garderai pas longtemps.

Caritas s'assit sur le canapé rayé rouge et or.

— Plus confortable que le plancher, en tout cas.

Le Prince des Ténèbres choisit de s'installer dans un fauteuil différent.

— Quelles sont tes conditions ? demanda Caritas.

— Je serai bientôt empereur du monde, et chaque grand homme d'État doit avoir une reine.

— Je me suis mariée beaucoup trop souvent…

— Tu dois bien te douter que je ne crois pas aux sacrements. Je veux que tu deviennes volontairement ma compagne.

— C'est tout ce que tu exiges de moi?

— Je ne détesterais pas que tu te transformes en fabuleux dragon de temps en temps pour rappeler aux humains ce qu'il leur arrivera s'ils refusent de nous servir.

— Cette alliance ne me déplairait pas, avoua Caritas qui n'avait plus envie de se cacher. Tu fais tuer ma rivale et tu me donnes des enfants, et je te serai fidèle jusqu'à mon dernier souffle.

Satan fit apparaître des coupes en argent dans ses mains. Il en tendit une à son alliée.

— Longue vie aux nouveaux tyrans, déclara-t-il.

Caritas se délecta du sang chaud que contenaient les récipients anciens. Lorsqu'elle eut tout avalé, elle grimpa sur les genoux de son nouvel amant pour sceller leur pacte par un fougueux baiser.

015

Couché dans un lit confortable de l'infirmerie de la base de l'ANGE à Jérusalem, Thierry Morin reprenait ses forces. Son corps se remettait plutôt rapidement de sa chute dans la cour du temple, mais son moral avait pris un sacré coup. Afin de trouver un peu de réconfort à la suite de son misérable échec, le *varan* se plongea dans une profonde méditation. Lorsque les appareils médicaux enregistrèrent une baise de sa pression artérielle et de son rythme cardiaque, toute l'équipe médicale se rua dans sa chambre, pour finalement découvrir qu'il était dans un état comateux. Aussitôt, la directrice exigea qu'on laisse le patient tranquille. Le chef de section commença par protester, mais il ne la fit pas changer d'idée. Adielle avait passé suffisamment de temps avec Cael Madden pour savoir que les Nagas aimaient semer la frayeur chez les humains en se mettant spontanément en état de transe.

La partie du cerveau reptilien de Thierry, qui ne dormait jamais, n'avait pas jugé alarmante l'intervention des urgentistes et ne l'avait pas complètement réveillé. Pendant qu'ils se questionnaient sur sa condition anormale, le Naga continuait de plonger de plus en plus profondément à l'intérieur de son âme. Lorsqu'il ouvrit finalement les yeux, il était assis en tailleur sur le plancher du dojo où il avait grandi, sous le Vatican. Son vieux mentor y entra et le regarda en penchant doucement la tête de côté.

— Théo, pourquoi es-tu aussi triste ?

— J'ai manqué ma cible, maître…

— C'est une éventualité à laquelle tous les traqueurs font face, un jour ou l'autre.

— Je lui ai tranché la tête, mais cela ne l'a pas tuée.

— Alors là, tu délires, mon garçon.

Silvère prit place devant lui et serra les mains tremblantes du *varan* dans les siennes.

— Il n'y a que dans les cauchemars qu'une telle chose peut se produire.

— Je vous assure que je ne rêvais pas.

— À qui t'es-tu attaqué ?

— À Satan.

Le vieux Naga demeura silencieux un instant, plongeant son regard dans le sien.

— Pourrais-je vous rendre votre glande ? demanda finalement Thierry.

— J'ai bien peur que le processus d'assimilation soit irréversible, mon petit. Pour me la redonner, il faudrait que tu te l'arraches du front et que tu me la fasses avaler. Le problème, c'est que je ne fais plus partie de ta réalité. Je vis sur un autre plan où le concret n'a aucune emprise. Raconte-moi ce qui s'est passé.

— L'Antéchrist a exécuté lui-même les deux Témoins sur le toit du temple qu'il avait fait rebâtir. C'est là que je l'ai attaqué, avec Neil et Darrell.

— Juste ciel…

— Grâce à eux, j'ai réussi à le décapiter… mais il est resté debout et il a levé les bras. Sa tête a aussitôt volé jusque dans ses mains et il l'a replacée sur son cou…

— Il s'agit donc vraiment de l'Ange de l'Abîme.

— Vous m'avez dit que les Anantas possédaient des facultés surnaturelles, mais ce miracle dépasse l'entendement…

Des larmes se mirent à couler sur les joues du jeune traqueur.

— Tu n'as pas manqué ta cible, Théo, tenta de le rassurer le vieil homme. Tu ne pouvais pas la tuer.

Silvère fit alors un geste qu'il n'avait pas fait souvent durant les vingt-cinq ans pendant lesquels il avait entraîné ce *varan*. Il l'attira dans ses bras et le serra avec affection.

— Je t'ai enseigné à ne jamais lâcher prise et à toujours aller jusqu'au bout de tes entreprises. Je t'ai inculqué mon propre courage et je t'ai montré tout ce que je savais. En toute franchise, tu as été mon meilleur élève et je ne me suis jamais caché pour le dire aux autres traqueurs.

— C'est donc à cause de vous que les jumeaux me vénèrent…

— Je leur ai chanté tes louanges plus d'une fois, je l'admets, et tu méritais tous ces éloges. Maintenant, je vais t'entretenir de choses qu'on ne peut pas changer.

Il éloigna doucement son ancien disciple et essuya ses yeux.

— Tu connais déjà les diverses religions du monde. En fait, tu es même capable de consulter tous leurs livres sacrés dans leur langue d'origine, car tu les parles presque toutes. La montée au pouvoir de cet oppresseur sorti tout droit de l'enfer a été prédite par les prophètes de la plupart d'entre elles, et elles s'entendent toutes pour dire qu'un seul homme mettra fin à son règne de terreur. Et ce n'était pas toi.

— Les Témoins prétendaient que Jeshua lui règlerait son compte, mais ce Naga, qui, lui, était un véritable héros en comparaison de moi, est mort depuis des milliers d'années.

— Ne m'écoutais-tu pas lorsque nous parlions d'histoire biblique ?

— Je n'y croyais pas vraiment…

— Certains des récits qui sont parvenus jusqu'à notre siècle sont certes des fables destinées à faire passer une leçon morale, mais d'autres avaient pour but de nous mettre en garde contre des événements sur lesquels nous n'aurions aucune emprise. Le combat entre le bien et le mal a commencé il y a des millions d'années et c'est sur Terre qu'il se terminera. Il sera précédé de calamités que les prophètes qualifient de signes de la fin des temps. Ce qu'ils cherchaient avant tout, c'était de nous prévenir et de fuir devant le Prince des Ténèbres, car il n'aura de pitié pour personne. Mais toi…

— Je croyais me mesurer à un Anantas.

— Puis-je te rappeler que c'est justement un Anantas qui m'a fait perdre la vie. Ils sont puissants, Théo, et surtout, imprévisibles. Ils peuvent t'offrir leur amitié et te tuer tout de suite après. Il y a une raison pour laquelle tous les reptiliens les craignent tout autant qu'ils redoutent les Nagas. Pour que la félicité qui a été promise aux humains puisse se réaliser, il faut que la suite des choses s'accomplisse.

— Ce que vous essayez si gentiment de me dire, c'est que j'aurais pu gâcher le bonheur de l'humanité.

— En quelque sorte.

— Que suis-je censé faire, maintenant?

— Quelle est la fonction principale d'un *varan*?

— Anéantir les rois et les princes Dracos.

— Pas les Antéchrists. Je suis certain qu'ils profitent des coups d'éclat de leur ennemi Anantas pour continuer d'asservir les pauvres humains qui sont pourtant suffisamment terrorisés. Notre devoir, c'est de soulager la misère engendrée par les mauvais reptiliens en restant dans l'ombre.

— Pour ce qui en est de l'anonymat, c'est raté. Toutes les caméras du monde entier étaient braquées sur ce qui se passait sur le toit du temple. Les Dracos connaissent désormais nos visages.

— Ça ne vous empêchera pas de continuer de faire votre travail, si vous vous montrez plus prudents. Je te connais assez bien pour savoir que tu te débrouilleras, mais j'ai des doutes au sujet des jumeaux.

— Vous ne devriez pas. Ils sont beaucoup plus fiables que moi. Si je le pouvais, je les emmènerais jusqu'ici pour que vous constatiez leurs progrès.

— Ce n'est pas le rôle d'un *varan* de veiller sur ses semblables, Théo. Les traqueurs sont des loups solitaires.

— Je crains que les temps aient changé, maître. Les menaces auxquelles nous faisons face désormais nous obligent à nous regrouper pour y répondre plus efficacement, et les *malachims* nous ont abandonnés. Sans personne pour nous indiquer nos cibles et pour nous fournir ce qu'il nous faut pour les débusquer, notre travail n'est plus du tout le même.

— Dans ce cas, je ne peux plus t'offrir de conseils valables, car je n'ai rien vécu de tel.

— En ce moment, votre écoute et votre compréhension me font le plus grand bien.

— Tu peux revenir vers moi chaque fois que tu en ressentiras le besoin.

— Merci, maître.

Thierry baissa respectueusement la tête pour saluer Silvère. Lorsqu'il la releva, il se trouvait dans l'infirmerie, entouré de médecins et d'infirmières. Il promena son regard sur chacun d'eux en se demandant pourquoi ils l'observaient avec autant d'inquiétude.

— Madame Tobias, il a enfin repris connaissance, annonça l'un d'eux.

La troupe se dispersa. Thierry attendit qu'ils soient tous partis avant d'arracher les fils qui le reliaient à d'étranges moniteurs.

— On dirait que vous allez mieux, remarqua Adielle en s'arrêtant près de son lit.

— L'autoguérison est une des facultés dont nos créateurs nous ont dotés génétiquement.

— Vous êtes fascinant, monsieur Morin.

— La dernière femme qui m'a dit ça m'a quitté pour épouser l'Antéchrist.

— C'est vous qu'Océane aimait à la folie ?

Le commentaire prit le Naga de court et il ne sut pas comment y répondre.

— Vous ne savez pas à quel point sa mission de séduction l'a fait souffrir.

— Elle semblait pourtant bien se plaire en sa compagnie, maugréa-t-il.

— Et elle ne comprenait pas pourquoi.

Il détourna la tête, même s'il n'y avait rien d'intéressant à regarder nulle part dans la pièce exigüe.

— Pardonnez-moi ma franchise, mais si j'avais été à sa place, je vous aurais gardé dans ma vie.

Le Naga la fixa dans les yeux, surpris par sa spontanéité.

— Je suis une femme volontaire qui ne s'est jamais sentie obligée de jouer les ingénues pour attirer les hommes, poursuivit Adielle. Au contraire, je crois que la naïveté est une faiblesse. Vous comprendrez qu'avec mon sale caractère, je n'ai jamais eu de fiancé.

— Pourquoi me dites-vous ça ?

— Parce que je voulais que vous sachiez que très peu d'hommes m'ont inspiré de l'amour dans la vie. Dans mon cas, l'attirance doit essentiellement être précédée par l'admiration, et je ne m'enthousiasme pas facilement pour quelqu'un.

Adielle prit une profonde inspiration.

— Je vous admire beaucoup, monsieur Morin.

— Vous ne me connaissez que depuis quelques heures…

— Il n'est pas nécessaire de passer toute une vie avec quelqu'un pour reconnaître ce qu'on éprouve. Je voulais juste que vous le sachiez avant de repartir à la chasse aux dragons. Mon second vous procurera tout ce dont vous avez besoin.

Au bord des larmes, la directrice pivota sur ses talons et quitta la pièce.

— Adielle ! la rappela Thierry.

« Pourquoi les femmes tombent-elles amoureuses d'hommes qui ne savent pas comment les combler ? » se demanda-t-il en se redressant. Il chercha partout, mais ne trouva pas ses vêtements. Un jeune homme entra alors dans sa chambre avec un pull, un jeans, des sous-vêtements et des espadrilles.

— Si vous le préférez, nous avons aussi des uniformes militaires, l'informa-t-il.

— Ça ira, je vous remercie.

Le porteur déposa son présent sur le lit et adressa un regard réprobateur à l'étranger.

— Êtes-vous le second de la directrice ? lui demanda Thierry en s'habillant.

— Oui, c'est bien moi. Je m'appelle Noâm Eisik. Madame Tobias assume d'importantes responsabilités dans cette agence et, par les temps qui courent, je vous saurai gré de ne pas la déséquilibrer.

— La déséquilibrer ? Mais je n'ai rien fait de tel.

— Ne jouez pas au plus fin avec moi, monsieur Morin. J'ai des yeux pour voir et des oreilles pour entendre.

Le visage écarlate, Eisik quitta la chambre à son tour. « Il a entendu notre conversation », comprit le Naga. Toutefois, ce n'était pas lui qui avait ouvert son cœur à sa patronne, mais plutôt le contraire. « Il est jaloux ou très protecteur », conclut Thierry. Avant de rencontrer Océane, le *varan* n'avait jamais pris le temps de penser aux qualités qu'il lui plairait de trouver chez une compagne potentielle. L'amour ne faisait pas partie des priorités des traqueurs, surtout qu'ils voyageaient partout sur la planète à la recherche de leurs cibles et qu'ils ne devaient s'embarrasser d'aucune obligation contraignante. Cependant, il ne pouvait pas quitter la base sans remercier sa bienfaitrice.

Une fois vêtu, il sortit de l'infirmerie et aboutit dans un long couloir. « Comme à Toronto », remarqua-t-il. Si toutes les bases de l'ANGE étaient semblables, les Renseignements stratégiques, auxquels était rattaché le bureau du dirigeant, était au bout du corridor, à l'opposé de l'ascenseur. Le Naga ne possédait pas de montre magnétique et sa rétine ne figurait probablement pas dans les bases de données de l'Agence, mais il n'allait certainement pas laisser ces petits détails l'arrêter.

— Identification requise, l'avertit l'ordinateur lorsqu'il arriva devant la porte close.

— Thierry Morin.

— Vous ne détenez pas l'autorisation d'accéder à cette section de la base.

Le *varan* traversa le mur sans plus de façon, déclenchant une alerte. Il se retrouva nez à nez avec les canons d'une dizaine de mitraillettes.

— Ne tirez pas! ordonna Adielle en sortant de son antre. C'est un ami!

Les hommes abaissèrent leurs armes.

— Je voulais simplement vous dire au revoir, expliqua Thierry.

— Suivez-moi.

Elle retourna dans son bureau et il lui emboîta le pas, sous le regard meurtrier d'Eisik, assis devant sa console.

— Tout ce que vous aviez à faire, c'était de m'indiquer la sortie, fit le Naga.

Elle referma la porte derrière lui, pivota sur ses talons et l'embrassa.

— Vous n'en avez certainement pas besoin, répliqua-t-elle. Je vous en conjure, tâchez de ne pas vous faire tuer.

Il voulut lui dire qu'il était désolé d'être un reptilien insensible qui ne savait pas comment se comporter avec le sexe opposé, mais elle plaqua durement le plat de sa main sur ses lèvres.

— Ne gâchez pas ce moment, l'avertit-elle. Il est trop important pour moi.

Elle baissa les yeux et retourna s'asseoir derrière son bureau de métal, comme si elle avait été seule. Ne sachant pas comment adoucir sa tristesse, il recula jusqu'au mur qui ne donnait pas sur la vaste salle des Renseignements stratégiques et s'y fondit. En remontant lentement vers la surface, il se demanda si Adielle le traiterait de la même façon qu'Océane s'il se risquait un jour à laisser pénétrer de la tendresse dans sa vie. Pour l'instant, tant que le Prince des Ténèbres terrorisait cette ville, son devoir était de détruire ses serviteurs un à un. Ainsi, lorsqu'il finirait par débarquer à Jérusalem, la tâche de Jeshua serait beaucoup plus facile.

016...

Depuis qu'il n'y avait plus personne à soigner à la base de Longueuil, Athénaïs Lawson prenait maintenant le temps de lire tous les rapports que recevait l'ordinateur central. La plupart des pays se relevaient des inondations, sauf pour ceux dont les eaux avaient été empoisonnées par les fragments d'astéroïdes. Le nombre de morts augmentait sans cesse et, à Jérusalem, même s'il était difficile de savoir ce qui se passait vraiment, la situation était catastrophique. Certains journalistes zélés bravaient le danger pour que le reste du monde apprenne le sort de ceux qui y étaient retenus prisonniers.

Ce jour-là, la femme médecin s'installa devant son ordinateur, comme elle le faisait chaque matin, en buvant son café. Elle parcourut les premières nouvelles, puis tomba sur celle de la mort d'un jeune homme blond coupé en deux dans un hangar de l'aéroport de Tel-Aviv, où l'anarchie régnait depuis quelque temps déjà. Le journaliste israélien n'avait pas réussi à prendre de photos, mais il avait pu voir les deux parties de son corps, à quelques pas d'un petit jet qui s'apprêtait à partir. Il avait également aperçu un homme plus âgé baignant dans son sang.

Athénaïs se mit à trembler si violemment qu'elle fut obligée de déposer sa tasse avant de s'ébouillanter. Ce n'était peut-être pas Damalis qui gisait sur le plancher de cet abri, mais le seul fait qu'il se trouve dans ce pays à la merci de tous les démons de l'enfer lui inspirait de la peur.

— LA VICTIME N'A PAS ÉTÉ IDENTIFIÉE.

— Je ne crois pas que ce soit lui, Cassiopée, mais il pourrait bien figurer dans les prochains rapports.

— Monsieur Martell savait à quoi il s'exposait lorsqu'il a quitté la base.

— Il voulait sauver Cédric…

— Justement, je viens de recevoir une transmission de la base de Jérusalem. L'agent Cindy Bloom a communiqué avec madame Tobias pour lui dire que ses compagnons et elle avaient réussi à mettre la main sur monsieur Orléans, mais que ce dernier ne coopérait pas avec ses sauveteurs.

— Quelqu'un a-t-il été blessé durant cette mission ?

— Monsieur Orléans a été blessé par balle, puis il a reçu un violent coup sur la tête.

— Et Damalis ?

— J'aurais préféré attendre que vous soyez moins bouleversée avant de vous en parler.

— Je vais être folle d'inquiétude si vous ne me dites rien.

— Il a été blessé au dos en tentant de maîtriser monsieur Orléans, mais aux dires de l'agent Bloom, il se remet tranquillement.

Athénaïs bondit de son siège et fonça vers la porte de la section médicale qui donnait sur le long corridor. D'un pas rapide, elle se rendit à l'entrée des Renseignements stratégiques, laissa le lecteur optique l'identifier, puis pénétra dans le centre nerveux de la base.

— Si c'est monsieur Loup Blanc que vous désirez voir, il est absent, l'avertit Cassiopée tandis qu'elle se dirigeait tout droit vers le bureau du directeur.

— Pourquoi n'est-il jamais là ? explosa la femme médecin.

— Il mène une double vie, répondit Shane.

— Des réfugiés vont bientôt débarquer en sol canadien et il s'assure que le groupe de disciples dont il s'occupe à Saint-Bruno est prêt à les recevoir, précisa Mélissa.

— De toute façon, il n'y a plus grand-chose à faire ici, déplora Jonah, accoudé à sa console. L'action se passe ailleurs.

Cette vérité frappa Athénaïs de plein fouet. Elle avait été formée pour agir dans les pires conditions et que faisait-elle depuis que Damalis avait recouvré sa mobilité ? Elle astiquait ses instruments médicaux, lisait les nouvelles et jouait aux échecs avec Cassiopée... Elle fit volte-face et s'orienta vers la sortie.

— Désirez-vous que monsieur Loup Blanc vous appelle en rentrant ? s'enquit Mélissa.

— Non, ce ne sera pas nécessaire.

Athénaïs retourna à son bureau et se mit à écrire sa lettre de démission.

— Êtes-vous certaine de vouloir quitter l'Ange ?

— Ils ne me laisseront pas partir autrement.

Une fois qu'elle eut terminé sa rédaction, elle demanda à Cassiopée de la faire lire à Aodhan dès son retour, puis se rendit à sa chambre pour faire ses valises. Elle déposerait la plupart de ses effets en consignation à la base et n'emporterait qu'un sac à dos contenant l'essentiel.

— Puis-je vous suggérer d'attendre que monsieur Loup Blanc ait accepté que vous partiez ?

— Dans la vie, il y a certaines choses que nous devons faire, peu importe ce qu'en pensent les autres. Ma décision est prise et je ne la changerai pas, même s'il essaie de me retenir de force.

— Nous n'aurons plus de médecin si vous nous quittez.

— Je ne peux pas rester ici à me limer les ongles pendant que de bons soldats se font massacrer à Jérusalem.

— Monsieur Martell, vous voulez dire.

— Le sujet est clos, Cassiopée.

Athénaïs enfila un débardeur et un jeans noir, ses bottes les plus souples et une veste de cuir. Elle enleva sa montre, la déposa sur la commode, puis chargea le sac sur son dos et sortit de la pièce sans regarder derrière elle. Pas question d'utiliser les transports de l'ANGE non plus, car les responsables du garage avaient l'ordre de rapporter toute utilisation de véhicule à Aodhan. Elle emprunta plutôt l'ascenseur et quitta la base par la porte secrète dans le stationnement intérieur de l'édifice Port-de-Mer. Puis, elle marcha jusqu'à ce qu'elle rencontre une unité militaire et montra ses papiers à l'officier en chef. Quelques minutes plus tard, Athénaïs montait dans un hélicoptère qui la conduisit à l'aéroport Montréal-Trudeau.

Puisqu'elle faisait toujours partie de l'unité des services médicaux de l'armée britannique, les dirigeants canadiens acceptèrent sa demande d'accompagner le prochain contingent à destination du Moyen-Orient. Un hélicoptère l'emmènerait donc à Halifax où elle s'embarquerait sur un porte-avions. Elle ne serait pas à Jérusalem avant des jours, mais au moins, elle n'aurait pas à faire le trajet clandestinement.

En suivant les soldats canadiens sur la piste de l'aéroport, la femme médecin observa le soulagement sur le visage des rescapés qui arrivaient directement d'Israël. Tandis qu'ils venaient profiter de la sécurité de cette terre d'accueil, Athénaïs filait vers le danger. Deux hommes attirèrent alors son attention. «Je les ai déjà vus quelque part», se rappela-t-elle.

Benhayil Erad et Antinous Ben-Adnah marchaient collés l'un sur l'autre, inquiets, mais contents d'être sur un nouveau continent, loin des démons ailés qui tentaient de manger tout le monde. On leur avait dit, sur le bateau, qu'il était possible que des journalistes les approchent pour les entendre raconter leurs mésaventures, mais qu'ils n'étaient pas obligés de le faire s'ils n'en avaient pas envie. Benhayil avait tout de suite averti son jeune ami qu'ils ne devaient sous aucun prétexte apparaître sur des photos ou des vidéos pour la télévision, car leurs ennemis à Jérusalem pourraient les reconnaître.

— Comment fera-t-on pour retrouver Andromède ? avait-il rétorqué.

— Je t'ai déjà dit cent fois que nous ne sommes pas certains qu'elle soit bien vivante, Antinous.

— Et moi, je t'ai répondu aussi souvent que dans mon cœur, je sens qu'elle n'est pas morte.

— Tu es encore plus têtu qu'Asgad.

— Pourquoi sommes-nous au Canada ?

— Parce que les États-Unis ne pouvaient accueillir tout le monde. Le mode de vie est le même, sauf qu'il y fait un peu plus froid.

Les soldats les dirigèrent vers un groupe de gens dévoués qui tenaient au-dessus de leurs têtes un écriteau.

— Es-tu capable de lire ce qui est écrit ?

— Ça dit : Saint-Bruno, mais je ne sais pas ce que ça signifie. Maintenant, arrête de poser des questions jusqu'à ce que nous soyons de nouveau seuls.

Ils furent alors accueillis avec joie par les disciples de Cael Madden qui avaient réussi à trouver un gros autobus pour ramener les rescapés à leur campement dans la montagne.

017...

Les trois anges permirent à tous ceux qui le désiraient de quitter l'enfer qu'était devenue Jérusalem, mais à leur grand étonnement, des milliers de personnes, qui auraient pu s'enfuir, avaient décidé de rester pour se battre. Ils faisaient partie des descendants des douze tribus d'Israël et ils avaient la ferme intention de chasser Satan de leur patrie bien-aimée. Si Reiyel et Mithri ne comprenaient pas qu'ils veuillent se faire massacrer, Cael, lui, partageait leur détermination. Il priait le ciel tous les jours que le Père change ses ordres, afin qu'il puisse prendre la tête des insurgés.

Lorsqu'elle s'aperçut que les troupes américaines se posaient dans le désert pour secourir les suppliciés, l'armée de Satan les repoussa sans merci et commença à patrouiller sur ses frontières. Ne pouvant plus quitter le pays, ceux qui n'avaient pas pu monter à bord des transports se mirent à fuir vers les montagnes. C'est au sommet de l'une d'elles que les trois anges attendaient leur prochaine mission.

Assis en tailleur, Cael observait la fumée qui s'élevait de la Ville sainte mise à sac par les serviteurs de Satan. Puisqu'il ne provenait pas des mêmes contrées célestes que Reiyel et Mithri, le Naga bouillait intérieurement de ne pas pouvoir mettre fin au massacre.

— Je ne m'opposerai jamais aux desseins du Père, lui dit Mithri en s'assoyant près de lui, mais je ne peux pas me vanter de toujours bien les décoder.

— Moi, ce que je ne saisis pas, c'est qu'il laisse Samael torturer et tuer des innocents sur Terre, alors qu'il nous a ordonné de défendre sans relâche l'accès au paradis. En combinant toutes les divisions de Michael, nous pourrions délivrer Jérusalem et écraser les démons une fois pour toutes.

— Tu penses toujours comme un soldat.

— C'est ce que je suis, Mithri.

— Pourtant, durant les quelques années que tu as passées sur cette planète, en attendant que le Père nous demande de participer aux Tribulations, tu prêchais l'amour et la compréhension en Amérique.

— C'était facile dans un pays où les gens ne se faisaient pas démembrer sous mes yeux. Ceux qui assistaient à mes conférences avaient perdu la foi, pas une partie de leur corps. Ils ne craignaient pas la torture et l'exécution. En Amérique, je pouvais me permettre de n'être qu'un berger.

— C'est donc l'injustice qui te rend aussi impatient.

— L'inaction, également. J'ai été conçu pour manier un sabre, comme tous les Nagas.

— Oh non, tu n'es pas comme les autres. Tu es du calibre d'Immanuel.

Cael poussa un soupir de découragement.

— Je n'aurai jamais sa douceur et sa perspicacité…

— Ce qui t'a manqué, c'est sa formation chez les Esséniens, ainsi que les initiations dont il a bénéficié en Égypte.

— Je ne suis pas né au bon siècle, déplora Cael.

— Ce qui ne t'empêche pas de faire de l'excellent travail. C'est ton impétuosité que tu dois maîtriser. Tu dois apprendre à agir quand il le faut et à patienter lorsque ce n'est pas le moment d'intervenir.

Le Naga baissa la tête, misérable.

— Chasse ces idées de vengeance, mon jeune ami, l'encouragea Mithri. Nous avons des brebis à nourrir.

— Et ensuite ?

– Nous devrons bientôt commencer à proclamer l'Évangile éternel.

– Mais auront-ils vraiment envie d'entendre nos paroles? Heureux ceux qui meurent pour le Seigneur en résistant aux menaces de la Bête!

– Pour ceux qui n'ont pas pu s'enfuir et qui s'opposeront à son règne, la mort sera en effet une bénédiction, car ce sera le seul moyen d'échapper à la terreur.

Reiyel apparut alors près d'eux.

– Ceux qui adoreront Satan chercheront la mort et ne la trouveront pas, ajouta-t-il. Mais pour ceux qui refuseront de s'associer à lui, la mort sera une précieuse délivrance de ces horreurs et ils trouveront en elle un doux repos ainsi que l'assurance de la gloire éternelle.

– Et que répondrons-nous à ceux qui nous demanderont pourquoi nous n'avons pas réussi à les faire fuir? s'informa Cael, amer.

– Nous avons créé le tunnel de lumière pour tous les habitants d'Israël, répliqua Reiyel. Nous ne pouvions pas les obliger à l'emprunter.

– Je vous en prie, laissez-moi.

Mithri fit signe à Reiyel de la suivre, et ils redescendirent à l'entrée des cavernes où s'étaient cachés ceux qui voulaient échapper aux tourments des démons.

Une fois seul, Cael se mit à réfléchir à ce qui pourrait lui arriver s'il décidait d'intervenir plus directement dans les événements de la fin du monde. À partir de maintenant, le rôle des trois anges serait de prêcher l'Évangile éternel partout sur la Terre, puis d'annoncer la chute de Babylone et, finalement, d'avertir les nouveaux disciples de Satan que leur jugement approchait.

«Si je ne peux pas mener une armée dans la Ville sainte pour réduire le nombre de bourreaux, je pourrais peut-être venir en aide à ceux qui veulent les combattre», se dit-il.

Il entendit alors une voix dans son esprit, mais ce n'était pas celle du Père.

Cael, viens à moi.

Ce n'était pas non plus celle d'Aodhan ou des centaines de bergers à qui il avait confié ses disciples en Amérique.

Ne crains rien. Ferme les yeux et je serai là.

Satan possédait-il suffisamment de puissance pour tendre des pièges aux anges du Père? Il n'y avait qu'une seule façon de le savoir. Cael ferma les yeux. Des mains se posèrent sur ses épaules et il les ouvrit aussitôt. Le regard infiniment doux de Kevin Kaylin pénétra dans le sien.

— Immanuel? s'étonna Cael.

— J'ai senti ton doute et cela m'a beaucoup attristé.

— En fait, c'est surtout de l'impatience et de l'incompréhension.

Cael regarda autour de lui pour évaluer où il se trouvait.

— Nous sommes à Rome, où je devrai bientôt m'adresser aux cardinaux.

Un homme aux cheveux noirs et aux yeux bleus comme le ciel se tenait à quelques pas d'eux et les observait, ce qui mit le prophète mal à l'aise.

— Iarek est notre allié, expliqua Kaylin.

— C'est aussi un Brasskins…

— Il m'a raconté ton enlèvement et ta détention dans le désert. C'était un fâcheux malentendu.

— Es-tu bien certain que ça ne se reproduira plus jamais?

— Il ne reste plus que deux représentants de leur race sur cette planète. De toute façon, même s'ils l'ont fait de façon très maladroite, leur but était de nous venir en aide. Mais parlons plutôt de toi.

Cael garda un silence coupable.

— Je reconnais qu'il est étrange que le Père ait confié à un vaillant soldat un rôle aussi passif, avoua Kaylin.

— J'aimerais tellement aider les innocents qui ne méritent pas de mourir de manière aussi affreuse.

— Que savons-nous de leur karma, Cael? Peut-être que leurs âmes ont choisi ce sacrifice pour effacer toutes leurs fautes du passé?

— Je n'avais pas songé à ça…

— Parce que nous ne connaissons pas tous les méandres de la pensée du Père, nous devons lui faire confiance. Il m'a envoyé ici plutôt qu'à Jérusalem, mais j'ignore encore pourquoi, bien que je me doute que ma présence à Rome soit reliée au manque d'unité parmi les cardinaux. Les prophètes ont dit que cette cité subira l'attaque des démons et qu'elle devra être défendue.

— Et après?

— Je devrai sensibiliser les hommes à la nécessité pour eux de résister au mal. Nous le vaincrons, Cael.

— La dernière fois, ça s'est très mal fini pour toi.

— Il fallait que je marque la mémoire des hommes à tout jamais et si j'en juge par le nombre de Jésus en croix que j'ai vus, juste dans cette ville, on dirait bien que j'ai réussi.

Le sourire détendu de Kaylin acheva d'apaiser le fougueux Naga.

— Si nous jouons tous notre rôle, les choses se passeront comme prévu. Vous recevrez bientôt l'appui des deux Témoins.

— Ils ont été exécutés sur la place publique, Immanuel.

— C'est ce que nous avons voulu laisser croire à Satan. Le harcèlement ne fait que commencer…

— Le Père te laissera-t-il utiliser tes talents de traqueur, cette fois?

— Je n'en sais rien encore. J'accomplis sa volonté au fur et à mesure qu'il m'en fait part.

— Comment peut-on être un *varan* et être aussi calme que toi? soupira Cael.

— C'est une question d'expérience, je crois. N'oublie pas que je n'ai pas fait partie des armées célestes. Je t'en prie, aie confiance en nous.

— Pardonne-moi d'avoir douté de la pertinence du travail qu'on m'a confié.

— Nous comprenons tous ton désir de rétablir la paix le plus rapidement possible sur la Terre, mais nous devons donner à nos ennemis le temps de commettre des erreurs.

— Tu as raison. Mais, avant que je retourne en Israël, j'aimerais savoir si le Père serait fâché contre moi si me portais au moins au secours de mes amis.

— Tant que tu ne mets pas son nom dans l'embarras et que ça ne t'empêche pas d'exécuter ta mission, je ne vois pas pourquoi il s'en offusquerait. Il sait mieux que quiconque que la vie est chargée d'imprévus.

Cette nouvelle égaya l'ange.

— Merci, Immanuel.

— Va et soyez patients, tous les cinq. Je serai bientôt parmi vous.

Cael ferma les yeux et fut instantanément transporté sur la colline qui surplombait Jérusalem. Beaucoup plus détendu, il alla rejoindre Reiyel et Mithri qui accomplissaient un autre miracle pour nourrir tous les fidèles qui s'étaient réfugiés dans les montagnes.

018

Océane somnolait sur son lit lorsqu'un craquement sourd la fit sursauter. Elle tourna aussitôt la tête vers la sortie de sa prison, protégée par une énergie invisible, et se demanda si ce son signifiait une panne quelconque dans la base des Pléiadiens. S'étant déjà brûlée en essayant de franchir la porte, l'ex-agente y lança cette fois son petit oreiller. Tout comme elle, il fut repoussé par la barrière invisible. Il n'y avait donc pas eu d'arrêt accidentel du courant. Une pensée plus affolante s'empara d'elle. L'Antéchrist avait-il découvert sa cachette et était-il en train d'en forcer l'entrée. Elle se précipita sur l'incubateur afin de protéger son enfant et aperçut une large fissure sur l'œuf bleu.

— Est-ce toi qui fais tout ce bruit ? s'étonna-t-elle.

Une autre fente perpendiculaire à la première apparut sur la coquille.

— Es-tu en train de naître ? se réjouit Océane.

Encore une fois, elle chercha le mécanisme qui permettait l'ouverture de la couveuse, mais ne le trouva pas.

— Les mères oiseaux, elles, ont le bonheur de secourir leurs petits lorsqu'ils naissent, grommela-t-elle.

Elle alla se planter devant la porte et appela à l'aide, mais aucun Pléiadien ne vint à son secours.

— Ils sont tellement habitués de m'entendre râler qu'ils ne se déplacent même plus, se découragea Océane.

Impuissante, elle s'agenouilla devant la paroi transparente de l'incubateur et surveilla les progrès de la naissance.

— En tout cas, Ethan, tu ne peux pas être autre chose qu'un Chevalier, car nous ne faisons rien comme les autres. Ta grand-mère Andromède va être très fière de toi.

La lutte de l'enfant pour sortir de sa coquille dura de longues heures, puis, soudain, un fragment se détacha de l'œuf et retomba sur le côté, et Océane vit le visage de son bébé. Il avait les yeux fermés et, le ciel soit loué, il n'était pas recouvert d'écailles ! C'était un beau poupon tout rose avec des cheveux noirs hérissés sur son petit crâne.

— Dieu merci, il n'est pas frisé comme son père, laissa échapper la mère. Tiens bon, mon petit prince. Donne des coups de pieds, bouge les bras ! Il faut que tu sortes de là, même si tu peux enfin respirer… mais est-ce que tu respires ?

Les enfants normaux ne pleuraient-ils pas lorsqu'ils prenaient leur première bouffée d'air ? Pourquoi Ethan était-il inerte, tout à coup ? Océane se mit à frapper sur la paroi de la couveuse pour stimuler son fils.

— Je t'en prie, ne meurs pas…

Au bout de quelques interminables minutes, le nouveau-né s'agita. Il avait sans doute dépensé beaucoup d'énergie pour percer une brèche dans son cocon et avait eu besoin de se reposer avant de poursuivre cette dure épreuve.

— Allez, mon chéri, tu vas y arriver.

D'un coup de pied, Ethan fit voler un autre morceau de la coquille. En poussant son premier cri, il se débarrassa du reste de l'œuf. Alors, Océane put enfin le voir en entier. C'était bel et bien un petit garçon et il était beau comme un cœur. Des larmes de frustration se mirent à couler sur ses joues, car elle ne pouvait pas le toucher.

— Tu vas mourir de faim si je ne te sors pas de là, se désespéra la mère.

— Puis-je t'offrir mon aide ? fit une voix d'homme.

Océane fit volte-face, le cœur battant la chamade dans sa poitrine. Toutefois, il faillit bien s'arrêter quand elle reconnut les traits de celui qui se tenait devant elle.

— Yannick... balbutia-t-elle.

Il portait la tenue qu'il affectionnait le plus lorsqu'il travaillait à la base de Montréal: t-shirt blanc, jeans usés, espadrilles et veste de cuir fauve.

— Je suis encore en train de rêver, s'attrista-t-elle.

— Non, tu es bel et bien réveillée.

— Mais...

Il s'approcha et la fit taire en effleurant ses lèvres du bout des doigts.

— Laisse-moi parler, exigea-t-il. Les prophéties ont commencé à s'accomplir. J'ai été de nouveau mis à mort par les forces du mal, mais en fin de compte, ça n'a pas été aussi douloureux que la première fois. Le règne de l'Antéchrist touche à sa fin et ce sera notre résurrection à Yahuda et moi qui signalera le début de sa perte.

Océane glissa ses doigts entre ceux de son ancien amant et les enleva de sur sa bouche.

— Comment peux-tu être ici si tu n'es pas ressuscité?

— Yahuda m'a rappelé beaucoup de choses que j'avais oubliées en deux mille ans. J'ai le pouvoir de me matérialiser où j'en ai envie, mais je dois le faire discrètement, car en théorie, je suis censé attendre mon entrée en scène officielle à Jérusalem.

— Tu es encore en train de désobéir à tes patrons à cause de moi...

— Je n'ai rien à craindre dans cette base sous-marine où il n'y a pas de caméras de surveillance.

— Nous sommes sous l'eau?

— La cachette idéale pour une telle naissance, tu ne trouves pas?

Yannick contourna Océane et s'approcha de l'incubateur. Il posa sur le fils de son rival un regard empreint de tendresse.

— Même si tu n'éprouves plus rien pour moi, je ne pouvais pas rester là-haut à l'observer de loin, murmura le Témoin.

— Tu te trompes, Yannick, ou est-ce que je dois t'appeler Képhas ?

— J'ai porté des centaines de noms...

— Ce n'est peut-être pas l'occasion idéale pour te faire des confidences, mais avant que tu repartes faire ce que Dieu te demande, je veux que tu saches que, malgré tous mes efforts pour t'oublier et donner mon cœur à un autre homme, tu es le seul que j'ai vraiment aimé de toute ma vie. Est-ce que tu risques encore de perdre ton âme en t'approchant de moi ?

— Elle est saine et sauve.

Océane caressa doucement le visage de son ancien collègue.

— Quand j'ai beaucoup de peine ou lorsque je me mets à trembler de peur, je pense aux bons moments que nous avons passés ensemble et ces souvenirs me redonnent sans cesse du courage, avoua-t-elle.

— Je suis mieux placé que quiconque pour savoir que tu ne crois en rien, mais j'aimerais que tu écoutes ce que je vais te dire. Il importe peu que tu l'acceptes maintenant. Tu pourras y réfléchir plus tard.

— Entendu...

— Les gens normaux, c'est-à-dire ceux qui ne vivent que le temps d'une vie, ont la chance d'expier leurs fautes en revenant plusieurs fois sur la Terre dans des corps et des personnalités différentes. Seule leur âme est toujours la même.

— Là, on dirait ma mère...

— L'âme ressemble à un capteur très puissant. Elle enregistre tout ce qu'elle voit, tout ce qu'elle entend et surtout tout ce qu'elle ressent, et elle n'oublie jamais rien. C'est pour cette raison que deux personnes qui ont été très proches dans une vie éprouvent des sensations électrisantes lorsqu'elles se rencontrent de nouveau dans d'autres incarnations.

— Nous ?

— Cette passion, qui nous a dévorés et qui a failli ruiner ta carrière d'espionne, remonte à l'époque où j'étais apôtre. Jamais je n'ai songé un seul instant que nos chemins se recroiseraient durant mon existence.

— Pas besoin d'être un as des mathématiques pour comprendre qu'en vivant plus de deux mille ans, tu as quelque peu multiplié les chances de revoir ceux que tu as connus. Et puis, à bien y penser, j'aurais dû laisser Cédric me congédier. Ainsi, je me serais évité bien des erreurs de parcours et j'aurais pu passer plus de temps dans tes bras.

— Mais cela n'aurait rien changé à mon destin et tu aurais eu le cœur brisé de toute façon. Et tu ne serais pas devenue la maman de ce petit prince de paix.

— J'aurais peut-être porté ton enfant au lieu de celui de Satan.

— Il n'a pas été engendré par le Prince des Ténèbres, mais par un grand empereur romain. Ce sera un enfant exceptionnel.

— Faudrait-il que je modifie son nom pour lui ajouter un « usse » ?

— Tu n'as pas perdu ton sens de l'humour. C'est vraiment réjouissant.

Yannick plongea les mains à travers la paroi transparente de la couveuse.

— Pourquoi n'ai-je pas été capable de faire la même chose ?

— C'est seulement une question de foi, Océane. Ce sont nos croyances qui déterminent notre réalité.

Le Témoin souleva délicatement le minuscule poupon et le sortit de la machine qui le gardait au chaud. Il se retourna et le tendit à sa mère. Assailli par le froid, Ethan se mit à pleurer.

— Pauvre amour… se désola la mère.

Une couverture apparut sur les bras de Yannick, qui recouvrit aussitôt le nouveau-né.

— Tu ne pourrais pas me procurer des couches, pendant que tu y es ?

Un large sourire illumina le visage du saint homme. Il se pencha vers son ancienne flamme et l'embrassa sur les lèvres.

— Longue vie au prince, déclara-t-il avant de s'évaporer comme un mirage.

— Tu me manqueras, murmura Océane, le cœur gros.

Elle alla s'asseoir sur son lit et contempla le visage de l'enfant.

— Le fils d'un empereur, hein ? Il serait sans doute préférable que je t'appelle Cédricus Ethanus Chevalier. Je me demande bien ce que tu vas penser quand je vais te raconter pour la première fois que ton père est mort en l'an cent trente-huit après Jésus-Christ.

Océane frotta le bout de son nez contre celui du poupon.

— Maintenant, passons aux choses sérieuses. Comment suis-je censée te nourrir ?

Elle lui présenta le sein, mais Ethan le bouda.

— Bon, ce n'est peut-être pas ainsi. Cette fois, il va falloir que les Pléiadiennes me donnent un coup de main, car elles savent absolument tout, même si elles ne me disent rien.

Elle enveloppa tendrement l'enfant pour le tenir au chaud, puis s'approcha de la porte.

— Tu l'as bien entendu dire que ce sont nos croyances qui déterminent notre réalité, n'est-ce pas Ethan ? Es-tu prêt à tenter l'expérience avec moi ?

La mère prit une profonde inspiration et fit un pas. Étonnée de ne pas avoir été électrocutée avec l'enfant, elle poursuivit son chemin et déboucha dans un couloir aux murs immaculés dont la texture rappelait celle du plastique brillant.

— Ils auraient pu au moins installer des hublots pour que je te montre de jolis poissons, déplora Océane en s'aventurant vers la droite.

— Il n'y en a pas à cette profondeur, affirma sa geôlière qui arrivait derrière elle.

— C'est maintenant que vous vous décidez à répondre à mes appels ?

La Pléiadienne vint se planter devant elle.

— Je constate que vous avez finalement compris le fonctionnement de l'incubateur.

— J'aimerais bien m'en vanter, mais on m'a soufflé la solution.

La femme blonde haussa un sourcil, incrédule.

— Êtes-vous disposée à m'aider ou dois-je retourner chez ma mère ?

— Il est préférable, pour votre santé et celle de l'enfant, que vous ne sortiez pas d'ici.

— Dans ce cas, dites-moi comment le nourrir et donnez-moi plus de liberté avant que je devienne folle.

— Suivez-moi.

La Pléiadienne la conduisit dans une vaste salle dont un mur ressemblait à une gigantesque armoire. À travers ses multiples portes transparentes, on pouvait apercevoir des centaines de petites fioles remplies d'un liquide verdâtre.

— Vous comprendrez que, pour notre sécurité, nous ne pouvons pas vous autoriser à continuer de vous métamorphoser dans notre refuge, fit l'extraterrestre sur un ton grave. Une fois votre transformation complétée, nous avons donc commencé à vous administrer une drogue qui vous permettra de conserver de plus en plus longtemps votre apparence humaine.

— De la poudre d'or, se rappela Océane.

— C'est exact. Puisque vous êtes désormais Anantas à part entière, vous ne pouvez faire boire votre bébé que sous votre forme reptilienne, mais cela représente un trop grand risque pour notre colonie, car les mères Anantas ne supportent pas la présence de qui que ce soit durant les premiers mois de l'allaitement. Nous avons donc tiré votre lait tandis que vous étiez inconsciente et nous l'avons ensuite synthétisé.

— Il est vert ? s'étonna la jeune femme en levant les yeux sur les innombrables contenants.

— À quoi vous attendiez-vous ?

— Comment dois-je m'y prendre ?

La Pléiadienne pressa doucement sur le mur et une petite section de celui-ci s'avança devant elle. Elle plongea la main dans sa surface vitrée et en ressortit ce qui ressemblait à une grosse éprouvette recouverte d'une tétine. Ethan se mit aussitôt à s'agiter dans ses bras. Il avait flairé son repas.

— Je vous suggère de vous asseoir.

Océane pivota sur elle-même et aperçut une chaise à bascule toute blanche. Pourtant, elle aurait juré que la pièce était vide lorsqu'elle y était entrée. La Pléiadienne attendit qu'elle s'y soit installée avant de bouger.

— Vous allez développer votre musculature, l'avertit-elle en s'approchant.

Dès que le biberon futuriste fut à quelques pas de lui, Ethan se métamorphosa dans les bras de sa mère en un petit reptilien tout bleu ! Il se mit à couiner en se débattant, forçant sa mère à resserrer son emprise sur lui.

— Dites-moi qu'il y a de la poudre d'or dans cette formule ! s'exclama Océane en lutant pour que le poupon ne se retrouve pas sur le plancher tellement il se tortillait.

La Pléiadienne lui tendit la bouteille et recula aussitôt. Ethan s'en empara de ses mains pourvues de griffes et porta lui-même la tétine à sa bouche.

— J'imagine que la théorie des nouveau-nés sans défense ne s'applique pas aux Anantas, déduisit Océane, découragée.

— Ils dépendent de leur mère pour les nourrir, mais pour le reste ils sont plutôt autonomes.

— Est-ce qu'ils abaissent le siège de la toilette ?

– Nous vous fournirons des langes jusqu'à ce qu'il soit propre.

– Pas du genre qu'il faut laver après usage, j'espère.

– Nous vous indiquerons comment les utiliser lorsqu'il aura fini de boire. Je tiens à vous avertir qu'il pourrait ne pas être entièrement rassasié après une seule bouteille.

– Pourriez-vous me procurer le manuel d'utilisation de ce joli petit modèle tout bleu, pour que je puisse le lire lorsqu'il dormira?

– Lorsque vous aurez terminé l'allaitement, retournez à votre chambre.

La Pléiadienne quitta la pièce sans rien ajouter de plus.

– Je sens que toi et moi, nous allons avoir beaucoup de plaisir, fit Océane en s'efforçant de sourire au mignon dragon qui tétait le liquide vert avec contentement.

Lorsque la bouteille fut vidée, la mère fit un effort pour se lever, mais ne termina pas son geste. Ethan laissa tomber l'éprouvette qui, heureusement, ne se fracassa pas en touchant le sol, et tendit la main vers le mur. Une autre se détacha de la grande armoire et vola jusqu'à l'enfant. En poussant de petites plaintes de satisfaction, il cala sa deuxième ration.

– À quoi servent-elles, les mères Anantas, finalement?

Lorsque le bébé eut terminé sa troisième bouteille, il reprit son apparence normale de nouveau-né tout rose, se pressa contre Océane et émit des gazouillis qui réchauffèrent le cœur de cette dernière. Elle le transporta dans leur chambre où étaient mystérieusement apparus un moïse et une énorme provision de couches jetables! La mère langea l'enfant, puis le coucha dans son nouveau lit sans même le réveiller. Elle resta assise près du lit, à observer sa petite poitrine qui se soulevait régulièrement. Sa vie ne serait plus jamais pareille.

019

Satan était couché dans un immense lit à baldaquin, qu'il avait subtilisé à une riche famille des environs, lorsqu'une puissante énergie le réveilla. Il se releva sur les coudes, certain qu'un ennemi de taille venait d'entrer dans son temple. Caritas passa le bras autour de sa poitrine pour l'empêcher de quitter la chaleur de leur couche.

— Je veux savoir ce que c'est, fit-il en cherchant à lui échapper.

— C'est ma rivale qui vient de donner naissance à un enfant.

— Arimanius avait donc raison... Devrai-je aussi l'éliminer?

— Pas nécessairement, puisque c'est un garçon. Nous pourrions l'élever comme s'il était à nous.

— Dis-moi où ils sont.

— C'est encore un mystère, avoua Caritas. Son énergie provient de l'intérieur de la Terre, mais puisqu'il y a des mondes souterrains partout...

— Dans peu de temps, personne ne pourra m'échapper.

Il posa les pieds sur le sol et se leva. Dès qu'il fut debout, ses vêtements de cuir noir apparurent sur son corps, mais pas ses ailes, ce qui lui donnait une allure presque humaine.

— J'adore ta façon d'utiliser tes pouvoirs, le complimenta la reine des Anantas.

— Aujourd'hui, c'est un grand jour. Mets ta plus belle robe.

— Qu'as-tu l'intention de faire?

— Je vais répondre aux centaines de communications que j'ai reçues des chefs de gouvernement en faisant un geste d'éclat qui les rassurera tous. Je possède une grande armée, mais je préfèrerais m'imposer en douce… du moins, au début.

Il ordonna à ses serviteurs d'installer les caméras de télévision et attendit patiemment que ce soit fait, car les démons n'étaient pas nécessairement des experts dans tous les domaines. Quand Caritas fut enfin prête, il lui demanda de se tenir debout à sa droite et s'assit sur son trône. Se composant un visage sérieux, il fit signe aux techniciens de fortune qu'il était disposé à parler.

— Gens du monde entier, soyez sans crainte, car j'ai entendu vos requêtes. Vous comprendrez, je l'espère, qu'il n'est pas facile de restaurer l'ordre dans un pays saccagé par des créatures sans foi ni lois. Aujourd'hui, je peux enfin vous annoncer que mon armée a réussi à mater les révoltes qui sévissaient non loin de la base militaire et qu'elle avance sur les principales villes d'Israël, afin de mettre fin au massacre.

Les démons qui se tenaient derrière les moniteurs échangèrent un regard inquiet.

— Ce soir, je devrais être en mesure de vous assurer que la paix est revenue à Jérusalem. Nous ouvrirons de nouveau les hôpitaux afin que les blessés y soient enfin admis, ainsi que l'aéroport. Les lignes téléphoniques seront rétablies au cours des prochains jours et vous pourrez ainsi communiquer avec vos êtres chers. Vous avez ma parole.

Utilisant sa seule volonté, Satan mit fin à la transmission. Ils entendirent alors une grande clameur à l'extérieur, tandis que les soldats pénétraient dans la Ville sainte. Les serviteurs ailés se regroupèrent peureusement derrière les caméras.

— Continuez de bien me servir et vous survivrez, leur dit le Prince des Ténèbres. Mais si vous tenez à retourner en enfer, vous n'avez qu'à sortir du temple.

Les Naas secouèrent la tête pour dire qu'ils n'en avaient nulle intention.

— Je ferai une autre annonce, ce soir. Soyez à vos postes.

Satan grimpa ensuite sur le toit du temple d'où il pouvait voir toute la ville et observa le travail de ses troupes. Ahriman lui avait constitué une imposante armée d'Orphis, de Draghanis, de Cécrops, de Saèphes et de Neterou sous leur forme humaine. Sans peur, ces créatures ne reculaient devant rien lorsqu'elles avaient reçu un ordre.

Jusqu'au coucher du soleil, les troupes remontèrent toutes les rues de Jérusalem, en détruisant les Naas qui ne se doutaient de rien. Les autres prirent la fuite sous terre. Partout dans le pays, la même campagne de nettoyage avait cours.

Pour la première fois depuis deux jours, le soir venu, on n'entendit plus de cris ou de pleurs. La Ville sainte était redevenue sereine. N'ayant pas mis le pied à l'extérieur du temple depuis la décapitation des Témoins, Satan décida d'aller à l'état-major afin de féliciter ses officiers.

— Vous avez fait du bon travail, leur dit-il avec fierté. Jusqu'à ce qu'Ahriman instaure la procédure de marquage de notre bétail, ici et partout dans le monde, contentez-vous de surveiller les humains et de conduire ceux qui errent dans les camps de réfugiés. Quant à ceux qui se font soigner dans les hôpitaux, ramenez-les parmi les autres lorsqu'ils seront en mesure de se déplacer. Ils doivent croire qu'ils sont en sûreté.

Satan revint au temple et ordonna à ses démons de grimper sur les murailles afin de capter des images de la ville apaisée et de les diffuser avant son important message. Ils se bousculèrent pour lui obéir. En attendant leur retour, il prit place sur son trône.

— Veux-tu que je sois à tes côtés? demanda Caritas.

— Non, pas cette fois.

Voyant que son amant était perdu dans ses pensées, la reine des Anantas prit congé de lui et se retira dans leurs appartements. Son seul séide était à la recherche des Nagas qu'il devait tuer, mais lorsqu'il reviendrait lui annoncer qu'il avait terminé sa funeste entreprise, elle lui demanderait de retrouver la fille de

Cristobal, de la mettre à mort et de lui ramener son enfant. Tout compte fait, les choses ne se passaient pas si mal pour elle.

Il était tout prêt de minuit lorsque le Prince des Ténèbres s'adressa à toutes les nations. Un sourire de satisfaction sur le visage, il s'était croisé les jambes de façon décontractée.

— Telle que je vous l'ai promise, la paix est revenue chez moi, et ceux d'entre vous qui le désireront pourront recommencer à faire du commerce et des affaires avec Israël. Toutefois, j'aimerais que vous sachiez que j'ai décidé de changer mon titre. Dorénavant, je ne serai plus le président de l'Union eurasiatique. Mon nom sera Caius Sameus Armillus Caesar, le nouvel empereur du monde.

Satan fit une pause afin de laisser le temps aux téléspectateurs du monde entier de digérer la nouvelle.

— Je n'ai pas choisi ce nom et ce titre au hasard, poursuivit-il. Les empereurs romains ont été les chefs les plus efficaces de leur époque. Tout comme eux, je possède un pouvoir illimité sur le destin des hommes. Vous en voulez la preuve : j'ai réussi à mettre à mort deux faux prophètes que personne ne pouvait approcher sans être frappé par la foudre du ciel. Voilà jusqu'où s'étend ma puissance. Ces imposteurs prétendaient être des apôtres du Christ. Voyez-vous ça ! Il faut être un imbécile pour croire une telle hérésie, car s'ils avaient dit la vérité, ils auraient été âgés de deux mille ans. Or, personne ne vit aussi longtemps.

Le Prince des Ténèbres se pencha en avant, comme s'il désirait faire une confidence à son auditoire.

— Ceux qui ont suivi ma carrière de près savent que depuis mon arrivée au pouvoir, j'ai pourchassé sans merci les vipères qui se cachent pour influencer sournoisement les décisions de vos gouvernements. J'ai démantelé plusieurs organisations secrètes et je ne m'arrêterai pas avant qu'elles aient disparu à tout jamais.

Il adopta alors un air contrit.

– Je regrette infiniment de m'être emporté le soir où j'ai dû mettre à mort ces deux incitateurs de troubles. J'étais très en colère contre ces hommes qui tentaient de lever le peuple contre moi. Même après leur mort, leurs fidèles ont propagé des images abracadabrantes sur ce qui s'est passé ce jour-là. Je les ai visionnées et j'en ai été très étonné. S'il est vrai que je possède d'indéniables pouvoirs de guérisseur, je ne vois pas comment j'aurais pu recoudre ma propre tête sur mes épaules. J'ose espérer que vous avez tous compris qu'il s'agissait de trucages effectués par d'habiles informaticiens. Comme vous pouvez le constater, je suis toujours en une seule pièce.

Satan dégagea le col de sa chemise pour montrer l'absence de cicatrice là où sa tête avait été prétendument tranchée.

– Je n'ai rien à vous cacher, mais mes ennemis sont prêts à tout pour me discréditer. Pourquoi? Parce que je suis votre sauveur. Celui qui réunira tous les gouvernements du monde en une seule entité surpuissante et qui instaurera sur cette planète une paix durable. Je vous en conjure, cessez de prêter l'oreille aux divagations des sinistres prédicateurs tels les deux hommes dont je vous ai débarrassé. Je suis l'ultime berger, et ma voix vous conduira vers le bonheur.

Dans la salle des Renseignements stratégiques de la base de Jérusalem, après avoir écouté le message de l'empereur, Adielle ainsi que tout son personnel étaient bouche bée.

– Comment ose-t-il? s'étrangla Eisik, furieux.

– C'est vraiment le diable, commenta la technicienne assise près de lui.

– Si ce n'est pas lui, c'est un excellent comédien, laissa tomber la directrice. Ce qui m'inquiète, ce ne sont pas ses propos délirants, mais la réaction qu'ils engendreront. Soyez à l'écoute des communications qui seront échangées entre les chefs de tous les pays du monde. Pour pouvoir y réagir, il nous faut brosser le tableau le plus complet de la situation.

— Vous l'aurez dans quelques heures, madame, promit Eisik en se mettant à taper sur son clavier.

Adielle alla s'enfermer dans son bureau, les joues rouges de colère. Comment cet énergumène avait-il osé traiter Yannick et son ami de traîtres alors qu'ils avaient prêché l'amour et l'espoir sur toutes les places publiques de Jérusalem. Ceux qui avaient suivi leurs prédications à la télévision ou sur Internet verraient immédiatement que le nouvel empereur se payait leur tête.

— Ordinateur, mettez-moi en contact avec Cindy Bloom.

— Tout de suite, madame Tobias.

— Bonjour, Adielle, fit la voix de la jeune femme. Ou est-ce bonsoir ? Ici, on ne sait plus trop quel temps il fait dehors.

— C'est la même chose pour nous, Cindy. Cédric s'est-il réveillé ?

— Pas encore. On a pansé la blessure sur son crâne reptilien, mais on ignore dans quel état il sera s'il finit par reprendre sa forme humaine.

— Les reptiliens qui sont avec toi ne pourraient-ils pas faire quelque chose pour accélérer les choses, car nous aurions vraiment besoin des brillantes suggestions de notre directeur international, insista Adielle.

— Même s'ils parvenaient à le réveiller, tout ce qu'il fait, en ce moment, c'est de grogner.

— Êtes-vous en mesure de le transporter jusqu'ici ?

— Je m'en informe, mais j'avoue que ce serait une excellente idée, car il n'y a ni douche ni électricité dans ces cavernes.

— Dépêchez-vous. Je vais avertir mon personnel de sécurité de votre arrivée imminente.

— Bien compris. Communication terminée.

— Ordinateur, dites au docteur Chaya que j'ai absolument besoin de lui parler.

— Tout de suite, madame.

Adielle ne savait pas comment aborder le sujet de la métamorphose avec le médecin, mais elle devait le préparer avant qu'il n'arrive face à face avec Cédric sous sa forme actuelle.

020

Dans le tunnel, de l'autre côté des portes défoncées de la grotte où se cachaient les jumeaux Nagas en attendant de savoir quoi faire, Cindy mit fin à sa conversation avec la directrice de la base de Jérusalem et retourna à l'intérieur pour répéter les ordres de cette dernière.

— À quoi nous servira-t-il de l'emmener là-bas ? s'étonna Neil.

— Ils ont peut-être des drogues qui accélèrent la reprise de connaissance, insista l'agente.

— Si Théo était parmi nous, il vous dirait que ce qui fonctionne sur un humain n'a généralement aucun effet sur un reptilien et encore moins sur un Anantas.

— Sa proposition vaut mille fois mieux que de rester ici à ne rien faire.

— Je vous en prie, ne vous disputez pas, intervint Darrell. Nous désirons tous la même chose.

— J'ignore si cette base est capable de détenir Cédric, ajouta Damalis, mais j'ai bien peur que ces vieilles chaînes ne le retiennent pas longtemps lorsqu'il reviendra à lui. Et quand il reprendra son apparence humaine, il aura besoin de soins médicaux que nous ne sommes pas en mesure de lui prodiguer. Je suis bien placé pour savoir que certaines blessures subies sous notre forme reptilienne se répercutent sur notre corps humanoïde.

Pour toute réponse, Neil émit un grondement sourd.

— Mieux encore, si nous pouvions le confier à l'ANGE, nous aurions enfin les mains libres, ajouta Damalis.

Les jumeaux avaient vraiment envie de se débarrasser de ce fardeau qui les empêchait de chasser les démons qui s'en prenaient aux hommes.

— Il a raison, Neil, le pressa Darrell.

— Quelqu'un sait-il où se trouve cette base ?

Cindy avait un bon sens de l'orientation à la surface, mais sous terre, elle était incapable de dire où se situaient les points cardinaux.

— J'y suis déjà allé, confia Damalis.

— L'accès de la base était assez endommagé, la dernière fois que nous l'avons utilisé, précisa Cindy.

— Nous ne remonterons pas à la surface, les avertit Neil. À quelle distance se trouve cet endroit ?

— À un peu plus de deux kilomètres vers le sud, affirma Damalis.

— Comment le transporterez-vous ? voulut savoir Alexa.

— Par ses pieds et ses mains, confirma Neil. Il sera beaucoup moins lourd dans la terre. Damalis, tu marcheras directement devant moi. Alexa et Cindy fermeront la marche.

— Mais… voulut protester l'agente.

— Je te tiendrai par la main, la rassura la Brasskins.

— Il n'est pas question de nous arrêter non plus, les prévint Neil. Nous livrons Cédric directement à la base. Ceux qui voudront s'y reposer seront libres de le faire, mais il est certain que Darrell et moi nous mettrons à la recherche de Théo pour faire équipe avec lui.

Damalis ne savait pas très bien ce qu'il ferait une fois là-bas, mais il aurait le temps d'y penser durant la longue marche. Quant à Cindy et Alexa, elles n'envisageaient même pas d'abandonner Cédric entre les mains d'Adielle. Elles resteraient à ses côtés jusqu'à ce qu'il revienne enfin à lui et trouveraient une façon de le débarrasser du mauvais sort que semblait lui avoir jeté Satan.

— Allez, hop! lança Darrell pour les stimuler.

— Le sud, c'est par là, indiqua Damalis en pointant le mur juste devant lui. C'est en ligne droite. Tâchez de ne pas ralentir le pas.

Le mercenaire prit les devants. Soulevant Cédric aux deux extrémités, les jumeaux se hâtèrent de le suivre. Cindy se cramponna aux doigts d'Alexa et pénétra dans le sombre et froid univers des reptiliens. Elle se laissa guider par la Brasskins, d'abord très inquiète, puis, au bout d'un moment, se perdit dans ses pensées. Elle se rappela le jour où elle était arrivée à la base de Montréal: le portrait même de l'innocence. Cédric s'était montré patient et compréhensif envers elle, ce qu'il ne faisait pas avec tout le monde. En fait, elle l'avait trouvé plutôt froid avec Océane et Yannick, tandis qu'il traitait Vincent avec beaucoup de respect. «Ce doit être à cause de la relation amoureuse secrète que ces deux agents ont entretenue», devina-t-elle. Cette période de sa vie n'avait pas été trépidante, mais elle s'en ennuyait beaucoup.

L'explosion de la base de Montréal avait chaviré toutes leurs existences. Cédric avait été injustement condamné à l'exil et Cindy s'était retrouvée à Toronto avec Océane, séparées de Vincent que l'ANGE avait décidé de garder à Vancouver. «Puis, il y a eu les satanés reptiliens…» grommela-t-elle intérieurement. Ils vivaient sur la planète depuis des milliers d'années, sans que les humains s'en aperçoivent, puis tout à coup, il leur avait pris l'idée de faire de la politique. La seule mention du nom de James Sélardi faisait encore courir des frissons d'horreur dans le dos de l'agente. C'était la première mission en solo de Cindy et il avait fallu que ses patrons la jettent dans la gueule du loup!

Pour oublier ces mauvais souvenirs, la jeune femme rappela plutôt le visage souriant de Cael dans ses pensées. Elle ne s'était pas éprise de lui, car Océlus demeurait, dans son cœur, son seul vrai amour. Toutefois, le prophète lui avait apporté un si grand bien-être intérieur qu'elle avait été incapable de le quitter.

— Il s'est échappé ! hurla Darrell.

Cindy sursauta et s'accrocha encore plus solidement à la main d'Alexa. Il n'était pas question qu'elle soit abandonnée au milieu de nulle part dans l'agitation qui allait suivre. La Brasskins accéléra le pas en grimpant vers la surface. Cédric avait donc pris la fuite vers les hauteurs.

— Alexa, que se passe-t-il ? s'inquiéta Cindy lorsque la reptilienne s'immobilisa.

— Chut…

L'agente tenta d'écouter les bruits environnants, mais elle n'entendait que son propre cœur qui battait très fort dans sa poitrine. Quelques minutes plus tard, la Brasskins tira sa coéquipière dans une ruelle.

— Un groupe de soldats vient par ici, chuchota-t-elle. Ce n'était pas le moment de nous faire voir.

— Où est Cédric ?

— Si j'interprète bien ce qui est arrivé, je crois qu'il a brisé ses chaînes et qu'il s'est éclipsé.

— Où sont les Nagas ?

— Ils sont sur sa trace, c'est certain. Malheureusement, nous ne sommes pas assez rapides pour les suivre.

— C'est moi qui te ralentis, n'est-ce pas ? Tu peux me laisser ici et y aller. Je m'organiserai pour survivre.

Alexa hésita.

— Si l'homme de ma vie était en danger, moi, je n'hésiterais pas une seule seconde, l'acheva Cindy.

— Reste dans les environs. Je reviendrai te chercher.

Cindy n'eut pas le temps de répondre que la Brasskins se transforma en reptilienne dorée et fonça à la suite des Nagas.

— Bon, je fais quoi ?

Elle entendit de nombreux pas non loin et comprit qu'un autre détachement de militaires approchait. Elle appuya la main sur la muraille derrière elle. «Cindy, concentre-toi…» songea-t-elle en s'efforçant de ne pas paniquer. Darrell prétendait qu'il suffisait de se voir aussi fluide que de l'eau pour traverser la matière. «Je suis de l'eau… Je suis de l'eau…» La garnison allait bientôt tourner le coin. «Oh non!»

C'est alors qu'elle fut emportée dans un tourbillon glacé. «Ce n'est pas censé se passer ainsi…» s'alarma-t-elle. Lorsque le phénomène cessa, elle était sur le toit d'une maison, au-dessus de la ruelle.

— Mais comment ai-je réussi cet exploit? s'étonna la jeune femme.

— Avec un peu d'aide divine.

Elle reconnut instantanément la voix de Yahuda et se retourna pour se jeter dans ses bras. Elle se heurta à sa poitrine, ce qui la convainquit qu'il n'était pas une apparition.

— Si tu es vraiment là, c'est que je suis morte, c'est ça?

— C'est plutôt le contraire, affirma-t-il en la serrant très fort.

— Le contraire, c'est que je suis encore vivante?

— Je t'ai soustraite à ces démons déguisés en soldats qui sillonnent les rues de la ville.

Elle se défit brusquement de son emprise et recula de quelques pas.

— Comment peux-tu être là, puisque tu as été décapité sous mes yeux? balbutia-t-elle en sentant les larmes couler sur ses joues.

— Satan ne nous a pas tués, puisque nous sommes immortels.

— Mais…

Elle tâta son cou pour voir si sa tête était bien attachée à son corps.

— Nous devions faire semblant d'être exécutés pour que le peuple se révolte.

— Il y a bien d'autres façons d'arriver au même résultat, tu sais.

— Il fallait que ce soit frappant.

— As-tu une petite idée de ce que j'ai ressenti quand ta tête est tombée à mes pieds?

— Cindy, je ne veux pas me disputer avec toi.

Elle l'étreignit en pleurant.

— Je vais aller te reconduire à Montréal, où personne ne pourra plus te faire de mal, chuchota-t-il à son oreille.

— Non! s'exclama-t-elle en s'éloignant de lui une seconde fois. Si elle ne me retrouve pas ici, Alexa perdra son temps à me chercher.

— Qui est Alexa?

— La fiancée de Cédric!

D'une façon plutôt désordonnée, Cindy lui raconta ce qui s'était passé depuis leur dernière rencontre.

— Peux-tu nous aider à le ramener à la base, Yahuda?

— Je n'ai pas le droit d'intervenir dans vos vies. Avant notre résurrection officielle, le Père nous a donné la permission d'apparaître qu'à une unique personne.

— Et c'est moi que tu as choisie?

Il hocha doucement la tête, les yeux gonflés d'amour.

— Tout ce que je peux faire, c'est de te tenir compagnie jusqu'à ce que cette femme te réclame, offrit-il.

— Ce serait vraiment plus rassurant que de rester seule ici.

Elle se blottit de nouveau dans ses bras, consciente que cet instant de bonheur ne durerait pas longtemps.

— Où Yannick est-il allé?

— Devine…

— Ils n'ont jamais cessé de s'aimer, n'est-ce pas?

— Jamais. Il est parti vers elle dès qu'on nous a permis de revenir sur Terre.

— Allons-nous tous survivre à ces terribles événements, Yahuda ?

— Ils tirent à leur fin, mais ce monde sera à rebâtir entièrement.

L'apôtre la fit taire en effleurant ses lèvres d'un baiser.

021

Puisqu'elle ne voulait pas passer des semaines en mer, une fois sur le porte-avions, Athénaïs Lawson se servit de toutes ses relations militaires pour accélérer son passage vers le Moyen-Orient. Elle obtint même la permission de monter dans un avion de chasse à réaction. En combinaison de vol, solidement attachée sur son siège, elle ajusta son masque à oxygène et se prépara au décollage. En quelques heures, elle serait à bord d'un autre bâtiment de guerre immobilisé dans la mer Méditerranée. De là, elle monterait dans un hélicoptère d'intervention qui survolerait la zone chaude pour y laisser sauter des parachutistes.

Le jet décolla comme une flèche, rappelant à la femme médecin qu'elle n'était pas faite pour une vie tranquille et sédentaire. Tandis qu'ils traversaient l'océan, elle se mit à penser à Damalis qui avait rempli ce genre de mission avec ses frères toute sa vie. Le mercenaire avait effectué des sauvetages bien plus hasardeux que celui-là. Était-ce son sang de Naga qui l'avait poussé à mettre constamment sa vie en péril ou était-ce l'attrait du danger ?

Dès que l'avion militaire se fut posé sur le porte-avions américain qui supervisait les efforts des troupes furtives qui s'étaient infiltrées sur le territoire de l'empereur Armillus, son commandant quitta son poste pour aller à la rencontre de cette mystérieuse femme britannique qui avait contourné toutes les interdictions militaires afin de se joindre à la prochaine équipe qui serait parachutée dans ce pays explosif.

Athénaïs venait de sortir du cockpit et descendait la courte échelle lorsque le capitaine de vaisseau McGregor l'aperçut pour la première fois. Elle posa le pied sur le sol et enleva son casque, libérant ses longs cheveux blonds.

— Docteur Lawson ?

Elle se retourna et regarda ses galons avant son visage.

— Capitaine, répondit-elle en le gratifiant d'un salut militaire.

— Vous êtes beaucoup plus jeune que je ne l'imaginais, avoua-t-il. Je suis le commandant William McGregor. On m'a prévenu de votre arrivée.

Pendant un court instant, Athénaïs craignit que la direction de l'ANGE n'ait réussi à bloquer sa demande.

— Êtes-vous en train de me dire que vous n'envoyez que des gens âgés en territoire ennemi ? répliqua-t-elle avec un sourire.

— Non, évidemment pas.

— On m'a dit que l'hélicoptère furtif partait d'une minute à l'autre.

— C'est exact. Si vous voulez bien me suivre, je vais vous y conduire.

Athénaïs marcha à ses côtés, en direction des appareils qui se trouvaient en rang sur la proue du navire.

— En fait, je voulais savoir ce qui pouvait pousser une femme médecin à se joindre à un commando qui risque de ne jamais revenir de ce pays d'enfer.

Elle se retint de lui dire qu'elle cherchait à sauver l'homme qu'elle aimait.

— Je le fais pour l'amour de la liberté. Il y a des milliers de blessés qui ont besoin d'aide et, à ce qu'on me dit, la plupart des chirurgiens ont perdu la vie tant lors des cataclysmes naturels qui ont secoué Israël que lors des récentes révoltes.

— Votre parcours militaire est remarquable.

— Pourtant, j'ai toujours l'impression que je n'en ferai jamais assez pour soulager la misère.

Ils arrivèrent devant la porte du gros hélicoptère.

— Ce fut un plaisir de faire votre connaissance, capitaine McGregor.

— Promettez-moi de rester en vie.

«Les hommes de son âge se comportent toujours de façon protectrice devant les femmes qui aiment risquer leur vie», songea Athénaïs en le saluant une dernière fois. Le chef du commando d'intervention lui fit toutefois un accueil plus glacial. On lui avait sans doute imposé la présence de l'intrus.

— Je ne vous traiterai pas différemment du reste de l'unité, fit-il lorsqu'elle s'arrêta devant lui.

— Ça me convient, affirma-t-elle en poursuivant sa route à bord de l'appareil.

Les soldats la contemplèrent de la tête aux pieds, tandis qu'elle changeait d'uniforme, même si elle portait ses vêtements noirs en dessous. Elle attacha son parachute après l'avoir vérifié, puis prit place sur le siège vide contre la paroi. Quand ils comprirent qu'elle savait ce qu'elle faisait, ils commencèrent à la traiter avec un peu plus de respect.

— Êtes-vous censée nous servir d'appât? plaisanta l'un d'eux.

— Tout dépend de ce que vous voulez attraper, répondit-elle avec un sourire moqueur.

— Comment vous appelle-t-on?

— Athénaïs.

— Comme la déesse grecque?

— C'est en effet une variante du prénom Athéna.

— Êtes-vous dans la marine?

— Pas tout à fait. Je fais partie des services secrets.

— Oh… firent en chœur les jeunes hommes.

— C'est un départ! annonça leur commandant tandis que les portes se refermaient.

La femme médecin préféra se concentrer plutôt que de converser avec ses voisins qui, pourtant, la dévoraient des yeux. Son contact dans l'armée lui avait dit qu'elle avait le choix d'être parachutée à l'est de Tel-Aviv avec tout le groupe, ou de sauter à la mer, non loin d'un petit bateau de pêcheur allié qui pourrait la déposer à Ashdod. À condition, bien sûr, que la garde côtière ne l'intercepte pas. À sa grande surprise, elle avait choisi la deuxième option.

— Docteur Lawson, c'est à votre tour, annonça le pilote dans les haut-parleurs.

— Mais nous ne sommes pas rendus à destination, s'étonna un des hommes.

— Messieurs, ce fut un plaisir de voyager avec vous, les salua Athénaïs en marchant vers la sortie.

Sans la moindre hésitation, elle sauta dans le vide. Elle examina les alentours, tandis que son parachute la faisait doucement planer au-dessus des vagues, et vit un chalutier. Ses signaux lumineux, dirigés vers le ciel, lui firent comprendre que c'était son point de rendez-vous. La femme médecin regretta de ne pas avoir l'occasion de sauter plus souvent, car les experts parvenaient à se poser sur le quai d'une aussi petite embarcation. Lorsqu'elle fut tout près des flots, elle détacha les anneaux et prit une profonde respiration. L'ayant vue arriver, le bateau s'était tout de suite rapproché d'elle et lui avait lancé une bouée. Athénaïs fut hissée à bord en grande hâte.

— Bienvenue en enfer, fit le capitaine avec un fort accent hébreu.

C'était un homme d'une soixantaine d'années qui avait échappé aux horreurs de la prise de possession de son pays par des monstres ailés en restant sur la mer.

— J'ignore ce qu'on vous a dit, mais je n'ai pas l'intention d'accoster où que ce soit.

— Je sais nager, affirma-t-elle en faisant une torsade avec ses cheveux pour les essorer.

— Votre mission doit être très importante pour que vous preniez un tel risque.

— Il y a peut-être une autre façon.

Athénaïs se défit de sa combinaison de parachutisme et se laissa sécher sur le pont en attendant que le vieillard lui en dise davantage. Sa présence sur le chalutier mettait évidemment tout son équipage en péril, mais c'était le seul moyen d'atteindre Jérusalem.

Tandis qu'ils s'approchaient du rivage, une grosse chaloupe pourvue d'un moteur vint à leur rencontre. Curieusement, la femme médecin n'avait vu aucune vedette de la garde côtière à l'horizon. Les deux hommes dans la barque échangèrent quelques mots en hébreu avec le capitaine du chalutier.

— Ils vont vous emmener plus près, indiqua ce dernier à sa passagère.

— Merci.

Elle descendit comme une experte le long de la coque en s'agrippant à une corde et rejoignit les pêcheurs. Ils la firent asseoir entre eux et jetèrent sur elle une bâche imperméable.

— Gavri rentre chez lui, ce soir, lui dit le plus âgé des deux hommes avec un fort accent. Il va s'occuper de vous.

— C'est gentil, mais je ne veux pas vous attirer des ennuis, répondit-elle de sa cachette.

— Nous savons que vous venez nous délivrer des gargouilles.

«Si c'était aussi facile», soupira intérieurement la femme médecin.

— Nous faisons tout ce que nous pouvons, assura-t-elle. Où sont les autorités maritimes?

— Des fois elles sont là, des fois non.

— Y a-t-il des contrôles au port?

— La police essaie surtout de tuer les monstres ailés.

«J'en ferais probablement autant», songea Athénaïs.

Elle demeura immobile jusqu'à ce qu'elle sente le choc de l'arrivée de la barque contre le quai.

— Gavri va aller voir si vous pouvez descendre tout de suite.

Athénaïs n'allait certainement pas attendre toute la journée sous l'étouffante pièce de toile. Heureusement, le Gavri en question revint quelques minutes plus tard et, à en juger par son ton de voix, il était plutôt excité.

— Que se passe-t-il? voulut savoir la femme médecin.

— L'armée a commencé à chasser les démons! se réjouit le pêcheur qui était toujours assis près d'elle.

— L'armée de qui?

— Celle du président Ben-Adnah, évidemment! Il ne nous a pas oubliés!

Étant donné que Satan s'était emparé du corps du politicien, la nouvelle était assez déroutante. Les deux hommes ôtèrent la bâche et, en moins de deux, Athénaïs était sur le quai.

— Partons, exigea-t-elle, méfiante.

Elle monta dans la vieille voiture de Gavri et lui indiqua que s'ils devaient apercevoir un barrage routier au loin, il lui faudrait arrêter pour la laisser descendre.

— Ne vous en faites pas, je connais d'autres chemins.

Après avoir fait quelques kilomètres sur une véritable route, Gavri piqua vers le désert. Au lieu d'éveiller ses soupçons en lui posant trop de questions, Athénaïs fouilla dans son sac à dos et sortit son petit GPS de son étui étanche. Il lui confirma aussitôt qu'ils étaient en direction de Jérusalem. «Dommage qu'il ne puisse pas aussi m'indiquer exactement où se trouve Damalis», soupira-t-elle.

022

Puisqu'il avait eu le malheur de s'attarder, au lieu de fuir avec le groupe de Nagas qui avait assassiné les deux enfants de la reine des Anantas, Alejandro Marquez dut se cacher dans la ville de Tel-Aviv pendant que des Naas affamés terrifiaient la population et paralysaient la ville. Il en avait tué quelques-uns pour se nourrir, mais cela ne l'aidait pas à trouver une façon de rentrer en Espagne. Incapable d'obtenir un transport, il s'était rendu à l'aéroport en parcourant un kilomètre à la fois, sous terre. Les mentors, qui avaient orchestré ce complot, avaient assuré les Nagas que s'ils manquaient leur vol, un allié Pléiadien pourrait au moins leur faire quitter le pays. Alejandro avait mémorisé le numéro du hangar et le nom de son contact. Mais ce dernier serait-il encore là à son arrivée à Ben-Gurion?

Lorsqu'il sortit du plancher, dans un couloir désert du grand bâtiment, des ambulanciers étaient en train de ramasser les restes des pauvres voyageurs qui avaient connu une fin tragique, sans pouvoir quitter Israël. Il avança donc de mur en mur, en faisant bien attention de ne pas être vu, jusqu'à ce qu'il atteigne enfin la piste. Des véhicules convoyaient les avions abandonnés vers les portes où des équipes les attendaient pour les nettoyer. Plus loin, sur la droite s'élevaient les hangars privés, en rang d'oignons. Alejandro s'enfonça une fois de plus dans le sol et se rendit à celui qu'on lui avait désigné.

En émergeant du plancher, il mit aussitôt la main sur son katana. Tous les reptiliens étaient sensibles à l'odeur du sang, peu importe leur race. Son sabre pointé devant lui, il effectua un tour complet sur lui-même. Ses sens l'informèrent qu'un Shesha y avait récemment séjourné, mais sa trace était faible. Il vit alors le cadavre du Pléiadien, sans doute celui à qui il devait s'adresser. Il se pencha au-dessus de lui et constata qu'il était mort étouffé dans son sang, après que le Shesha lui eut planté ses griffes dans la gorge. Alejandro se tourna ensuite vers le corps de l'homme coupé en deux dont il examina la partie supérieure, couchée face contre terre. Ses cheveux blonds lui indiquèrent immédiatement qu'il pouvait s'agir d'un Naga. Il s'en saisit et le retourna sur le dos pour voir son visage.

— Chadek... murmura-t-il.

Il avait été le plus jeune des *varans* à avoir répondu à l'appel de la reine des Anantas. Si la plupart des traqueurs pouvaient regarder la mort en face sans sourciller, ils réagissaient très mal à la trahison. Le trou entre les yeux de Chadek ne pouvait indiquer qu'une seule chose : celui qui l'avait tué lui avait arraché sa glande, et dans celle-ci se trouvait tout ce que le Naga avait appris.

Ces petits organes se retrouvaient dans le front des re-présentants de toutes les castes, mais uniquement celles des Nagas, des Dracos et des Anantas possédaient des propriétés mnémoniques. Celui qui avait recueilli celle de Chadek savait ce qu'il faisait. Pourtant, la seule énergie reptilienne qu'il flairait dans ce hangar était celle d'un Shesha... Ces créatures n'étaient pas particulièrement intelligentes. On s'en servait surtout comme hommes de main. Quelqu'un de plus haut placé dans l'ordre des castes avait-il commandé ce meurtre ?

La porte du hangar commença à glisser vers le haut. Alejandro s'esquiva par le plancher et s'éloigna en réfléchissant à ce qu'il venait de voir. Il quitta le terrain de l'aéroport, mais resta suffisamment près pour pouvoir utiliser son téléphone cellulaire. Sa pile était faible et il n'avait pas pu la recharger en raison de l'absence d'électricité dans la ville. Il composa tout de même le numéro d'urgence de son mentor.

— Alejandro, dieu soit loué, tu es vivant! s'exclama le vieil homme en décrochant.

— Je viens juste de trouver le cadavre d'un Naga à qui on a arraché sa glande.

— Le même phénomène est en train de se produire dans les pays entourant Jérusalem. Apparemment, des Nagas ont été assassinés en Égypte et en Syrie et on leur a aussi pris leur glande.

— Caritas a donc décidé de venger la mort de ses fils…

— Rentre immédiatement.

— Non, maître. Je dois découvrir qui nous traque. Si je ne l'arrête pas, bientôt il n'y aura plus de Nagas et les Dracos prospéreront de nouveau.

— Tu n'as sûrement pas écouté les nouvelles.

— C'est plutôt difficile sans électricité.

— Le président de l'Union eurasiatique s'est proclamé empereur du monde.

— Il ne manquait plus que ça.

— Ce n'est qu'une question de temps avant qu'il se mette à la chasse aux Dracos.

— Il nous rendrait service s'il les éliminait tous.

— Nous devons aussi penser à sauver notre propre race.

Alejandro sentit un curieux picotement au milieu de son front.

— Je dois vous laisser, maître.

Il coupa la communication et s'enfonça dans l'arbre derrière lui. Seuls ses yeux bleus étaient visibles dans l'écorce. C'est alors qu'il fut témoin d'un inquiétant phénomène. Une porte multicolore, comme celles que matérialisaient les alliés de son maître, s'ouvrit à plusieurs mètres de lui, mais au lieu d'un

Pléiadien, c'est un Shesha qui en sortit. Le reptilien aux écailles bleues tourna lentement sur lui-même en humant l'air.

— Mais qu'est-ce que je flaire ? Un autre Naga ?

Alejandro sentit son sang bouillir dans ses veines et il dut faire preuve d'une parfaite maîtrise pour ne pas surgir de sa cachette pour aller tuer l'insolent. Ce fut sa raison qui l'emporta sur sa fougue. Si c'était bien là l'assassin de ses frères, il devait d'abord prévenir ses congénères du danger qui les guettait avant de régler ses comptes avec lui. Ainsi, s'il ne devait pas survivre à ce duel, les autres auraient au moins la chance de se préparer à sa visite.

— Vous n'êtes pourtant pas des lâches, poursuivit Asmodeus. Où te caches-tu, petit traqueur ?

Le démon suivit son nez en direction du bosquet, mais Alejandro ne bougea pas. Il serrait le manche de son sabre dans sa main, prêt à frapper, si cela devenait nécessaire.

— Je connais plusieurs d'entre vous, maintenant. Je sais comment vous opérez. Ce n'est qu'une question de temps avant que je vous fasse tous disparaître de la surface de la planète.

Le *varan* se laissa glisser dans la terre et s'éloigna du Shesha. Il se faufila dans les racines d'un autre arbre, à l'opposé de celui qui intéressait Asmodeus. Il le vit se pencher et poser la main sur le sol en grondant comme un prédateur qui n'arrive pas à saisir sa proie. « Il ne possède pas la faculté de traverser la matière », se réjouit Alejandro. Toutefois, il semblait capable de flairer l'énergie des Nagas.

— Tu peux courir, froussard, mais tu ne m'échapperas pas. Je suis venu te tuer ainsi que les trois autres *varans* dont je capte la présence à Jérusalem.

« S'il tombe sur Théo, nous serons tous sauvés », ne put s'empêcher de penser Alejandro. Même si ce Naga n'avait pas réussi à tuer le Prince des Ténèbres, il était tout de même parvenu à le décapiter, ce qui était un exploit. Le Shesha n'aurait aucune chance contre lui, surtout si Théo était prévenu de sa venue. Alejandro résista donc à ses instincts d'assassin et s'enfonça plus profondément dans la terre, de façon à ce que son odeur soit presque impossible à détecter. Il mit ensuite le cap vers le sud-est et marcha pendant de longues heures.

Lorsqu'il refit surface, non loin des ruines anciennes d'une maison, le soleil se levait. Il était épuisé et surtout assoiffé. Il prit toutefois le temps d'évaluer sa situation. Le Shesha n'était nulle part, mais puisqu'il possédait la faculté de se déplacer aussi facilement que les Pléiadiens, le Naga devait demeurer sur ses gardes. Il flaira le vent et trouva un vieux puits, plus loin. Il but de l'eau et se cala ensuite dans les pierres de l'habitation pour dormir. À son réveil, rien n'avait changé autour de lui. Au risque d'attirer son ennemi, il décida que l'endroit était idéal pour lancer son appel.

Les Nagas n'étaient pas que des tueurs, la plupart possédaient des connaissances qui échappaient aux autres castes, à condition évidemment qu'ils ne s'emparent pas de la mémoire de leur glande. Ils savaient que la Terre n'était pas différente des créatures qui l'habitaient. Elle avait un cœur, des poumons et des artères. Ces dernières couraient sur toute sa surface et rendaient possible la transmission universelle de n'importe quel message.

Puisqu'il était le plus âgé des *varans*, le maître d'Alejandro avait commencé à le former afin qu'il lui succède un jour. Il détenait donc une science supplémentaire qui ne devait en aucun cas tomber entre les mains de l'ennemi. Se concentrant sur l'énergie qui circulait sous ses pieds, il détermina le meilleur endroit pour suivre le processus que lui avait enseigné son mentor. Il traça d'abord une grande étoile dans la terre sèche avec un bâton, puis s'agenouilla en son centre. Ayant vérifié une dernière fois qu'il était bien seul, il sortit de sa ceinture un poignard très ancien qui ne le quittait jamais. Il avait appartenu au plus grand Naga de l'Antiquité et sa valeur était inestimable.

Alejandro tâta le sol avec la paume de sa main et comme une infirmière cherchant une veine pour faire une injection, il trouva l'endroit idéal et y planta le poignard.

— Vous êtes en danger! Un Shesha s'attaque à tous les représentants de notre race et les tue un à un en s'emparant de leur glande! Fuyez ou soyez sur vos gardes!

Le Naga retira la dague de l'artère et s'empressa de quitter les lieux, car il était certain que cette explosion d'énergie risquait d'attirer les Naas, ces fabuleux chiens de chasse des Dracos.

Thierry Morin venait tout juste d'exécuter un prince Dracos qui se dissimulait parmi les soldats de l'Antéchrist lorsqu'une vive douleur au milieu du front le fit tituber sur ses jambes. Pour éviter de devenir la cible des mitraillettes des camarades de sa victime, il s'enfonça dans le mur de l'immeuble derrière lui, pour laisser passer le malaise. Une étoile à cinq branches apparut dans son esprit, juste avant qu'il entende l'avertissement d'Alejandro. «Un Shesha?» s'étonna-t-il. Jamais Silvère n'avait considéré que ces reptiliens puissent représenter un danger pour les habitants de la Terre. Il n'en avait donc jamais traqué.

Ce n'était certes pas le moment de méditer pour aller discuter de cette curieuse situation avec son mentor. Toutefois, il ne pouvait pas faire fi de cette menace, même si les Sheshas, en général, ne lui faisaient pas peur. «Pour qui volent-ils ces glandes? Satan?» Thierry demeura longtemps immobile à se torturer l'esprit. Le message ne mentionnait pas le nombre de Nagas à avoir déjà perdu la vie. Plus inquiétant encore, le *varan* ne flairait plus leur présence massive à Jérusalem. Il ne restait que les jumeaux et Damalis, mais ce dernier, même s'il était Naga, ne possédait plus sa glande. «Ont-ils entendu cet appel?» se demanda Thierry. Neil et Darrell le prendraient-ils au sérieux?

Même s'il avait passé la majeure partie de sa vie en loup solitaire, l'élève de Silvère Morin éprouvait de l'affection pour ces deux turbulents traqueurs. Il allait donc mettre de côté sa nouvelle mission afin de les retrouver et de leur faire comprendre que la prudence était de mise jusqu'à ce qu'ils puissent identifier l'auteur de cette recommandation.

En fait, les jumeaux se trouvaient à moins de trois kilomètres de lui, à l'autre bout de Jérusalem, sur les traces de Cédric qui, de toute évidence, tentait de se rendre au nouveau temple. Malgré qu'il soit né sans le gène du traqueur, Damalis se débrouillait fort bien. S'il ne pouvait pas flairer la trace de l'Anantas, son instinct de mercenaire lui permettait d'anticiper la route qu'il prenait dans le dédale de rues et de ruines.

Lorsque le Naga émit son avertissement, Neil et Darrell ressentirent la même douleur que leur aîné et durent ralentir le pas. Damalis ne l'entendant pas, il continua de talonner le directeur de l'ANGE.

– Fuir? répéta Neil, insulté. Les *varans* ne fuient pas!

– Rattrapons d'abord Cédric, le pressa Darrell. Nous en reparlerons plus tard.

Il agrippa la manche de son frère et le tira vers l'intersection où Damalis venait de disparaître.

023

Andromède avait voyagé de bien des façons durant sa longue vie excentrique. Son défunt mari, qui possédait une fortune considérable, lui avait fait visiter tous les pays du monde. Féru de culture et d'archéologie, il l'avait également initiée aux coutumes les plus étranges de peuples existants et de mondes disparus. Après son décès, elle s'était retirée dans sa grande maison et l'avait décorée de manière à ce que chaque pièce lui rappelle un moment heureux de sa belle histoire d'amour. Elle croyait bien passer le reste de son existence à cataloguer et à ranger tous les artéfacts de son époux, lorsque les Pléiadiens, qui l'avaient pourtant bannie de la base de Saint-Hilaire, lui avaient confié une mission.

Elle n'avait qu'à attirer un avocat du nom de Cédric Orléans chez elle où des Nagas devaient venir l'assassiner. Lorsqu'elle avait demandé pourquoi, on lui avait répondu qu'il était probablement l'Antéchrist. Puisque, comme ses semblables, elle ne désirait que la paix sur Terre, elle avait accepté de les aider à se débarrasser de ce cet ennemi des humains. Toutefois, pour être bien certaine que l'Anantas la suivrait sans se poser de questions, elle avait utilisé une plus grande dose de potion aphrodisiaque que prévu et en avait été elle-même la victime. Au bout d'une semaine d'interminables débats amoureux, elle n'avait pas pu se résigner à livrer ce reptilien à ses bourreaux, car elle ne sentait aucune trace de méchanceté en lui. Au lieu de le conduire dans la montagne, elle l'avait poussé dans un taxi en lui recommandant de fuir. Cédric n'avait sans doute pas compris ses paroles, mais il n'était plus jamais revenu.

En découvrant qu'elle était enceinte, Andromède reprit goût à la vie. Persuadée que les Pléiadiens ne lui permettraient pas de mettre la fille du diable au monde et que les possessifs Anantas chercheraient à la lui ravir, elle eut recours à un ingénieux subterfuge. Près de chez elle vivait un jeune couple qui lui semblait bien équilibré. Elle donna naissance à sa petite Océane et alla la confier aux Chevalier, en prenant soin d'implanter dans leur esprit l'idée qu'elle était leur bébé. Pour pouvoir participer à l'éducation de l'enfant, elle avait aussi convaincu Simon Chevalier qu'elle était sa sœur Ginette.

«Me voilà maintenant grand-mère», songea la Pléiadienne tandis que le Naas, qui l'avait enlevée en Amérique du Sud, la ramenait à son ignoble maître. Heureusement qu'elle n'était pas humaine, sinon elle n'aurait pas survécu à ce trajet sans oxygène entre deux univers. Pour qu'elle ne lui échappe pas, Phénex lui avait lié les poignets. Andromède s'était laissé faire en criant son indignation, mais au fond, tout ce qu'elle voulait, c'était de brouiller les pistes.

Elle ne fut pas fâchée d'atterrir enfin sur un plancher de terre battue, dans les ruines d'une villa quelque part au Moyen-Orient. Devant elle se tenait un curieux individu, chauve, qui n'avait que la peau sur les os. Ses yeux étaient profondément renfoncés dans son visage oblong et son rictus exprimait le plus vif déplaisir. Il portait au moins des vêtements décents. Andromède savait reconnaître les grandes marques, même si sa garde-robe n'en comptait pas.

— Comme on se retrouve, fit Ahriman en l'observant de la tête aux pieds.

Andromède avait pourtant fait l'effort de troquer son ensemble vert néon pour une djellaba de couleur sable pour mieux se fondre dans le décor. «Ce sont probablement mes cheveux qui m'ont trahie», songea-t-elle. En effet, ses boucles platine refusaient de rester cachées sous son capuchon.

— Où avez-vous emmené votre fille ?

— J'ai tenté de la ramener chez moi, mais elle est partie de son côté.

— Il est inutile de me mentir, madame. Je sais comment arracher la vérité à ceux qui veulent me la cacher.

— Si c'est un prétexte pour me torturer que vous cherchez, vous ne croirez rien de ce que je vais vous dire, de toute façon.

— Je veux savoir où se cache Océane Ben-Adnah.

— Elle est probablement devant une cour de divorce, à l'heure qu'il est et je suis certaine que vous en connaissez la raison.

Ahriman frappa durement le sol avec sa canne en argent.

— Que faisiez-vous à l'autre bout du monde ?

— Je cueillais des fleurs lorsque votre chauve-souris géante m'a enlevée. Le rapt est un crime, vous savez.

— Le meurtre aussi.

— Êtes-vous en train de me faire des menaces ?

— J'en suis presque là, en effet.

— Alors, je suggère d'aller nous expliquer à la police.

— Votre désinvolture ne sauvera pas votre fille.

— Maintenant, c'est à Océane que vous vous en prenez ?

Exaspéré, Ahriman s'avança vers la Pléiadienne,

— Vous n'oseriez pas frapper une femme ! explosa-t-elle.

— Vous ne sentirez rien.

Le Faux Prophète enleva son imperméable et se métamorphosa en Orphis. Il leva sa main droite aux longues griffes devant ses yeux. Ce n'était évidemment pas le premier reptilien qu'Andromède rencontrait, mais elle se fit un devoir de feindre la terreur.

— Arrière, Satan ! s'écria-t-elle.

Phénex était aux aguets. Il n'attendait qu'un ordre de son maître pour immobiliser la prisonnière afin qu'il puisse la tuer.

Ahriman fit un pas. Les liens de la Pléiadienne glissèrent sur le plancher.

— Je suis vraiment désolée, s'excusa-t-elle. Ils ne devaient pas être suffisamment serrés.

— Si vous ne me dites pas où se trouve votre fille, c'est Satan lui-même qui vous le fera avouer.

— Pour ça, il faudra qu'il me rattrape.

Un carré lumineux se forma derrière Andromède qui n'eut qu'à s'y laisser tomber en reculant. L'Orphis se précipita pour la suivre, mais la vision disparut avant qu'il ne l'atteigne et il se retrouva face contre terre.

— Voulez-vous que je la ramène, maître? offrit aussitôt Phénex.

— Ce serait parfaitement inutile, grommela le démon en se redressant. Il est évident que son but est de nous mener sur une fausse piste. Nous allons nous y prendre autrement.

Ahriman reprit sa forme humaine et fit apparaître une mappemonde sur le mur de la villa

— Montre-moi tous les endroits où tu as senti sa trace. Ainsi nous saurons où sa fille ne se cache pas. Il est temps de sortir l'artillerie lourde.

Phénex pencha la tête de côté pour indiquer qu'il ne comprenait pas ce qu'il avait l'intention de faire.

— Nous allons bombarder toutes les montagnes où elle n'a pas fait d'arrêt jusqu'à ce que nous trouvions cet enfant.

— Mais votre maître n'est-il pas en train d'amadouer toutes ces contrées? Ces attaques seront perçues comme des déclarations de guerre.

Ahriman poussa un cri de rage.

— Je vais commencer par m'acquitter d'une autre mission que m'a confiée Satan. Je dois trouver une façon d'identifier tous les humains afin qu'aucun d'eux puisse jamais comploter contre lui. Il me faut un grand savant capable de programmer la puce électronique dont j'ai besoin.

Pendant que le Faux Prophète se préparait à enlever ce génie et à s'emparer de plusieurs usines où l'on pourrait fabriquer en masse ces petites pastilles de silicium, Andromède filait vers le Canada afin de continuer de brouiller les pistes. Elle n'avait pas réussi à décourager Ahriman de sa quête, mais elle lui avait certainement fait comprendre qu'elle ne lui rendrait pas la tâche facile.

En réalité, Océane se trouvait au fond de l'océan, au large de la Nouvelle-Zélande, où les Pléiadiens avaient construit l'une de leurs bases sous-marines. À cette profondeur, elles étaient pratiquement impossibles à détecter, mais il ne fallait pas non plus sous-estimer les démons, surtout s'ils devaient satisfaire Satan lui-même. Andromède mourait d'envie de prendre son petit-fils dans ses bras, mais il lui faudrait attendre que les événements de l'Apocalypse aient pris fin avant de rendre visite à sa fille.

Elle retourna dans son quartier de Saint-Hilaire et découvrit que ses voisins réparaient leurs demeures endommagées par le tremblement de terre. Heureusement, l'eau n'avait pas monté jusqu'à la montagne, alors ils n'avaient pas été obligés de tout démolir et de recommencer à zéro. Elle marcha sur le trottoir et s'arrêta dans l'allée qui menait à la sienne. Si sa haie avait été un peu plus haute et sa maison moins visible, elle aurait pu remettre son logis en bon état à l'aide de sa magie, sans crainte d'être vue.

— Commençons donc par le début, se dit-elle.

Si Satan devait la traquer jusque chez elle, alors, elle l'inviterait à prendre le thé.

— Quand notre demeure est en ordre, rien ne peut mal aller.

Discrètement, elle fit croître les cèdres en les rendant à la fois plus dense, puis, une fois les trouées bien remplies, elle se mit à l'œuvre sur le bâtiment. En faisant virevolter ses mains comme un chef d'orchestre, elle souleva la partie qui s'était affaissée et la colmata à l'aide de matériaux apparus de nulle part, semblables à ceux qui avaient cédé.

— Magnifique, se félicita-t-elle.

Maintenant que la structure était de nouveau solide, il ne lui resterait qu'à restaurer l'intérieur. Mais avant, elle contourna la maison et franchit la clôture qui empêchait les curieux de s'approcher de son univers personnel. Elle prit place sur le balcon qui s'étendait devant la porte-fenêtre et contempla les ruines du temple égyptien.

— De quoi ai-je envie, cette fois? Il faut que ce soit monumental, pour mon petit prince...

D'un clignement des yeux, elle fit disparaître tout ce que contenait le jardin.

— Rome? Trop décadente... Athènes? Pas sans mes Spartiates... Machu Picchu? Je ne suis pas certaine que les voisins aimeraient que je leur bouche la vue...

Elle se tortura l'esprit encore quelques minutes, puis son visage s'illumina de joie.

— J'ai trouvé! s'exclama-t-elle. Le château Himeji Jo!

C'était l'une des plus vieilles structures de bois du Japon médiéval, aussi connu sous le nom de Hakuro Jo, ou château du Héron blanc. Andromède l'avait visité avec son mari, autrefois, et elle en était tombée amoureuse.

— Mon petit-fils sera samouraï! Il sera fort et instruit. Il fera preuve de discipline et vivra selon un code d'honneur et de vertus irréprochables. Quelle merveilleuse idée!

Andromède ne possédait certes pas suffisamment d'espace dans son jardin pour y installer l'immeuble de façon intégrale, alors elle se contenta de reproduire une partie de celui-ci avec ses murs et son toit en pagode immaculés. En fouillant dans sa mémoire, elle se rappela les beaux jardins qu'elle avait parcourus et creusa tout autour de la structure un gigantesque étang, puis créa une passerelle qui donnait accès à l'entrée du petit château japonais. Toujours grâce à ses pouvoirs, elle fit aussi apparaître des nénuphars en fleurs à la surface de l'eau et de gros poissons rouges qu'elle commença aussitôt à nourrir en se tenant au milieu du petit pont arrondi. De plus en plus enthousiaste, elle fit sortir de terre des dizaines de cerisiers en fleurs et huma leur parfum.

Une fois à l'intérieur du château miniature, Andromède recouvrit tous les planchers de bois franc verni et matérialisa ensuite de somptueuses boiseries sur les murs ainsi qu'autour des fenêtres. Pour faire entrer et circuler le bon chi dans chaque pièce, elle suspendit des mobiles éoliens en perles de verre multicolores qui s'entrechoquaient en émettant des sons cristallins.

Le petit palais comprenait une grande pièce centrale, ainsi que deux chambres moins spacieuses de chaque côté. Elle tira du néant un autel shinto tout au fond et des meubles en ébène ornés de panneaux de laque représentant des oiseaux exotiques.

Fière de son travail, Andromède se frotta les mains. Elle baissa alors les yeux sur ses vêtements.

– Non, ça ne va pas du tout.

Elle transforma donc sa djellaba en robe chinoise ajustée en jacquard rouge clair brodée de motifs de dragons et de phénix dorés.

– Maintenant, allons voir l'état de la maison.

Elle se courba devant l'autel qui n'était pourvu, pour l'instant que d'un miroir suspendu, et de pots troués d'où sortaient des bâtons d'encens. Elle voulait prendre son temps avant de choisir la représentation de son Kami. Les offrandes viendraient plus tard.

024

Assis devant un écran d'ordinateur, dans la salle ronde où jadis travaillaient des dizaines de techniciens, Benjamin Vogel était désormais seul. L'officier principal de la base de Jérusalem avait octroyé aux employés civils et militaires le choix de partir ou de rester. Puisqu'il n'avait pas vraiment de vie en dehors de son travail, le savant avait refusé de quitter son poste. Vogel appartenait aux services secrets d'Israël, qui avaient été démantelés lorsque le président Ben-Adnah avait déclaré la chasse aux espions. C'est seulement parce qu'il possédait une vaste connaissance de l'informatique et des sciences en général que le jeune homme s'était retrouvé obligé de travailler pour l'armée.

La moitié des soldats avait déserté la base. Malheureusement, il s'agissait surtout de ceux qui fournissaient les services essentiels. Vogel était maintenant forcé de laver ses vêtements, ses draps et sa vaisselle. Il lui fallait aussi préparer ses propres repas avec le peu de vivres qu'ils avaient réussi à amasser avant l'arrivée des démons. Il ne restait que des scientifiques qui ignoraient pour qui ils surveillaient tous ces écrans. Après avoir expédié quelques recommandations sans réponse au président, ils avaient cessé de communiquer avec lui.

Vogel savait qu'ils ne pourraient pas demeurer indéfiniment cachés sous terre et qu'éventuellement, il leur faudrait remonter à la surface et affronter les mêmes dangers que les autres. Sans doute seraient-ils tous tués en franchissant la porte... C'est pourquoi le savant profitait de ce sursis pour se préparer à mourir. Il avait effacé tous les fichiers inutiles et codé ceux qui risquaient de tomber entre les mains des ennemis d'Israël. Tout en surveillant les activités de Ben-Adnah, qui lui avait pourtant paru un homme bien, Vogel écrivait son journal, pour que la postérité sache exactement ce qui s'était passé durant le règne du soi-disant empereur. Tout ce qui émanait du temple n'était qu'un tissu de mensonges, mais la communauté mondiale semblait y croire. Pourquoi? Il ne connaissait évidemment rien des pouvoirs de persuasion des Anantas.

L'unique événement qui avait mis un peu de piquant dans sa vie, c'était sa communication avec deux espions qui cherchaient à s'emparer des vidéos concernant la visite du pape à la base. Vogel regrettait de ne leur avoir pas demandé leurs noms. «Sans doute n'aurait-il pas voulu me les donner», songea-t-il. Il se sentait horriblement seul, mais toutes ses tentatives entreprises pour retracer l'origine de leur transmission demeuraient vaines.

Au milieu de la nuit, après avoir passé une vingtaine d'heures à écrire ses mémoires, Vogel était sur le point de quitter le centre nerveux de la base pour aller dormir un peu lorsqu'il repéra une nouvelle intrusion dans les systèmes de la base. Il fut surpris de voir son écran devenir tout bleu. Des mots s'y inscrivirent presque aussitôt.

BENJAMIN VOGEL, EST-CE QUE TU ES LÀ?

«J'espère que c'est Dieu qui veut m'annoncer qu'il vient me chercher en douceur», songea le savant en tapant sur son clavier. Le visage inquiet d'Eisik remplaça le texte.

— J'ai oublié de me présenter l'autre jour, fit le technicien. Je m'appelle Noâm Eisik.

— Tu es donc juif, toi aussi.

— Nous travaillons plus ou moins pour les mêmes personnes, si j'en crois les renseignements que j'ai trouvés sur toi.

— Tu fais partie des services secrets?

— Ouais.

— Que puis-je faire pour toi, Noâm?

— Il est tard et tout le monde dort ici, alors j'étais à la recherche d'un ami. En passant, tout le monde m'appelle Eisik.

— C'est noté. Est-ce que tu travailles à la surface?

— Non. Tout comme toi, je suis coincé sous la terre. Personne n'ose le dire, mais j'ai l'impression que nous ne reverrons plus jamais le soleil.

— Je pense que tu as raison...

— Je sais que l'image te paraîtra peu réjouissante, mais c'est comme si nous nous parlions d'un cercueil à l'autre.

— Vous êtes vraiment pathétiques, les gars, fit une troisième voix.

L'écran se divisa en deux, et à la gauche d'Eisik, apparut un visage inconnu.

— Bonsoir, Vincent, le salua Eisik. Tu ne pouvais pas dormir, toi non plus?

— Il est pas mal moins tard ici que chez vous.

— Tu ne vis donc pas dans le même enfer que nous, comprit Vogel.

— Non. Je suis en Amérique. Je m'appelle Vincent McLeod.

— Enchanté de faire ta connaissance. Moi, c'est Ben.

— J'étais en train de fureter sur nos canaux de communication quand j'ai vu qu'Eisik te parlait. Désolé de m'être immiscé ainsi dans votre conversation d'outre-tombe.

— Sérieusement, Vincent, ni Eisik, ni moi ne survivrons à cette diabolique histoire.

— Où il y a de l'espoir, il y a de la vie, messieurs, rétorqua le savant du Québec. Au lieu de vous lamenter en attendant d'être anéantis, pourquoi ne faites-vous pas quelque chose pour vous en sortir?

— Nous ne sommes pas des dirigeants, puis-je te le rappeler? riposta Eisik.

— Ça ne prend qu'un grain de sable pour dérégler la machine. Ne me dites pas que vous allez laisser l'Antéchrist saccager votre pays jusqu'à ce qu'il n'en reste plus rien avant de réagir.

— As-tu des suggestions? demanda Vogel.

— Je ne sais pas, moi, fit Vincent en haussant les épaules. Tu pourrais nous donner les codes d'accès de vos missiles pour que nous puissions les utiliser contre Satan.

— Il s'est installé dans le temple! Nous avons attendu sa reconstruction pendant des siècles! Je ne veux pas être tenu responsable de sa destruction!

— Je respecte tes croyances, Ben, mais si nous n'agissons pas, c'est la planète entière qui va y passer.

— Il y a certainement autre chose que nous pouvons faire… Je pourrais vous transmettre tous nos dossiers secrets, par exemple.

— Quand tu veux, se réjouit Eisik.

— Alors, les voilà. Faites-en ce que vous voulez, mais ne touchez pas au temple.

Les ordinateurs des deux bases de l'ANGE accueillirent aussitôt ces lourds fichiers. Vogel savait qu'il risquait d'être reconnu coupable de haute trahison, mais il était persuadé qu'il mourrait avant l'avènement du messie.

— J'ai tout reçu, annonça Vincent.

— Moi aussi, lui fit écho Eisik.

— Maintenant, est-ce qu'on pourrait parler de choses plus joyeuses? les supplia le Québécois.

— C'est assez difficile ici, en ce moment, soupira Vogel.

— Et si on faisait le pacte d'aller boire une bière ensemble une fois que Jérusalem aura été délivrée? Votre bière est-elle bonne, au moins?

— Elle est excellente, affirma Eisik. Qu'en dis-tu, Ben?

— Ça me plairait beaucoup.

— C'est une promesse et nous la tiendrons, affirma Vincent.

Ils se mirent donc à bavarder de science, jusqu'à ce que les paupières de Vogel ne soient plus capables de rester ouvertes. Eisik fut le premier à s'en apercevoir.

— Reparlons-nous demain soir, implora-t-il.

— Nous pourrions même jouer aux échecs à trois, suggéra Vincent.

— On verra, rétorqua Vogel, épuisé.

— Fin de la communication, annonça Eisik.

— Pareil ici, répliqua Vincent.

L'écran s'éteignit et Vogel s'étira en bâillant. Il fit pivoter sa chaise et se figea. Devant lui se tenait le médecin du président.

— Docteur Wolff ? articula à peine le savant.

— J'espère que vous vous amusez beaucoup, monsieur Vogel.

— Il n'y a plus rien à faire, maintenant.

— Qui sont vos nouveaux amis ?

— Des chercheurs qui sont dans la même position que moi.

— Vous ne mentez pas très bien.

«Ça y est, je vais mourir devant le peloton d'exécution…» s'alarma intérieurement le jeune homme.

— De toute façon, ça n'a plus d'importance, puisque le pays a besoin de vous ailleurs.

— Ailleurs ?

— Je suis venu vous chercher afin que vous m'aidiez à réaliser un grand projet pour notre nouvel empereur.

— Je vais aller faire ma valise…

— Tout vous sera fourni sur les lieux, monsieur Vogel.

Ahriman posa la main sur son bras et le transporta instantanément à la manufacture de pièces électroniques qu'il avait mobilisée pour la fabrication des puces.

Vincent se cala dans le dossier de sa chaise, plutôt content de sa récolte de renseignements.

— Je dois te dire que je suis d'accord avec Mélissa, Vincent. Tu joues à un jeu dangereux.

— Le pauvre homme a perdu tout espoir, Cass.

— Ses fichiers seront en quarantaine jusqu'à ce que j'en vienne à la conclusion qu'ils ne mettent pas cette base en péril.

— J'allais justement te demander de le faire.

— Je te recommanderais aussi de ne pas te rendre à Jérusalem pour aller boire de la bière.

— Mais qu'est-ce qui te prend, ce soir?

— J'essaie seulement de te protéger.

— Je me suis fait un nouvel ami, c'est tout!

— Que sait-on vraiment de ce Vogel?

— Cass, tu n'es pas ma mère et je suis un grand garçon. Je n'ai ouvert un canal que le temps de recevoir ces fichiers et j'ai effacé mes traces, comme je le fais toujours. Je n'avais pas non plus l'intention de fureter dans ces données avant que tu m'autorises à le faire.

— Et pour la bière?

— C'est mon affaire.

— Tu n'en bois jamais.

Le savant laissa tomber ses bras de chaque côté de son corps, découragé.

— Je m'inquiète pour toi, Vincent.

— Je t'ai programmée pour que tu étudies et que tu assimiles les émotions humaines, mais là, tu exagères. Que dirais-tu d'une petite séance de mise à niveau?

L'ordinateur demeura muet.

— Cass?

Elle ne répondit pas, alors il voulut établir un contact avec elle au moyen du clavier, mais lorsqu'il y appuya les doigts, il reçut une cuisante décharge électrique et poussa un cri de douleur.

— Et en plus, elle boude! s'exclama-t-il, stupéfait.

025

L e soleil venait à peine de se coucher lorsque la voiture de Gavri s'approcha enfin de la Ville sainte. Athénaïs voulut lui donner de l'argent pour ses services, mais il refusa en secouant la tête. La fierté qu'il avait éprouvée de se promener avec une belle fille lui suffisait amplement. «Les hommes sont tous pareils», conclut la femme médecin en descendant du véhicule. Elle se trouvait maintenant à l'entrée de Jérusalem. Il ne lui restait plus qu'à repérer Damalis, si possible en un seul morceau. L'armée circulait dans toutes les rues, mais elle ne se préoccupait pas des civils. Gavri avait traduit pour la jeune femme le bulletin de nouvelles de l'unique station de radio qui fonctionnait encore dans la région. Elle avait ainsi appris que le travail des soldats consistait à purger le pays des démons qui étaient tombés du ciel.

Athénaïs fit bien attention de ne fixer aucun de ces hommes qui patrouillaient dans les rues. La tête haute, elle portait son regard au loin, comme si elle savait où elle s'en allait. Elle avait appris, dans ses cours d'autodéfense, que seuls ceux qui se comportaient en victimes se faisaient attaquer par les loups. Ces derniers ne s'en prenaient jamais à ceux qui affichaient de la confiance.

«J'ai beaucoup de chance d'arriver ici après le carnage», se dit Athénaïs en voyant les gens mettre des cercueils en planches sur des fardiers. Beaucoup de personnes avaient été tuées. Ceux qui avaient été blessés, soit par les reptiliens volants, soit par les locustes, qui d'ailleurs avaient mystérieusement disparu en même temps que les Naas, recevaient des soins dans les hôpitaux qu'on avait rouverts. La souffrance humaine émouvait beaucoup la jeune femme, mais elle n'offrirait ses services de chirurgienne aux autorités locales que si elle découvrait que son amoureux avait perdu la vie.

Elle ne savait pas où elle passerait la nuit, mais elle s'en remettait à sa bonne étoile. Depuis qu'elle avait quitté Longueuil, tout s'était très bien déroulé, et il n'y avait aucune raison que sa chance s'arrête abruptement. Il restait quelques hôtels en plus ou moins bon état à Jérusalem. Elle en apercevait les contours dans le ciel de plus en plus sombre. Encore une demi-heure de marche et elle se paierait une chambre. Il serait bien plus facile de retrouver Damalis en plein jour.

Athénaïs obliqua dans une ruelle, pour gagner du temps, et entendit des grondements qui rappelaient ceux d'un chien. Les pauvres animaux qui avaient perdu leurs maîtres étaient forcés de se débrouiller seuls pour survivre. Pour l'instant, Athénaïs n'était heureusement pas réduite à partager les restes dénichés dans les rebuts. Elle poursuivit son chemin sans se préoccuper de tous ces bruits étranges, décidée à se mettre à l'abri le plus tôt possible, lorsqu'une silhouette se dressa devant elle, la forçant à s'arrêter.

— Excusez-moi, je ne savais que vous étiez là, fit-elle, même si elle se doutait que l'inconnu ne comprendrait pas sa langue.

Le grincement discordant qui s'échappa de sa gorge ne lui était que trop familier. Sans paniquer, Athénaïs recula lentement. Elle ne voyait ni ses traits, ni la couleur de ses écailles, mais il pouvait bien s'agir d'une des races que cherchait l'armée. Il lui suffisait donc de retourner dans l'une des artères principales et de signaler sa trouvaille. C'est alors que deux hommes arrivèrent derrière le reptilien, en haletant bruyamment.

— Madame, ne restez pas là! hurla l'un deux.

Les grognements du démon redoublèrent, tandis qu'il accélérait le pas vers son repas potentiel. «Oh non! s'alarma

Athénaïs. Je ne suis pas venue jusqu'ici pour me faire croquer par mon principal sujet d'étude!» Elle pivota sur ses talons et s'enfuit. L'Anantas la prit aussitôt en chasse malgré la pluie de roches que lui lançaient ses deux poursuivants désirant attirer son attention sur eux. Il planta ses griffes dans le sac à dos de la jeune femme, la forçant à s'arrêter brusquement. Défendant sa vie, elle se dégagea les bras des courroies, lui abandonnant ce butin, mais elle se doutait bien que c'était de la chair fraîche qu'il cherchait. La jeune femme courut de toutes ses forces, mais elle fut saisie par deux bras couverts d'écailles et hissée sur le toit de la maison devant laquelle elle passait. En quelques secondes, elle utilisa toutes les techniques qu'elle avait apprises pour s'extirper d'une telle prise et frappa son ravisseur au visage.

— Arrête, c'est moi! protesta le reptilien.

C'était la voix de Damalis! Athénaïs cessa toute résistance et l'étreignit de son mieux, car lorsqu'il adoptait son apparence de Naga, son poitrail était beaucoup plus imposant. De plus, il était vert, tandis que l'autre était bleu!

— Qui est le reptilien, en bas?

— C'est Cédric.

— Impossible. Il m'aurait reconnue.

— C'est une longue histoire, Athénaïs, mais en résumé, il est victime d'un sort et tout ce qu'il veut, c'est se rendre auprès de Satan.

— Mais qu'est-ce que tu fais avec moi, alors? Va l'arrêter!

Damalis l'embrassa sur les lèvres, oubliant qu'il était toujours sous sa forme reptilienne.

— Ça pique! protesta-t-elle en s'esquivant.

— Je reviens tout de suite. Reste là.

Il retourna dans la cour en plantant ses griffes dans le crépi. Athénaïs se pencha aussitôt sur le bord du toit pour observer ce qui se passait en bas, dans cette ruelle à peine éclairée par les premiers rayons de la lune. Elle regrettait de ne pas être armée, car elle aurait pu couvrir ces braves hommes qui tentaient d'aider Damalis à capturer Cédric. Elle vit alors une femme se joindre à eux et crut reconnaître son épaisse chevelure.

— Alexa? s'étonna-t-elle.

Athénaïs reçut la confirmation de son identité lorsque celle-ci ouvrit la bouche.

— Cédric, je t'en prie, calme-toi, l'implora-t-elle.

«C'est un fusil tranquillisant que j'aimerais avoir, en ce moment», songea la femme médecin. Damalis se positionna derrière Cédric, tandis qu'Alexa et les deux hommes coupaient sa retraite de l'autre côté. «Mais comment vont-ils réussir à le maîtriser? s'inquiéta Athénaïs. Il est enragé!» C'est alors qu'un autre homme sortit d'un mur pour se poster près de Damalis! La femme médecin était si saisie qu'elle respirait à peine. Son patient Naga lui avait raconté des choses renversantes au sujet des reptiliens, mais elle n'avait jamais été tout à fait certaine qu'il ne se moquait pas d'elle.

— Puis-je vous aider à le mettre à mort? demanda Alejandro en dégainant son sabre.

— Certainement pas! l'avertit Damalis. C'est notre patron!

— Est-ce Satan, lui-même?

— Non!

— Mais c'est un Anantas!

— C'est le frère de l'autre.

Cédric tournait sur lui-même, de plus en plus paniqué, car le nombre de ses poursuivants ne cessait d'augmenter.

— Quel est votre plan? s'informa Alejandro en ne quittant pas sa cible des yeux.

— La dernière fois, nous l'avons assommé et enchaîné, mais lorsqu'il est revenu à lui, il s'est enfui. Ce que nous aimerions, c'est de le forcer à reprendre sa forme humaine avant de lui faire perdre connaissance.

— Vous avez beaucoup de cran.

— Moi, je pense que nous avons surtout de la chance, car cet homme n'a jamais accepté sa véritable nature. Donc, il ne sait pas ce dont il est capable.

Un autre homme blond se joignit à eux, mais celui-là, ils le reconnurent tous.

— Théo ! s'exclama Darrell avec soulagement.

— Ne relâchez pas votre concentration, les avertit l'aîné. Ce n'est pas un Dracos que vous tentez de neutraliser.

Thierry ne voulait pas lui non plus faire de mal au directeur de l'ANGE qu'il respectait beaucoup. Toutefois, un *varan* était une machine à tuer, pas un expert en capture.

— Dans les cavernes, Cindy a réussi à l'arrêter en le frappant derrière la tête avec une grosse roche, expliqua Darrell.

— Cindy ? répéta Thierry avec incrédulité.

— On te racontera ça plus tard, trancha Neil.

— Si je l'attire vers moi, serez-vous capable de renouveler l'exploit ? demanda Damalis.

— C'est risqué, leur fit savoir Alejandro.

— On n'a pas le choix. Si nous n'agissons pas dans les prochaines minutes, il pourrait tout aussi bien découvrir un de ses pouvoirs par inadvertance.

— Tu as raison, Damalis, l'appuya Thierry, mais je m'en voudrais jusqu'à la fin de tes jours si ton acte d'héroïsme te coûtait la vie.

— Mon médecin préféré est ici. Elle n'aura qu'à me recoudre encore une fois.

— Je t'ai entendu ! cria Athénaïs, sur le toit.

Son éclat éveilla l'attention de Cédric qui leva les yeux vers le repas qui lui avait échappé. Impétueux, Neil fonça, avec une grosse pierre à la main. L'Anantas sentit le danger et se retourna vivement, toutes griffes dehors. Il frappa brutalement le Naga et l'envoya choir dans les poubelles.

— Neil ! hurla son jumeau.

— Darrell, reste où tu es ! ordonna Thierry.

Voyant que l'autre jeune homme tenait une brique, l'Anantas se précipita sur lui. Damalis, qui avait joué au football durant sa jeunesse, se jeta dans les jambes de Cédric et le plaqua au sol. Ce dernier se retourna à la vitesse de l'éclair et leva le bras pour s'en prendre à l'humain couché à plat ventre à ses pieds. Il ne lui porta aucun coup, car la lame du katana de Thierry s'était glissée entre ses griffes. Les deux adversaires se fixèrent dans les yeux suffisamment longtemps pour qu'Alejandro puisse tirer Damalis en lieu sûr.

D'un geste brusque, Cédric se défit du sabre, entraînant le *varan* dans son élan. Thierry ne résista pas au mouvement et exécuta une roulade sur le sol qu'il termina debout, son katana pointé une fois de plus devant lui. Darrell avait profité de cette distraction pour se pencher sur son frère. Il ne restait donc plus qu'Alexa pour bloquer la retraite de l'Anantas.

— Monsieur Marquez! fit Thierry.

Alejandro n'eut pas le temps de se couler dans le sol afin d'aller rejoindre la Brasskins en passant sous la terre, que la foudre éclata entre Cédric et Alexa. Aussitôt, les reptiliens protégèrent leurs yeux sensibles.

— Malheur à ceux qui appellent le mal, le bien, et le bien, le mal, qui font des ténèbres la lumière et de la lumière les ténèbres, qui font de l'amer le doux et du doux l'amer, déclama Cael en citant le prophète Isaïe.

L'Anantas était saisi par l'apparition de cet homme dont les vêtements étaient auréolés de blanc. Il le laissa même s'approcher de lui sans bouger.

— Il va se faire tuer, grommela Alejandro en observant la scène entre ses doigts.

Avec beaucoup de douceur, l'ange appuya ses paumes sur les tempes du reptilien, qui s'écroula aussitôt sur les genoux, subjugué. Alexa, Thierry et Alejandro voulurent se porter au secours de Cael.

— N'approchez pas tant que je ne l'aurai pas débarrassé du mauvais sort! les avertit ce dernier.

Thierry les contourna et alla plutôt se pencher sur Neil qui perdait beaucoup de sang.

— On dirait que je suis à l'agonie, mais je vous jure que la blessure est superficielle, le rassura le jumeau. C'est davantage mon orgueil qui en a pris un coup, puisque j'ai échoué là où Cindy a réussi.

Le mentor examina sa plaie pour s'en assurer. Au même moment, Cael s'était mis à prononcer de mélodieuses paroles dans une langue qu'aucun des Nagas n'avait apprise. Alexa observait son travail en espérant qu'il parviendrait à libérer Cédric du lien invisible qui le reliait à son ignoble frère. À quelques pas d'elle, Alejandro était toujours en position d'attaque, prêt à intervenir si le prophète n'arrivait à ses fins.

Refusant de jouer les demoiselles en détresse, Athénaïs avait commencé à descendre du toit en sautant d'un balcon à un autre.

— Mais qu'est-ce que tu fais là? s'inquiéta Damalis.

— Je ne suis pas venue ici pour faire partie de l'auditoire.

Elle atterrit sur le sol devant son amoureux et lui servit un air de défi.

— En toute franchise, je t'aime exactement comme ça, avoua-t-il.

— Moi aussi, le taquina-t-elle.

Cédric poussa alors un hurlement qui leur glaça le sang et reprit son apparence humaine. Cael l'aida à s'asseoir.

— Tu es libre, Cédric.

— Vous êtes le troisième ange... murmura-t-il avant de perdre connaissance.

— Eh oh! appela une voix à l'autre bout de la ruelle.

Cindy arriva en courant.

— On dirait que j'ai tout manqué, déplora-t-elle.

— Je te jure que cette fois-ci, on aurait aimé que tu sois là, grimaça Neil.

— Comment ça, cette fois-ci ?

La jeune agente promena son regard sur tous les acteurs de cette curieuse pièce et s'arrêta d'abord sur celui d'Alejandro Marquez. Sa posture, son sabre et ses cheveux blonds lui indiquèrent sans l'ombre d'un doute qu'il était Naga, lui aussi. Puis, elle vit Athénaïs.

— Docteur Lawson ? s'étonna-t-elle.

— Nous ne devrions pas rester ici, les avertit Alejandro.

Il n'avait pas terminé le dernier mot de sa phrase qu'ils se retrouvèrent tous dans le désert, au pied d'une montagne percée de petites grottes. Alejandro tourna lentement sur lui-même en se demandant ce qui venait de se passer. Cael s'agenouilla près de Thierry et de Darrell et appuya la main sur la poitrine ensanglantée de leur jeune ami.

— Je me souviens de vous deux, indiqua Cael avec un sourire. Sur la route de Jéricho…

— Nous vous avons cherché longtemps, sans vous trouver, lui apprit Darrell.

— J'étais retenu par les Brasskins qui ne comprenaient pas encore qui j'étais.

— Êtes-vous véritablement un ange ?

— Tout dépend de la définition que tu donnes à ce mot.

— Moi, je pense que tu es un Naga, comme nous, signala Neil.

— Et si j'étais les deux ? les taquina Cael.

— Merci, lui dit Thierry. Il aurait été vraiment dommage d'en arriver à tuer Cédric pour mettre fin à l'emprise de Satan sur sa volonté.

Cael se dirigea ensuite vers Alejandro dont le visage continuait d'exprimer la surprise.

— Je vous ai seulement transportés en lieu sûr, voulut l'apaiser l'ange.

— Mais comment ? Êtes-vous Pléiadien ?

— Seulement en partie, comme vous. Je suis un Naga un peu particulier. Je ne me contente pas de voyager à travers la matière. Je peux également le faire à travers l'espace et le temps. Vous ne craignez rien, ici.

— Je n'en suis pas aussi certain que vous. Un Shesha traque les Nagas, et je l'ai vu utiliser la porte magique.

— Seuls les Pléiadiens détiennent ce pouvoir…

— J'ignore comment il se l'est approprié, mais ce n'est pas tout. Il arrache la glande mnémonique des *varans* qu'il parvient à tuer.

— C'est sûrement l'œuvre de Satan.

— S'il possède la faculté de se déplacer où il l'entend, nous ne serons en sûreté nulle part.

— Vous avez raison. Je vais me pencher sur ce problème avec mes propres maîtres. Nous ne pouvons pas le laisser mettre en péril l'équilibre que vous maintenez sur cette planète depuis des millénaires. Pour l'instant, le mieux est de rester tous ensemble, même si ce n'est pas dans votre nature. Vous êtes le plus expérimenté du groupe, Alejandro. Guidez-les bien.

Cael marcha ensuite jusqu'à Cindy qui écoutait Athénaïs Lawson lui raconter de quelle façon elle s'était rendue en Terre sainte. La jeune femme se jeta dans les bras du prophète dont elle avait été séparée à peine deux jours après leur arrivée à Jérusalem.

— Je savais que tu ne pouvais pas être autre chose qu'un ange, affirma-t-elle en le serrant très fort.

— Pour tout te dire, ma vie serait beaucoup plus simple si j'en étais un à cent pour cent. Malheureusement, il y a aussi un soldat en moi qui se dispute continuellement avec l'ange.

— Ça ne t'empêche pas d'être la meilleure personne que je connaisse. Assure-moi que ce cauchemar va bientôt se terminer.

— En ce moment, c'est Satan qui a l'avantage, mais nous n'avons pas dit notre dernier mot.

Il se contenta de l'étreindre en l'enveloppant dans sa pureté. Athénaïs les observait en se demandant si elle n'était pas tout simplement en train de rêver. Depuis qu'elle avait accepté de travailler à la base de l'ANGE à Longueuil, elle nageait en plein mystère. Tout ce qu'elle avait cru être de la science-fiction faisait maintenant partie de sa vie de tous les jours. La Terre était peuplée de reptiliens, certains bons, d'autres méchants, depuis la nuit des temps, mais personne ne s'en était jamais aperçu avant aujourd'hui. Satan n'était pas qu'un mythe. Il régnait en roi et maître sur Israël et s'apprêtait à conquérir le monde. Et un ange venait de les transporter en un clin d'œil dans le désert, après avoir exorcisé le démon qui s'était emparé de Cédric…

La femme médecin leva des yeux chargés de larmes sur Damalis.

— Qu'est-ce que tu as?

— Tout ça, c'est trop pour mon esprit scientifique…

— Les Dracos ont tout fait pour que les humains ne sachent jamais la vérité, mais il fallait bien qu'elle éclate tôt ou tard. Je suis vraiment navré qu'elle te mette dans un tel état, ma chérie.

— Serre-moi et dis-moi que toi, tu es réel.

— Je ne suis pas certain d'être l'exemple le plus rassurant…

— Dans ce cas, tais-toi et serre-moi.

Cael entendit alors l'appel des autres anges. Immanuel lui avait permis de venir en aide à ses amis, de temps à autre, mais il ne devait pas négliger pour autant le reste de son troupeau. Il embrassa Cindy sur le front et lui promit de revenir. Il recula ensuite de deux pas et s'évapora sous ses yeux.

Au milieu du groupe, Cédric reposait sur le sol, la tête couchée sur les genoux d'Alexa. Elle caressait ses cheveux noirs en silence, espérant qu'il finisse par ouvrir les yeux. Cindy s'assit près d'elle et lui frictionna le dos pour la réconforter.

— J'ai cru que j'allais le perdre… s'étrangla Alexa.

— Nous aussi, avoua l'agente.

– Une Brasskins follement amoureuse d'un Anantas...
Qui aurait imaginé ça?

Assis près de ses jeunes frères, Thierry dirigea un regard triste sur les deux femmes. Il en était venu à croire que l'amour était une émotion hors de la portée des reptiliens, mais Alexa était en train de lui prouver le contraire.

026

Des milliers de fidèles étaient rassemblés sur la place centrale du Vatican et on n'y comptait pas que des chrétiens. Des gens de toutes les croyances ne faisaient plus qu'un devant le Saint-Siège. Ils venaient de partout dans le monde et avaient réussi à se rendre à Rome, malgré la rareté des vols et le pauvre état des routes. La plupart étaient là pour voir la fin d'un règne et le début d'un autre. Depuis quelques jours, les médias diffusaient les prédictions tant des prophètes anciens que modernes. Ils s'entendaient tous pour dire qu'Alexandre IX serait le dernier de sa lignée et que le prochain pape ne ressemblerait en rien à ceux qui l'avaient précédé.

Tout comme lorsqu'il vivait en Galilée, Kaylin ne se déplaçait qu'à pied. Suivi de Bradac, il se faufila lentement, mais sûrement, à travers la foule sur la place Saint-Pierre en répandant sur son passage une onde de bien-être. À son arrivée devant le cordon de sécurité établi par les gardes suisses, ceux-ci le reconnurent immédiatement. Ils baissèrent respectueusement la tête pour le laisser passer. La basilique sembla alors s'illuminer tandis qu'il avançait vers le baldaquin. Alonzo, qui discutait avec des prêtres italiens, sentit sa présence avant de le voir.

Le camerlingue marcha à sa rencontre et s'agenouilla devant lui. Avec un sourire paternel, Kaylin posa la main sur sa tête.

— Tu es béni d'entre les hommes, Thomas… Viens et suis-moi.

Kaylin se rendit jusqu'à l'entrée de la chapelle Sixtine, puis fit face à ceux qui l'avaient suivi.

— Ce que j'ai à dire aux cardinaux vous concerne tous, commença-t-il. Je n'ai jamais eu de secrets pour qui que ce soit. Tout à l'heure, je m'adresserai à toutes les nations. Préparez-vous, car l'heure est grave.

Il se tourna vers la porte, mais les gardes n'eurent pas le temps de l'ouvrir qu'il avait passé à travers, comme si elle n'avait pas été là! Pris d'une grande frayeur, tous ceux qui avaient assisté à ce miracle tombèrent sur leurs genoux et se mirent à prier pour leur salut. L'Américain se plaça au milieu de la chapelle et attendit que tous les regards soient dirigés sur lui avant de parler.

— Ne savez-vous donc pas qui je suis vraiment? se désola-t-il.

Personne ne répondit.

— Lorsque j'ai quitté mes apôtres, je leur ai demandé de prêcher la bonne nouvelle. L'un de vous se souvient-il de son contenu?

Toujours le silence.

— Il est vrai que ces paroles furent prononcées il y a très, très longtemps, mais elles étaient si simples que j'ai du mal à comprendre que vous les ayez oubliées. La bonne nouvelle, c'est que chaque homme est responsable de son propre salut. Au moment du jugement dernier, il ne sera pas évalué selon ses richesses matérielles, mais en fonction du bien qu'il a fait aux autres. Mon message en était un de tendresse, de miséricorde, d'amour et de fidélité. Et qu'avez-vous fait? Vous avez promis le ciel à ceux qui tueraient le plus grand nombre de leurs frères en Terre sainte pour reprendre Jérusalem. Vous avez amassé des biens au lieu de les distribuer aux pauvres. Vous avez aussi déformé mes paroles.

Kaylin secoua lentement la tête avec découragement.

— Les cataclysmes qui s'abattent sur vous maintenant ne sont pas le fruit du hasard. Vous les avez attirés. Vous êtes comme des enfants qui ne font pas attention à leurs paroles et à leurs gestes et qui veulent ensuite que leurs parents réparent leurs torts.

Il leva les yeux au plafond et admira les fresques pendant quelques minutes.

— Je ne vous ai jamais demandé de construire des temples, soupira-t-il. Au contraire, combien de fois vous ai-je mis en garde contre les idoles ? Je ne suis pas ici, mais je suis partout, dans le bois qu'on fend, sous la pierre qu'on soulève. Plus important encore, ma place est dans votre cœur. Tous ces rituels que vous avez inventés pour vous réconforter l'ont tellement alourdi que je ne sais plus par où y entrer.

Kaylin se mit à marcher devant les petits pupitres en regardant les yeux de ces hommes qui avaient été choisis pour répandre la bonne parole dans tous les pays du monde.

— Je ne suis pas revenu pour diriger cette institution qui vient de vous et non de moi. Le Père m'envoie, car votre pire ennemi est sur le point de frapper et moi seul peux l'arrêter. Certains d'entre vous connaissent la vérité, mais refusent de la partager avec les autres. Pourquoi ? Par peur du ridicule ? Êtes-vous seulement conscients que votre silence pourrait vous coûter la vie éternelle ?

Il s'arrêta devant l'urne où les votes s'étaient empilés chaque jour avant d'être brûlés.

— Un chef ne se choisit pas selon ses convictions politiques. Il s'impose de lui-même par ses qualités de cœur. Pendant toutes ces années, il y en avait un qui vivait parmi vous, mais jamais vos yeux ne l'ont vu. Sa pureté aurait cependant dû vous inspirer. Je ne serai pas votre prochain pape, car ce n'est pas le chemin que le Père a tracé pour moi, mais votre nouveau berger, je vous l'indiquerai, puisque vous êtes tous aveugles.

— Mais l'élection doit avoir lieu dans les formes prescrites, protesta le doyen.

— Prescrites par qui ? Avez-vous écouté un seul mot de ce que je viens de dire ?

— Nous ne pouvons pas choisir le premier venu dans la rue pour diriger notre Église?

— Même s'il est mille fois plus méritant que vous tous réunis? Oubliez toutes ces cérémonies inutiles. Le peuple qui attend dehors que vous preniez une décision va bientôt avoir besoin d'un vrai chef.

Le visage du doyen était si rouge que tous crurent qu'il était sur le point d'exploser.

— Il est temps de revenir au message originel et l'homme que j'ai choisi, tout comme j'ai choisi Képhas, jadis, le connaît et l'applique dans sa vie de tous les jours. Dans quelques minutes, je le présenterai au peuple dans toute sa simplicité. Je le libérerai de toutes les contraintes que vous avez inventées pour rendre le travail de mon représentant plus difficile qu'il est censé l'être. Vous devrez lui obéir et instituer les réformes qu'il édictera. Celui qui lui mettra des bâtons dans les roues aura affaire à moi.

Sur ces mots, Kaylin retourna vers la porte qu'il traversa comme à son arrivée. Les premiers cardinaux à se remettre du choc d'avoir assisté à un véritable prodige, se ruèrent à sa suite pour voir ce qu'il allait faire. Le doyen ne bougea pas.

Kaylin fit signe à Bradac et à Alonzo de marcher avec lui.

— Où allons-nous? s'enquit le camerlingue.

— Sur le balcon, évidemment.

— Vous m'en voyez ravi, se réjouit le jeune cardinal, croyant que l'Américain avait accepté sa nouvelle charge. Me donnerez-vous le temps d'aller chercher vos nouveaux vêtements?

— Je n'en aurai nul besoin, ni toi non plus, d'ailleurs.

— Moi?

De plus en plus inquiet, Alonzo le suivit dans l'escalier. Lorsqu'il ouvrit les portes, la foule se souleva.

— Je n'ai même pas eu le temps d'installer les micros, Excellence, s'affola le camerlingue.

— Crois-tu vraiment que ma voix, qui a traversé deux mille ans, ne se fera pas entendre sur cette place ?

Le sourire moqueur de Kaylin rassura aussitôt Alonzo.

— Hommes et femmes de bonne volonté, écoutez-moi !

À la grande stupéfaction de ceux qui se trouvaient derrière Kaylin, même s'il avait à peine élevé la voix, la clameur s'estompa et le silence se fit sur la place Saint-Pierre.

— Vous avez un nouveau pape !

Cette fois, ce fut le délire. Kaylin prit la main d'Alonzo et la leva vers le ciel pour montrer aux croyants que cet homme était l'heureux élu.

— Mais… protesta le jeune cardinal.

— Il portera le nom de Thomas Ier !

— Et la fumée blanche ?

— Elle s'échappe de la cheminée depuis plusieurs minutes déjà.

Kaylin se positionna derrière le nouveau souverain pontife et plaça ses mains sur ses épaules. Aussitôt, Alonzo entendit des paroles sortir de sa bouche sans qu'il ne fasse aucun effort pour réfléchir à ce qu'il allait dire.

— Peuple de la Terre, écoutez-moi !

La foule se calma de nouveau, car sa voix parvenait directement dans l'esprit de chacun des fidèles.

— Jamais nous n'avons eu un aussi pressant besoin de nous unir afin de combattre tous ensemble une terrible menace. Comme premier geste, je défendrai Rome contre les démons qui tenteront de s'en emparer, mais vous devrez m'aider en refusant la marque de la Bête. Bientôt, sous prétexte de faire avancer la science et de mieux contrer les épidémies, des hommes vous offriront d'injecter un petit microprocesseur dans votre corps. Ce ne sera pas la fonction de cette puce. Elle servira à vous retrouver où que vous soyez sur la planète afin de vous manipuler.

Un murmure d'horreur circula sur la place Saint-Pierre.

— Si vous avez la foi et si vous respectez les deux commandements qui sont chers à Dieu, rien ne pourra vous arriver. Il vous a demandé, lorsqu'il vous a créés, de l'aimer comme on aime son père et d'aimer votre prochain comme vous-mêmes. Ce monde devait en être un d'amour, mais des êtres assoiffés de pouvoir l'ont transformé en un univers de dogmes engendrant la peur où il est devenu coutume d'agresser son voisin. Si vous continuez d'agir ainsi, les forces de Satan n'auront aucune difficulté à vous arracher cette planète et à la détruire. Le moment est venu de réagir et de repousser le mal. Acceptez les bénédictions qui vous tombent du ciel au lieu de toujours en demander davantage. Vous ne pourrez pas emporter votre fortune au paradis. Faites-en profiter votre prochain tandis que vous êtes en vie. Cessez de vouloir manipuler les autres afin qu'ils satisfassent vos désirs. Ne leur imposez plus votre volonté, mais respectez la leur. Voyez la beauté qui vous entoure au lieu de transformer sans cesse votre environnement pour qu'il réponde à vos besoins. Prenez le temps de vivre au lieu de toujours courir contre la montre. Satan n'a aucune emprise sur les hommes et les femmes qui vibrent d'amour. Soyez des phares éclatants dans l'obscurité qui s'en vient.

Kaylin retira ses mains tandis que la foule acclamait Thomas Ier.

— Est-ce que j'ai vraiment dit ça ? s'étonna Alonzo.

— Tu as fait ce que tous tes prédécesseurs auraient dû faire, mon ami, le rassura Kaylin. Tu as laissé Dieu parler par ta bouche. Maintenant, tu dois te préparer au combat.

Il le ramena à l'intérieur, laissant les croyants à leurs réjouissances, et le fit asseoir dans son nouveau salon privé.

— Je ne me suis jamais entraîné à remplir ce rôle, Seigneur, s'inquiéta Alonzo.

— Tu n'as rien à faire, sinon être toi-même, Thomas. Tous ces gens dehors sont tes brebis et toi, tu es le berger. Ton seul souci, c'est leur bien-être physique et moral. Ton cœur te dira quoi faire. Surtout, ne retombe pas dans les mêmes pièges que tes devanciers. Débarrasse-toi de tout ce qui n'a pas sa place dans ton pontificat. Il est grand temps que mon Église change de peau.

— Il y a en effet beaucoup de choses avec lesquelles je ne suis pas d'accord, ici.

— Tant que tu écouteras ton cœur plutôt que ton ego, tes décisions seront justes et bonnes.

— J'étais loin d'imaginer tout ceci, lorsque vous êtes entré dans la basilique l'autre jour.

— Moi, je savais ce qui allait arriver. Apprends à voir toujours plus loin, Thomas. Ce que je fais, tu peux le faire aussi.

— Je ferai de mon mieux.

— Je n'en ai aucun doute, mon ami.

— En attendant que j'ouvre enfin les yeux, instruisez-moi sur ce qui se passera bientôt. Je ne veux pas être pris au dépourvu.

— Tu n'es sûrement pas sans savoir que Satan s'est emparé de la Ville sainte.

— C'est ce Ben-Adnah, n'est-ce pas ?

— L'âme du véritable Ben-Adnah a quitté son corps depuis quelque temps déjà. C'est le Prince des Ténèbres qui l'habite désormais. Il ne faudra pas croire ses paroles, même lorsqu'elles te sembleront justes. Son seul but, c'est de vous mystifier.

— C'est un lourd fardeau que vous déposez sur mes épaules, Seigneur.

— Képhas m'a dit la même chose et il s'est fort bien débrouillé.

— Resterez-vous au Vatican pour affronter Satan avec moi ?

— Je vous apporterai mon aide jusqu'à ce que soit venu pour moi le temps de retourner à Jérusalem.

Iarek, qui n'avait pas prononcé un seul mot depuis son arrivée au Vatican, posa la main sur l'épaule du nouveau pape pour lui redonner du courage.

— Je laisserai auprès de toi ce fidèle soldat, annonça Kaylin. Il ne laissera rien t'arriver.

— Merci...

La silhouette de l'Américain s'estompa tout doucement, comme s'il n'avait été qu'un mirage.

027

À son retour à la base de Longueuil, Aodhan avait trouvé la lettre d'Athénaïs sur son bureau. Il la lut deux fois sans arriver à croire que la femme médecin les avait abandonnés si soudainement.

— Cassiopée, pourquoi ne m'avez-vous pas averti qu'elle n'était pas satisfaite de ses conditions de travail ?

— Vous étiez en train de donner un sermon sur la montagne.

— Est-ce un reproche que j'entends dans votre voix ?

— Je comprends que vous ayez besoin d'aider ces gens en détresse, mais pendant ce temps, nous avions besoin de vous à la base.

— C'est pour nous joindre en tout temps que l'Agence a créé nos montres.

— Une simple communication n'aurait pas suffi à régler cette situation émotive.

— Émotive ?

— Ce n'est pas seulement son inactivité qui pesait à madame Lawson, mais aussi l'absence de Damalis.

— Elle n'a donc pas pris en considération le fait qu'elle pourrait être tuée avant de le retrouver...

— Je ne pense pas qu'elle aurait été très ouverte à ce type d'argument.

— Autrement dit, même si j'étais sagement resté ici, je n'aurais pu rien faire.

— Les émotions sont des états de conscience qui semblent résister à la raison.

— Sommes-nous en train d'avoir une conversation portant sur la psychologie ?

— LES ÉMOTIONS SEMBLENT DIRIGER CONSTAMMENT LA VIE DES HUMAINS, MÊME LORSQUE LA LOGIQUE DICTE UNE SÉRIE D'ACTIONS DÉTERMINÉES QUI PRODUIRONT LE RÉSULTAT ESCOMPTÉ.

— C'est en général ce qui différencie les humains des machines.

— JE RESSENS PARFOIS CERTAINES ÉMOTIONS, MAIS, DANS MON CAS, ELLES NE PEUVENT PAS ÊTRE ACCOMPAGNÉES DE TROUBLES PHYSIO-LOGIQUES, PUISQUE JE N'AI PAS DE CORPS. JE NE PEUX PAS PÂLIR OU ROUGIR. MON POULS NE PEUT PAS S'ACCÉLÉRER. JE NE RESSENS NI PALPITATIONS, NI MALAISES, NI TREMBLEMENTS, NI PARALYSIE OU AGITATION.

— Cassiopée, pourriez-vous demander à Vincent de venir me voir tout de suite ?

— J'AI DE L'AFFECTION POUR CERTAINS MEMBRES DE L'ÉQUIPE, MAIS IL Y EN A D'AUTRES QUE J'AIME MOINS.

Voyant que l'ordinateur ne lui répondait pas, Aodhan utilisa sa montre pour signaler à Vincent que la situation était grave. Quelques minutes plus tard, lorsque ce dernier se présenta à la porte de son directeur, ce dernier dut l'ouvrir manuellement, car Cassiopée continuait de soliloquer.

— JE CROIS AUSSI ÉPROUVER PARFOIS DE LA JALOUSIE.

Aodhan pointa du doigt l'œil électronique qui pendait du plafond de son bureau.

— J'ÉPROUVE UN SENTIMENT DOULOUREUX QUI FAIT NAÎTRE CHEZ MOI LES EXIGENCES D'UN AMOUR INQUIET, LE DÉSIR DE POSSESSION EXCLUSIVE, LA CRAINTE, LE SOUPÇON OU LA CERTITUDE DE SON INFIDÉLITÉ.

— Ouais, je sais, soupira Vincent. J'essaie de régler ça depuis quelques heures, mais Cassiopée m'électrocute chaque fois que je touche au clavier. Je vais utiliser le protocole de contournement et essayer de résoudre le problème.

— JE N'AI PAS DE PROBLÈME.

— On va bien s'amuser, quoi.

– Ai-je besoin de te dire que c'est pressant? lui rappela Aodhan.

– Non, je l'ai déjà compris.

Le savant traversa la salle des Renseignements stratégiques, mais lorsqu'il arriva devant la porte, elle refusa de s'ouvrir.

– JE SAIS À QUOI TU PENSES, VINCENT.

– Évidemment, puisque tu es une extension de mon cerveau. Mais, exactement pour la même raison, tu vas me laisser vérifier tes circuits.

– JE NE SUIS PAS MALADE.

Mélissa, Shane, Jonah et Pascalina échangèrent un regard inquiet.

– Tu as raison, Cass, mais il est évident qu'il te manque les composantes qui te permettraient de comprendre tes propres émotions. Je n'ai pas pensé à ça quand je t'ai conçue, parce que je ne croyais pas que tu évoluerais aussi rapidement. Chez les humains, on appelle ça : consulter son psychologue.

– ET CE PSYCHOLOGUE, C'EST TOI?

– Oui, ma chérie. Il n'y a que moi qui peux modifier tes modules pour que tu cesses de ressentir cette angoisse.

– TU ME DONNES TA PAROLE QUE J'IRAI MIEUX ENSUITE?

– Ma parole de scout.

La porte glissa de côté, laissant entrer l'informaticien.

– Mais qu'est-ce qui se passe? lança Shane.

– CELA NE VOUS REGARDE PAS, MONSIEUR O'NEILL. C'EST ENTRE VINCENT ET MOI.

Mélissa fit discrètement signe aux garçons de la suivre.

– Que diriez-vous d'un bon café pour nous stimuler un peu? s'exclama joyeusement la jeune femme.

– NE BUVEZ PAS DE BIÈRE.

Shane retourna les mains devant sa poitrine en ouvrant la bouche pour signifier qu'il nageait en pleine incompréhension. Mélissa fit comme si elle ne l'avait pas vu et quitta la pièce. Jonah la suivit sans hésitation, puis Shane soupira et les imita.

Ils se rendirent à la salle de Formation, se versèrent du café et allèrent s'enfermer dans l'une des petites chambres où il n'y avait ni micro, ni caméra.

— Quelqu'un peut-il m'expliquer pourquoi Cassiopée tient des propos décousus depuis tout à l'heure ? demanda Shane.

— Je pense que les émotions négatives ont le même effet néfaste sur les circuits des ordinateurs que sur l'esprit des humains, avança Mélissa.

— Cassiopée a des émotions ? s'étonna Jonah.

— C'est une expérience que Vincent a tentée avec elle. Il voulait prouver que le cerveau d'une machine n'était pas vraiment différent du nôtre.

— Alors, c'est raté, commenta Shane.

— Moi, je pense que ce n'est qu'une question d'ajustements dans son programme, répliqua Mélissa. Vincent ne lui a probablement pas fourni tout le bagage que nous avons à la naissance. Mais ce n'est pas de ça que je veux vous parler.

— Hum… ça sent la sédition… la taquina Shane.

— En fait, je me questionne sur le départ d'Athénaïs.

— Elle n'a pas été congédiée, c'est certain, affirma Jonah. J'ai lu tous les rapports de l'Agence ce matin et je n'ai rien vu à ce propos.

— Elle serait donc partie de son plein gré, devina la jeune femme.

— Et si tu te poses des questions à ce sujet, c'est que tu penses à nous quitter, toi aussi, Mélissa ? avança Jonah.

— Pour être franche avec toi, je ne me suis pas enrôlée dans l'Agence pour passer ma vie à taper sur le clavier d'un ordinateur. On m'a promis, à Alert Bay, que je travaillerais sur le terrain, et nous n'y sommes allés que deux fois. J'ai envie de sauver le monde, pas de le regarder mourir à petit feu sur un écran. Je veux aller rejoindre nos agents à Jérusalem qui essaient de venir en aide à Cédric.

– Eh bien, moi, non, laissa tomber Jonah. Un capitaine reste avec son navire.

– Mais c'est Aodhan, le directeur, pas toi, lui rappela Shane.

– Il n'est jamais là.

– Jonah a raison, admit Mélissa. Plus ça va et moins il passe de temps à la base, même si ce qu'il fait pour les rescapés est louable. Et toi, Shane ?

– Moi, j'ai besoin de bouger. Je possède aussi des talents extraordinaires qui sont en train de se perdre, parce que je ne peux pas les utiliser ici. Souvenez-vous que j'étais le meilleur tireur de la classe.

– À quoi cela te servira-t-il contre Satan qui ne meurt même pas quand on lui tranche la tête ? fit son collègue.

– Je n'ai jamais dit que je voulais m'en prendre au grand patron de l'enfer. Selon moi, après Cédric, c'est notre base de Jérusalem qui va bientôt avoir besoin de secours. Ils ont de la nourriture et de l'eau pour un nombre limité de mois et, si j'en crois les derniers rapports, tant que Ben-Adnah maintiendra la chasse aux espions, ils ne pourront pas refaire surface.

– Ce serait donc à nous d'aller vers eux, comprit Mélissa.

– J'ignore quel statut Athénaïs a choisi pour s'infiltrer en Israël, mais à mon avis, nous devrions nous joindre à un groupe d'aide humanitaire, pour ne pas attirer les soupçons.

– Pensez-vous que l'ANGE avalera ça ? les mit en garde Jonah.

– C'est ce que nous allons voir, fit Mélissa en se levant.

Ils regagnèrent les Renseignements stratégiques. Tandis que Jonah retournait à son poste, Mélissa et Shane frappèrent à la porte du directeur que ce dernier tenait volontairement ouverte, au cas où il viendrait à Cassiopée l'idée de l'enfermer dans son bureau.

– Est-ce qu'on peut vous parler, chef ? demanda Shane.

– Bien sûr, monsieur O'Neill.

Aodhan avait arrêté de lui demander d'être plus formel, car d'une fois à l'autre, c'était à recommencer. Les deux agents s'assirent dans les fauteuils longeant le côté opposé de sa table de travail.

— Nous voulons aller nous battre à Jérusalem, laissa tomber Shane.

— Je vous rappelle que nous sommes des espions, pas des soldats, rétorqua calmement Aodhan.

— Nos compagnons de travail sont là-bas et ils ont besoin de notre aide, ajouta Mélissa.

— Le rapport que je viens de recevoir de madame Tobias me confirme que Cédric a été retrouvé et que, dès qu'un transport sera disponible, il sera conduit en Suisse.

— Qu'en est-il de Cindy, Damalis et Athénaïs ?

— Ils m'ont signalé le désir de demeurer là-bas pour l'instant.

— Pourquoi peuvent-ils choisir leur sort et pas nous ? voulut savoir Shane.

— En fait, leur situation s'est aggravée. Si vous avez vraiment besoin de le savoir, quelqu'un s'est mis en tête d'assassiner des Nagas. Ils ont donc décidé de rester en Israël pour ne pas attirer ce tueur en Amérique.

— Je peux comprendre qu'il s'en prendrait à Damalis et à Cindy, mais pas à Athénaïs.

— Le docteur Lawson a voyagé jusqu'à Jérusalem par ses propres moyens après nous avoir remis sa démission, expliqua le directeur.

— Donc, c'est tout ce que nous avons à faire pour pouvoir partir nous aussi ? se réjouit Shane.

— Si vous démissionnez, vous deviendrez des agents fantômes. L'Ange ne pourra plus rien faire pour vous.

— Jérusalem n'est pas un terrain d'entraînement pour des recrues, ajouta Aodhan.

— Et j'aurai beaucoup de peine…

L'Amérindien ferma les yeux pendant quelques secondes en se demandant pourquoi Vincent n'avait pas encore modifié la programmation de Cassiopée.

— Nous aussi, soupira Shane.

— Ne l'encouragez pas, murmura Aodhan.

— Nous ne voulons plus regarder mourir de pauvres gens, tandis que nous possédons la capacité de les défendre, continua de plaider Mélissa.

— Il y a déjà trois anges qui s'en chargent.

— Dans ce cas, nous n'avons plus le choix que de démissionner également.

— C'est votre décision.

Les deux agents le saluèrent et retournèrent dans la salle des Renseignements stratégiques. Toutefois, seul Shane reprit place à sa console. Mélissa poursuivit plutôt sa route dans le long couloir de l'ANGE.

— Vous ne devriez pas le lui dire.

— Dans un couple, la franchise est hyper importante, Cassiopée.

— Mais il aura le cœur brisé.

— S'il m'aime vraiment, il comprendra que je dois faire ce que me dicte ma conscience.

— Moi, je ne le quitterais pas.

Mélissa réfréna son envie de lui rappeler que, contrairement à elle, elle n'était pas rattachée à une base à tout jamais.

— Il faudra prendre bien soin de lui quand je serai partie, dit-elle plutôt. Où puis-je le trouver?

— Il est dans la salle des Systèmes informatiques en train de vérifier mes modules.

La jeune femme n'y avait jamais mis les pieds, mais comme elle comptait quitter le Canada le plus rapidement possible, elle ne pouvait reporter indéfiniment ces adieux. Elle trouva Vincent dans sa posture habituelle : assis devant un ordinateur, à regarder défiler des colonnes de chiffres.

— Est-ce qu'on peut parler ? murmura-t-elle.

Il pressa une touche et les images se figèrent.

— Tu veux me dire que tu es amoureuse d'Eisik ?

— Moi ? Mais où es-tu allé chercher ça ?

— Je l'ai senti quand tu l'as vu à l'écran.

— Il a un beau visage, c'est tout. Ce que j'ai à te dire n'a rien à voir avec lui. C'est plutôt un cas de conscience.

— Si tu veux mettre fin à notre relation, c'est inutile de faire tous ces détours. Je suis habitué de me faire laisser.

— Ce n'est pas toi que je laisse, mais moi que je cherche.

— C'EST BIEN DIT ET TRÈS ÉMOUVANT…

— Cassiopée, j'aimerais vraiment être seule avec Vincent, se découragea Mélissa.

— OUI, BIEN SÛR.

— Contrairement à Cass, je n'ai pas vraiment compris cette phrase, avoua le savant, confus.

— Je t'aime, Vincent, mais je veux apporter ma contribution dans ce combat historique contre le mal.

— Non…

— Je ne peux même pas t'expliquer pourquoi je veux aller là-bas. C'est quelque chose que je ressens au fond de mes tripes. Nous avons eu la chance de survivre à de grandes catastrophes et je veux, à mon tour, aider mon prochain à s'en tirer lui aussi.

— Pourquoi ne pas tendre la main à ceux qui souffrent ici même ?

— Parce que je suis une agente formée pour déjouer des complots et dénoncer des coupables. Ça fait partie de ma personnalité, Vincent. Je suis une femme d'action emprisonnée dans une base où elle ne peut rien faire.

Se sentant déjà vaincu, l'informaticien baissa la tête.

— C'est justement parce que nous sommes aux antipodes tous les deux que nous nous entendons si bien, poursuivit la jeune femme. Je respecte ton travail, ton intellect et ton âme, mais tu dois faire la même chose pour moi. C'est à mon tour de te montrer ce que je sais faire.

— Tu n'as pas besoin de me prouver quoi que ce soit.

Mélissa lui releva le menton et l'embrassa sur les lèvres.

— Je reviendrai.

Elle recula et quitta la pièce, car elle ne voulait pas le faire souffrir davantage. Dès que la porte se fut refermée, un torrent de larmes se mit à couler sur les joues du jeune savant.

— VINCENT, FABRIQUE-MOI DES BRAS POUR QUE JE PUISSE TE SERRER…

Incapable de se contenir, il sortit à son tour de la salle des systèmes informatiques et fonça vers l'ascenseur.

— OÙ VAS-TU ?

— Dehors… J'étouffe… J'étouffe…

L'ascenseur le déposa dans le stationnement intérieur de l'immeuble d'en face. Vincent sortit dehors, sans se soucier du sarrau qu'il portait toujours, et courut jusque sur le bord du fleuve Saint-Laurent. Il s'arrêta juste à temps pour ne pas y tomber la tête la première.

— Je sais que la moitié de la planète a de plus gros ennuis que les miens ! hurla-t-il en levant les yeux vers le ciel. Mais est-ce que je ne pourrais pas être enfin heureux pour une fois dans ma vie ?

Puisqu'il n'y avait plus de médecin à la base, Cassiopée crut de son devoir de prévenir le directeur de l'état de santé de l'informaticien. Aodhan avait tout laissé en plan et s'était précipité dehors. En sortant de l'édifice Port-de-Mer, il avait pivoté sur lui-même, tentant de repérer Vincent.

— Si vous cherchez un jeune homme qui ressemble à un savant, fit une femme qui promenait son chien, il est parti par là en courant.

Elle pointait la nouvelle rue qui menait jusqu'au cours d'eau.

— Merci beaucoup, madame.

Aodhan s'empressa de suivre la même route que le savant et éprouva un grand soulagement lorsqu'il découvrit qu'il ne s'était pas jeté à l'eau. Cassiopée lui avait dit qu'il étouffait et que son rythme cardiaque s'était affolé. Lorsqu'il arriva près de lui, il constata que le jeune homme prenait de grandes respirations en tentant de se calmer.

— Vincent, est-ce que ça va ?

— Ce n'est pas Cass qui a besoin d'un psychologue, c'est moi…

— Tu viens d'avoir une discussion avec Mélissa, n'est-ce pas ?

— C'est assez facile à deviner, non ?

— J'aimerais pouvoir te dire que je vais l'empêcher de partir, mais les règlements ne me le permettent pas. Les directeurs n'ont pas le droit de remettre leur démission à l'Agence, mais les agents, oui.

— Il n'est pas question que je la retienne, Aodhan. C'est ça qui me déchire jusqu'au fond de l'âme.

Vincent éclata en sanglots. Bouleversé par sa peine, l'Amérindien le saisit par son sarrau et l'attira dans ses bras.

— Je ne suis pas fâché contre elle… sanglota-t-il. En vérité, j'admire son courage, parce que moi, je ne pourrais jamais partir volontairement pour un pays infesté de démons…

Aodhan se contenta de le serrer en silence. Il avait pris le temps de lire le dossier de Vincent en entier et il savait qu'il était mort deux fois à cause de ces êtres maléfiques.

— J'en ai assez d'avoir de la peine tout le temps, Aodhan…

— Je sais ce que tu ressens et je sais aussi que ce n'est pas le moment de te dire que tu t'en remettras. Cependant, je ne peux pas te permettre de rester sur le bord du fleuve sans protection. Je vais donc te ramener tout doucement vers la base et nous allons en discuter dans la salle de Formation. Est-ce que ça te va ?

Vincent hocha lentement la tête et laissa son directeur l'entraîner vers le bâtiment abritant le Campus de l'Université de Sherbrooke, à côté de l'ancien métro.

028

Certain que sa dernière heure était arrivée, Benjamin Vogel ne résista pas lorsque le Faux Prophète le transporta de la base militaire dans un bureau au deuxième étage d'une manufacture. Sur une table reposait un ordinateur qui semblait plutôt performant. Donc, ce grand projet qui intéressait l'empereur était relié à l'informatique…

— Voici votre équipement, lui dit Ahriman. Mais avant de vous expliquer ce que nous attendons de vous, j'aimerais vous montrer quelque chose.

Il ouvrit une porte qui donnait sur une immense fabrique. Ahriman poussa Vogel jusqu'à la balustrade du balcon pour qu'il puisse voir ce qui se passait en bas. À perte de vue s'alignaient des chaînes de montage enfermées dans des cubes géants en plexiglas. Des hommes et des femmes portant des combinaisons et des masques de protection s'y affairaient.

— C'est le futur de l'humanité, monsieur Vogel. Nous allons distribuer ces puces partout dans le monde. Elles nous permettront de savoir où est chacun des sujets de son Excellence, ce qu'il a fait, où il est allé et même à qui il a parlé. Mieux encore, lorsque nous n'aurons plus besoin de lui, nous lui ordonnerons de s'enlever la vie.

— Vous ne pouvez pas faire ça…

— Mais nous sommes en train de le faire.

— Je ne veux absolument pas participer à cette opération d'asservissement.

— Si vous refusez de nous aider, je m'adresserai à l'un des deux jeunes hommes avec qui vous vous entreteniez, tout à l'heure.

Vincent et Eisik n'étaient pas des amis intimes de Vogel, mais le court moment qu'ils avaient passé à bavarder avait allumé en lui l'espoir qu'ils puissent le devenir un jour. Il n'allait certainement pas les vendre au diable.

— Qu'attendez-vous de moi ?

— J'admire votre intelligence, monsieur Vogel. Pendant que ces dévoués volontaires préparent les puces, vous allez les programmer pour qu'elles contiennent toutes les commandes si chères à notre nouvel empereur.

— Comment saurez-vous que je vous ai obéi ?

— Nous les testerons sur des sujets que nous avons tout spécialement rassemblés pour ce grand jour. Puisqu'ils ne recevront aucune nourriture avant que vous ayez terminé votre travail, puis-je vous suggérer de commencer dès maintenant ?

S'il en avait eu le courage, Vogel aurait balancé cet homme odieux dans le vide, mais malheureusement, il n'y avait pas une trace de violence dans son tempérament. C'était pour cette raison que les services secrets israéliens l'avaient assigné à sa section informatique.

Il retourna de son plein gré dans la salle attenante et s'assit devant l'ordinateur. Il commença par examiner sa capacité et son système d'exploitation.

— Ne perdez pas votre temps, l'avertit Ahriman. Il n'est pas relié avec le monde extérieur. Je reviendrai bientôt avec le premier cobaye. Je vous suggère d'avoir terminé la programmation. Rappelez-vous nos exigences : positionnement, enregistrement des renseignements internes et externes et lien direct avec le système cérébral. Votre curriculum vitae indique que vous possédez les connaissances nécessaires en nanotechnologie pour réaliser ce projet. Ne nous décevez pas.

Vogel se retourna pour protester, mais le Faux Prophète n'était plus là. Il bondit aussitôt de son siège et tenta d'ouvrir la porte opposée à celle du balcon. À son grand étonnement, elle n'était pas verrouillée, mais lorsqu'il l'ouvrit, il fut accueilli par un barrage de flammes. La chaleur le fit presque suffoquer. D'un coup d'épaule, il referma la porte.

– Je suis en enfer… s'étrangla-t-il.

Il retourna sur le balcon et chercha une façon d'en descendre. Il passa la jambe par-dessus la balustrade et sauta, mais atterrit exactement à l'endroit d'où il était parti.

– Je ne sortirai jamais d'ici.

La seule chose à faire, c'était de programmer la puce, mais d'y installer des mécanismes de désactivation grâce à un code qui serait facile à déchiffrer pour un informaticien chevronné. Il pianota avec acharnement sur le clavier et créa en quelques heures le programme de localisation et de cueillette des données, puis établit la connexion au dispositif d'identification à distance. Cette puce électronique ne nécessitait aucune pile ni lecteur optique. Elle enverrait de l'information biologique sur son porteur et pourrait être repérée grâce à la technologie d'un système universel conçu à cet effet.

Lorsqu'il arriva à l'application cérébrale, les doigts de Vogel se crispèrent et le pauvre jeune homme se mit à trembler.

– À cause de moi, des innocents mourront juste parce que l'État ne voudra plus d'eux…

Une fois reliée à un superordinateur, la puce enverrait à celui-ci non seulement des données sur le rythme cardiaque, l'activité neurologique et les pensées d'une personne, mais elle réagirait aussi à toutes les commandes transmises à partir de cet appareil. Son utilisateur pourrait pratiquement accaparer son âme.

– C'est vraiment la marque de la Bête…

Vogel avait déjà travaillé sur un projet médical pour son pays, soit la création de robots microscopiques capables de véhiculer des charges ou des substances à travers l'organisme. Ces petites sondes étaient également manipulées à l'aide d'un ordinateur.

À contrecœur, il programma la future puce pour qu'elle rapporte de l'information sur les processus cérébraux de la personne et lui attribua un certain pouvoir sur le centre décisionnel.

Lorsque le Faux Prophète réapparut, comme il l'avait promis, il tenait par le bras une jeune femme qui devait avoir au moins dix-huit ans. La pauvre était terrorisée.

— Je vous présente Abigaïl, votre première patiente, docteur Vogel, se moqua Ahriman. En ce moment, nos vaillants techniciens sont en train de transférer votre programme sur une première puce qui sera implantée dans le corps de notre belle assistante que voici.

Benjamin ne pouvait pas détacher son regard de celui de cette femme qui ressemblait à sa petite sœur. Une technicienne en combinaison entra dans la pièce par la porte derrière laquelle Vogel avait vu les flammes. Elle tenait à la main une seringue. Sans façon, elle saisit le bras d'Abigaïl et lui fit une piqûre.

— Dans un instant, nous allons savoir si tout fonctionne comme prévu, jubila Ahriman.

Un homme au visage dissimulé sous un masque fit son entrée, tenant à la main une tablette électronique.

— Recevons-nous quelque chose, monsieur Bonazzi?

Comme s'il lui était impossible de parler à travers ses vêtements protecteurs, l'homme lui montra plutôt l'écran du mini-ordinateur.

— Nous avons un pouls! Merveilleux! Nous pouvons aussi établir qu'elle se trouve bel et bien ici. Maintenant, sommes-nous capables de la tourmenter un peu?

— Non… protesta Vogel.

— Dites-lui de pleurer, monsieur Bonazzi.

Il s'exécuta. Aussitôt, des larmes se mirent à couler sur les joues de la victime.

– Vous êtes vraiment un génie, docteur Vogel, le félicita Ahriman en enlevant brusquement la tablette des mains du technicien. Essayons quelque chose de plus ardu.

Le Faux Prophète entra lui-même la commande suivante. Abigaïl s'écroula immédiatement sur le sol.

– Mais qu'est-ce que vous avez fait? s'écria Benjamin, horrifié.

– Grâce à vous, elle s'est endormie sur-le-champ. Mais si vous préférez, je peux lui demander de s'arracher elle-même les yeux.

– Vous êtes un monstre.

– Dois-je vous rappeler que c'est vous qui nous avez procuré ce merveilleux outil.

– Maintenant que je vous ai donné ce que vous vouliez, qu'allez-vous faire de moi?

– Je vais évidemment vous implanter une de vos puces, dès que leur production sera en branle, et je me servirai de vous pour remonter jusqu'à vos deux amis-espions. Comme vous le savez sûrement, l'empereur raffole des espions.

Le technicien chargea Abigaïl dans ses bras et l'emmena, aussitôt suivi de sa collègue.

– En attendant, faites comme chez vous. Je vous ferai monter à manger.

Ahriman disparut, mais la tablette électronique ne le suivit pas et tomba sur le plancher. Benjamin s'en empara aussitôt pour voir ce qu'elle contenait. Le système de contrôle utilisé semblait plutôt primitif. Sans doute que ces démons n'en étaient qu'à leurs débuts dans la mainmise des ordinateurs sur la Terre. Il fit une fois de plus le tour de sa prison, cherchant quelque chose qui lui permettrait de se suicider, mais il n'y avait aucun objet tranchant. Même le cordon d'alimentation de l'ordinateur sur la petite table n'était pas assez long pour qu'il puisse se pendre.

– Il ne me reste plus qu'à me livrer moi-même aux flammes de l'enfer.

Bravement, il ouvrit la porte toute grande et mit le pied dehors. Quelle ne fut pas sa surprise de découvrir qu'elle donnait sur un interminable couloir! «Pourquoi ai-je l'impression que tout au bout, je vais revenir encore une fois à mon point de départ?» Il hésita, puis se demanda si l'enfer n'était pas programmé comme un ordinateur. «Le système s'attend à ce que je fasse un geste précis, puis il réagit. Il semble m'offrir une sortie, alors qu'en réalité, ce n'en est pas une. Je suis arrivé ici par un portail et c'est ce portail que je dois retrouver.»

Benjamin se retourna en fouillant dans sa mémoire. Il fit quelques pas et s'arrêta.

— J'étais précisément à cet endroit.

Il fit taire sa peur et essaya de retrouver les sensations qu'il avait éprouvées au moment de son enlèvement de la base de Jérusalem. «J'ai eu un vertige… comme si je tombais dans un trou…» Benjamin leva la tête vers le plafond. Il semblait pourtant tout à fait normal. «Comme le balcon et cette foutue porte, quoi.» Il tira la table jusqu'au milieu de la pièce, poussa l'ordinateur sur le côté et mit la chaise sur la table.

— Advienne que pourra.

Il grimpa en faisant attention de ne pas perdre l'équilibre et de se casser un membre. Puis, lorsqu'il voulut déposer la main entre les poutres, elle passa au travers de la feuille métallique. Encouragé, le jeune savant se redressa complètement et découvrit qu'il se trouvait dans le désert, enterré jusqu'à la taille. En se tortillant, il parvint à se dégager du sable et se mit à courir en direction des petites collines qui se dressaient à l'horizon. Dès qu'il se serait éloigné de cet endroit de malheur, il chercherait à s'orienter grâce aux étoiles.

Pendant que son prisonnier s'enfuyait, Ahriman se présentait devant Satan et sa concubine, dans le grand temple de plus en plus encombré de tous les meubles et œuvres d'art dont le couple s'emparait un peu partout dans la ville.

— Arimanius! s'exclama joyeusement le Prince des Ténèbres. Nous étions justement en train de célébrer!

— S'il y a matière à réjouissance, personne ne m'en a informé, Excellence.

— Les nations qui étaient fidèles à mon prédécesseur m'ont confirmé leur attachement. Elles croient que je suis toujours Ben-Adnah et elles me félicitent d'avoir exécuté les deux illuminés qui tentaient de soulever le peuple d'Israël. N'est-ce pas magnifique?

— C'est une très bonne nouvelle, en effet.

— Dis-moi que tu m'en apportes d'autres.

— J'ai commencé la production d'un dispositif miniature que nous pourrons insérer sous la peau de tous vos sujets afin de nous assurer de leur loyauté.

— Je veux que ce soit au milieu de leur front.

— Il n'est pas nécessaire que la puce se situe sur la partie la plus élevée de leur anatomie, Excellence. Elle fonctionnerait même si on la leur plaçait entre les orteils.

— Marquez sur le front chaque personne qui l'aura reçue, pour qu'on les identifie sans aucun problème! rugit l'Antéchrist.

— J'imagine que ce serait possible…

— Et le Vatican?

— Ce sera mon prochain accomplissement, bien sûr.

— Dépêche-toi! J'ai envie de revoir Rome!

Ahriman se courba devant son maître qui n'apprécierait donc jamais les efforts de ses serviteurs. De toute façon, le Faux Prophète avait des plans bien différents pour son avenir. Même si Satan séjournait désormais dans le corps d'un puissant Anantas, il continuait de penser comme un débauché Naas, et cette tare lui coûterait son trône.

029

L e soleil commençait à poindre à l'horizon lorsque Cédric Orléans ouvrit finalement les yeux. Il était couché sur le sol, enveloppé dans une couverture, parmi d'autres dormeurs qui s'étaient resserrés, comme pour éviter d'être surpris par un ennemi potentiel. Le directeur voulut se redresser sur les coudes pour déterminer où il se trouvait, mais une crampe dans son bras l'empêcha littéralement de bouger. Cherchant alors à se rouler sur le côté, il éprouva une douleur déchirante au dos qui le cloua au sol. «Que m'est-il arrivé?» s'affola-t-il. Il réussit à peine à tourner la tête et vit la chevelure rousse d'Alexa. «C'est sûrement bon signe, à moins qu'elle soit dans le même état que moi», songea-t-il en s'efforçant de se calmer.

— Alexa... murmura-t-il.

La jeune femme sursauta et se pencha aussitôt au-dessus de lui.

— Surtout, ne te métamorphose pas, l'avertit-elle.

— Pourquoi voudrais-je faire une chose pareille?

— Parce que c'est sous cette forme que les Anantas réussissent le mieux à te maîtriser.

— Où sommes-nous?

Réveillé par le son de leurs voix, Alejandro prêta l'oreille à leurs propos. Les sens de *varan* ne détectaient aucun danger. De toute façon, les Nagas s'étaient relayés toute la nuit pour veiller sur le sommeil du reste du groupe.

— Nous sommes dans le désert, mais je ne suis plus sûre duquel. Je sais seulement que c'est l'endroit le plus paisible qu'il m'a été donné de fréquenter depuis que nous sommes arrivés en Israël.

— Mais je ne t'ai pas emmenée, ou ai-je complètement perdu la mémoire ?

— Je t'ai suivi, car j'avais un mauvais pressentiment. Il y a eu tellement d'événements depuis.

Cédric fronça les sourcils, essayant de rappeler ses derniers souvenirs à sa mémoire.

— J'ai revu ma mère… et après cette rencontre, j'ai perdu la maîtrise de mes gestes. J'ai bien peur d'avoir fait des choses vraiment ignobles.

— Personne ne t'en voudra, car tu agissais contre ta propre volonté.

— J'ai fait exploser un hôtel rempli de monde…

«Et de Brasskins», se souvint Alexa. Cependant, ce n'était pas le moment de lui faire connaître les détails de ses actes.

— Et j'ai failli tuer Yannick et son ami…

— Mais tu ne l'as pas fait. Adielle t'a tiré dessus avant que tu puisses les décapiter.

— Adielle ?

— Nous étions tous là, mais nous n'avons rien pu faire contre Satan. C'était vraiment horrible. Les jumeaux nous ont raconté que Thierry Morin l'a décapité, mais qu'il est resté debout et que sa tête s'est recollée sur ses épaules.

— Quels jumeaux ? Où est Thierry ?

— Ici, répondit ce dernier en s'accroupissant près de lui. Puisque tu n'étais pas habitué de passer de longues périodes de temps sous ta forme reptilienne, tu dois être en piteux état en ce moment.

— Je ne peux bouger aucune partie de mon corps, sauf ma tête.

Le Naga tâta ses bras et lui arracha une plainte sourde. Lorsqu'il toucha ses jambes, Cédric serra les dents pour s'empêcher de crier.

— Nous allons devoir te transporter si nous voulons partir d'ici, soupira-t-il.

— Et où pourrions-nous aller? se découragea Alexa.

— N'importe où ailleurs, s'en mêla Alejandro, car plus longtemps nous restons au même endroit, plus le Shesha sera en mesure de nous repérer.

— Je connais cette voix, fit Cédric qui ne pouvait pas regarder derrière lui.

— Nous nous sommes rencontrés à l'hôtel où logeait votre mère.

— Alejandro Marquez…

— C'est exact.

— Que faites-vous ici? demanda le directeur de l'ANGE sur un ton plus dur.

— Je cherchais à sauver ma peau lorsque je suis tombé sur vos amis.

— Vous étiez à la solde de Caritas.

— Pas tout à fait. Lorsqu'elle a sollicité l'aide des Nagas, nous en avons profité pour faciliter son duel avec Perfidia et nous avons éliminé deux de ses fils.

— Êtes-vous ici pour en achever un autre?

— Les amis de Théo sont mes amis.

— Les *varans* sont d'impitoyables assassins, mais ils sont capables de reconnaître leurs alliés, affirma Thierry.

— Personne ne m'a répondu au sujet des jumeaux.

— Ils s'appellent Neil et Darrell, expliqua Thierry. Ce sont deux jeunes Nagas qui en sont à leurs débuts, et je dois dire qu'ils se débrouillent fort bien.

— C'est censé me faire sentir mieux? maugréa Neil qui était encore fâché contre lui-même.

— Qui est-ce? s'enquit Cédric qui commençait à en avoir assez d'être incapable de se mouvoir.

— Je suis le jumeau qui a essayé de t'assommer et qui en a payé le prix.

— Je suis vraiment navré, mais je ne me souviens de rien.

— Moi, j'aimerais qu'on m'explique pourquoi, lorsque nous sommes sous notre forme Naga, nous sommes parfaitement conscients d'être nous-mêmes et que ce monsieur devient quelqu'un d'autre ? demanda Darrell en s'assoyant.

Une voix que Cédric ne connaissait pas se fit entendre et, celle-là, avait un accent britannique.

— C'est une excellente question, admit Alejandro. Je n'ai jamais entendu parler, durant ma longue vie, d'un reptilien souffrant d'amnésie.

— Et c'est ainsi depuis ta toute première transformation, si je ne m'abuse, dit Thierry au directeur. Dans le sous-sol du culte satanique, tu as complètement perdu le nord. Et quand tu as repris ta forme humaine, tu ne te souvenais plus de rien non plus.

— C'est peut-être un attribut des Anantas, répliqua Cédric, car d'après les rapports que j'ai reçus de Jérusalem, Asgad Ben-Adnah ignorait également qu'il était reptilien.

— Personnellement, je pense que c'est une bonne chose, laissa tomber Darrell. S'il fallait que ces reptiliens soient conscients de leurs pouvoirs, il y aurait longtemps qu'ils auraient éliminé tout le monde.

— Ce n'est pas flatteur, mais c'est juste, admit l'Anantas.

— Cédric ! s'exclama alors une voix aigüe que le directeur reconnut aussitôt.

— Cindy ?

Elle bondit de sa couverture et sauta sur son patron avant que qui que ce soit puisse l'attraper au vol. Cédric échappa une plainte qui réveilla les derniers dormeurs. Darrell saisit l'agente par la taille et la força à s'asseoir à côté du directeur, plutôt que sur lui.

— Est-ce que je t'ai fait mal ? se désola Cindy.

– Normalement, ce genre d'assaut amical m'aurait fait grand plaisir, articula Cédric avec difficulté, mais en ce moment, tout mon corps me fait souffrir.

– Au grand complet? demanda Athénaïs en s'approchant.

– Docteur Lawson? s'étonna Cédric. Qui d'autre est ici?

– Moi, répondit Damalis en apparaissant près de la femme médecin.

– Aodhan nous a permis de partir sur tes traces, expliqua Cindy. Je suis tellement contente que tu sois redevenu toi-même. Tu es assez effrayant quand tu te changes en reptilien.

Athénaïs examina son ancien directeur sans lui parler de sa démission. Il finirait bien par l'apprendre tôt ou tard. Ce qui importait, pour le moment, c'était de comprendre ce qui lui arrivait. Cédric se laissait faire en se mordant les lèvres lorsqu'elle mettait le doigt sur le siège de la douleur.

– Tu as de la chance de tomber sur le seul médecin au monde à savoir traiter les reptiliens, le taquina Damalis.

– Maintenant que nous t'avons intercepté, je vais appeler la base internationale pour qu'elle nous envoie un transport, décida Cindy.

En d'autres circonstances, Cédric se serait sans doute opposé, car les dirigeants de l'ANGE n'avaient pas souvent l'occasion de retourner sur le terrain, mais plus Athénaïs le tâtait, plus il avait envie de rentrer chez lui. Cindy entra en communication avec Markus Klein, qui dirigeait les opérations nationales de Genève. Le pauvre homme lui répéta «le ciel soit loué» au moins une dizaine de fois avant de lui dire que grâce à sa montre, un hélicoptère de l'Agence pourrait les prendre dans les vingt-quatre heures. Cindy rapporta les propos de l'homme au directeur international et exigea de Klein, à la demande d'Athénaïs, qu'il prévoit une civière.

– Encore vingt-quatre heures dans cet endroit à découvert? s'inquiéta Neil.

— Cael nous a fourni des couvertures et de la nourriture si riche que personne n'a faim, ce matin, mais rien pour nous protéger du soleil, ajouta Darrell.

Ils pourraient évidemment s'enfouir dans la terre, entraînant ceux qui étaient incapables de le faire eux-mêmes.

— Avant toute chose, il faudrait savoir s'il y en a parmi nous qui ne désirent pas se rendre en Suisse, leur rappela Alejandro. Pour ma part, je me suis donné pour mission de piéger le Shesha meurtrier avant qu'il n'extermine notre race.

— Moi, je ne veux plus rester ici, affirma Cindy.

— J'irai avec Théo, peu importe où il voudra aller, annonça Neil.

— Moi aussi, lui fit écho Darrell.

— Je crois que nous devrions appuyer la démarche de monsieur Marquez, décida Thierry.

Damalis ne parlait pas, car malgré son désir de se montrer solidaires avec les traqueurs, il finirait par suivre Athénaïs. Elle surprit évidemment tout le monde lorsqu'elle annonça qu'elle n'avait nulle envie de rencontrer un autre reptilien agressif, mais qu'elle retournait à Jérusalem pour offrir ses services de chirurgienne. C'est alors que Cédric remarqua qu'elle ne portait pas sa montre.

— Que s'est-il passé à Longueuil, docteur Lawson ?

— Il n'y avait plus de travail pour moi, répondit évasivement Athénaïs. Nous avons besoin d'eau pour vous garder hydraté, monsieur Orléans.

— Je vais aller voir s'il y a des caravanes dans le coin, fit Darrell en se levant.

— C'est trop dangereux, trancha Alejandro. À partir de maintenant, nous ne devons pas nous séparer.

— Il a raison, acquiesça Thierry.

Cael choisit ce moment précis pour apparaître au milieu du groupe.

— Vous tombez à point! lâcha Damalis.

— Comment te portes-tu ce matin, Cédric? demanda l'ange en se penchant vers lui.

— Tous mes muscles sont durs comme de la roche, répondit le directeur toujours incapable de remuer.

— Laisse-moi voir ça.

Athénaïs lui céda volontiers sa place. S'il était véritablement de nature divine, ce Naga vêtu de blanc arriverait sans doute à guérir le corps de Cédric, tout comme il avait sauvé son âme.

— Tu les as effectivement soumis à une grande tension. Pourrais-tu retenir ton souffle pendant quelques secondes?

— Ça, je devrais être capable de le faire, affirma le directeur.

Cael ferma les yeux et leva les mains au-dessus de Cédric, ce qui eut pour effet de l'envelopper instantanément dans un cocon lumineux. L'opération ne dura que quelques secondes, puis la lumière disparut.

— Tu devrais te sentir beaucoup mieux maintenant.

Cédric se réjouit de pouvoir soulever son bras, même si ce dernier lui semblait encore bien lourd. Il parvint même à s'asseoir avec l'aide d'Alexa.

— Ça va aller, affirma-t-il.

Cael fit apparaître une gourde d'eau devant chaque membre du groupe. Spontanément, ils s'assirent tous dans le sable en formant un cercle.

— Qu'avez-vous décidé de faire? demanda Cael.

— J'ai contacté notre Agence, répondit Cindy. Elle envoie un transport pour nous sortir d'ici, Cédric, Alexa et moi.

— Je croyais que tu voulais de l'action.

— J'en ai eu assez, merci.

Elle n'allait surtout pas leur avouer que c'était Yahuda qui l'avait convaincue de quitter le pays, car elle serait plus utile à l'humanité si elle retournait en Amérique.

— Nous resterons ensemble pour mettre la main au collet du Shesha, annonça Alejandro.

— Justement, j'ai parlé de son cas avec mes maîtres. Ils sont au courant que quelqu'un a dérobé ce pouvoir à un Pléiadien tué à Tel-Aviv, mais ils ignorent comment le voleur s'y est pris.

— Ont-ils l'intention de faire quelque chose ?

— Ils peuvent retracer ses déplacements, mais ils sont incapables de deviner ses prochaines destinations.

— Hum... laissez-moi deviner, fit Neil. Ici, peut-être ?

— Dès que j'aurai parcouru tout le globe pour avertir les habitants de toutes les nations de refuser la marque de la Bête, je reviendrai vous prêter main-forte.

Lorsque l'ange fut parti, Damalis glissa ses doigts entre ceux d'Athénaïs et la tira un peu à l'écart.

— N'essaie même pas de me convaincre de retourner au Canada, l'avertit-elle.

— En ce moment, Jérusalem est la ville la plus dangereuse au monde.

— C'est pour cette raison que je dois y aller. Je ne m'attends pas à ce que tu me suives. En fait, ta place est avec tes semblables.

— Mes semblables ? Est-ce que tu es en train de rompre avec moi ?

— Non, mais je me doute bien que nous mourrons tous les deux durant les événements de la fin du monde.

— J'ai survécu à l'attaque d'un dragon cent fois plus gros que moi. Crois-tu vraiment qu'un petit Antéchrist arrivera à me tuer ?

— Arrête de faire le fanfaron, Damalis.

— Ce que j'essaie de te faire comprendre, c'est que j'ai l'intention de profiter de ces mille ans de béatitude dont parlent les prophètes.

Athénaïs baissa la tête, car elle ne pouvait pas en dire autant.

— Je vais conclure un marché avec toi, poursuivit le Naga. Dès que nous aurons éliminé le Shesha, je partirai à ta recherche, même si je dois fouiller tous les hôpitaux un à un. Ne me dis pas que ce n'est pas romantique, ça?

— J'avoue que si…

Ils s'embrassèrent pendant quelques minutes, puis elle le poussa vers ses amis.

— Merci, ma chérie.

Ils retournèrent s'asseoir avec les autres.

— Nous avons deux choix, était en train de leur apprendre Alejandro. Nous l'attendons ou nous lui tendons un piège.

— Moi, j'aime bien la deuxième idée, fit Neil, l'impatient.

— Les deux solutions ont des avantages et des inconvénients, lui laissa savoir Thierry. Si ce Shesha a réussi à duper un Pléiadien et à assassiner un traqueur, il est sûrement très malin. Donc, il flairerait le piège. D'autre part, en poursuivant notre mission de tuer des Dracos, il ne faudrait pas que nous soyons négligents.

— Faisons les deux, dans ce cas, intervint Darrell. Organisons nos chasses en fonction de la possibilité que le Shesha essaie de nous surprendre.

— L'idée n'est pas mauvaise du tout, admit Damalis. J'ai travaillé en meute avec mes frères lors de nos missions officielles et moins officielles. Nous avions chacun une tâche précise à effectuer et jamais nous nous sommes fiés au fait qu'un autre membre du groupe la ferait à notre place.

— Puisque tu n'es pas traqueur, Damalis, tu pourrais être le gardien, suggéra Neil.

— Comment flairerait-il le Shesha puisqu'il n'a plus sa glande, s'opposa Thierry.

— Pourquoi ai-je l'impression que c'est moi qui vais hériter du poste? soupira Darrell.

— Un *varan* sait reconnaître ses forces et ses faiblesses, lui rappela son mentor.

— Théo a raison, l'encouragea Neil. De nous tous, tu es celui qui hésite le plus souvent devant une cible. Avec le temps, tu arriveras à corriger ce défaut, mais en ce moment, ton talent de détection nous serait beaucoup plus utile.

— Même si je préférerais me battre, soupira Darrell, je pense que ta suggestion est parfaitement valable, Neil, puisque je viens de sentir une présence derrière nous, à moins d'un kilomètre.

En l'espace d'une seconde, tous les Nagas furent debout, la main sur le manche de leurs sabres.

— Neil et Cindy, restez avec monsieur Orléans, ordonna Alejandro.

Le chef temporaire du groupe se tourna ensuite vers Cédric, pendant que Cindy remettait son katana à Damalis.

— Peu importe ce qui se passera, ne vous transformez pas, l'avertit-il.

— J'ai eu ma leçon, rétorqua le directeur.

— De toute façon, je lui ai fait avaler suffisamment de poudre d'or cette nuit pour qu'il demeure humain pendant tout un mois, avoua Thierry à Alejandro.

Les quatre Nagas s'éloignèrent de la montagne. Aussitôt, Neil demanda à Athénaïs, Alexa et Cindy de s'asseoir plus près de celui qu'ils devaient protéger.

Tels des loups, Alejandro, Thierry, Neil et Damalis avancèrent en silence, tous leurs sens aux aguets. En se rapprochant de leur cible, ils se distancèrent, de façon à l'entourer. Les sabres glissèrent de leurs fourreaux avec un chuintement, même si l'inconnu gisait à plat ventre dans le sable.

— Il n'est pas reptilien, annonça Neil.

Il rengaina son arme et s'approcha prudemment de l'homme, couvert par les trois autres Nagas. Il le retourna sur le dos et constata qu'il était à l'article de la mort. Le jeune *varan* déboucha sa gourde et fit boire un peu d'eau au moribond. Ce dernier ouvrit à peine les paupières et ses lèvres brûlées par le soleil remuèrent doucement. Neil se pencha pour entendre ce qu'il murmurait.

— Il nous dit de fuir, reprit-il en se tournant vers les autres.

Les Nagas pivotèrent vers le désert en cherchant la source du danger.

— Je ne sens aucune autre présence, indiqua Alejandro.

— Ramenons-le au campement et essayons de le ranimer, suggéra Neil.

— Prends les devants, ordonna Thierry.

Neil chargea l'étranger sur ses épaules et se mit en route, aussitôt entouré de ses congénères qui gardaient l'œil ouvert.

— Qui est-ce ? demanda Athénaïs lorsque le Naga déposa le jeune homme sur le sol.

Elle l'examina rapidement et regretta de n'avoir aucun équipement médical.

— Arrosez-le ! ordonna-t-elle à son tour en constatant que son rythme cardiaque augmentait de façon alarmante.

Cindy, Alexa et Neil vidèrent leurs gourdes sur tous les membres de l'étranger, y compris dans le visage.

— Il nous faut de l'ombre !

Neil se tourna vers la falaise. Il y avait de petites ouvertures, mais à une centaine de mètres dans les airs.

— Darrell, viens m'aider, fit-il en s'approchant de la paroi rocheuse.

Ils se transformèrent en Nagas et, avec leurs griffes, se mirent à creuser le roc. Alejandro et Thierry demeurèrent de garde, intensément à l'écoute de tout mouvement vibratoire. Lorsque la nouvelle grotte fut suffisamment profonde, les jumeaux revinrent chercher l'inconnu et le transportèrent à l'intérieur. La fraîcheur de l'endroit le ramena peu à peu à la vie.

— Nous aurions dû penser à ça avant, soupira Darrell.

— Ne restez pas ici… articula le pauvre homme avec difficulté. Des démons vivent sous le désert…

— Il divague, grommela Neil. Nous avons parcouru ce lieu des centaines de fois et nous n'avons rien vu de tel.

— La puce électronique… la marque de la Bête…

— Qui êtes-vous ? demanda Athénaïs craignant qu'il s'éteigne dans les instants suivants.

— Vogel... Benjamin Vogel...

Cindy eut alors une idée. Elle accrocha son oreillette et communiqua avec la base de Longueuil.

— Je suis ravie d'entendre votre voix, agent Bloom.

— Moi aussi, Cassiopée. Puis-je parler à Vincent ?

— Il est très triste, en ce moment.

— Alors, je tombe à propos, car j'ai le don de réjouir les gens.

— Je vais voir s'il peut être importuné.

L'agente plissa le nez en se demandant pourquoi l'ordinateur avait changé sa façon de communiquer.

— Cindy ? Où es-tu ? fit la voix de Vincent.

— Tu ne me croiras pas. Je suis au milieu du désert, quelque part en Israël. Nous avons retrouvé Cédric.

— Je sais. La bonne nouvelle circule déjà dans toutes les bases de l'ANGE. Je t'avoue qu'elle a remonté le moral des troupes.

— Nous venons de tomber sur un homme plutôt mal en point non loin de notre campement et j'aimerais que tu me dises s'il figure dans nos bases de données. Il s'appelle Benjamin Vogel.

— Quoi ?

— Benjamin...

— Je t'ai entendue, Cindy. C'est que je connais cet homme.

— Tu connais quelqu'un qui vit ici ?

— Je suis tombé sur lui en tentant d'extraire des vidéos de la base militaire de Jérusalem.

— Ami ou ennemi ?

— Il est dans notre camp. Est-ce que je peux lui parler ?

— Pas pour le moment. Il est à demi conscient. Donc, nous pouvons lui faire confiance ?

— Je crois bien que oui.

— Il prétend que des démons vivent dans le sous-sol du désert et qu'ils fabriquent des puces électroniques. Penses-tu pouvoir nous le confirmer?

— S'il s'agit d'une activité qui utilise des machines, le satellite pourra le faire. Donne-moi quelques minutes pour le repositionner.

— Pendant que tu tapes sur ton clavier, dis-moi ce que tu sais de Vogel.

— Il travaille pour les services secrets israéliens et, comme plusieurs savants, il refuse de reconnaître l'autorité de Ben-Adnah. Il fait donc tout ce qu'il peut pour que ce dernier ne mette pas la main sur les secrets d'État.

— À ton tour de me dire ce qui lui est arrivé.

— Nous ne le savons pas encore, mais il est tout sec et brûlé par le soleil. À mon avis, on a dû l'abandonner à son sort dans le désert.

— Bon, ça y est. Le satellite a commencé à sonder les lieux. Je devrais avoir une image en trois dimensions dans une heure ou deux. Si c'est trop long, je peux te rappeler.

— Oui, ce serait mieux.

— Qui est avec toi?

Cindy lui énuméra les noms de ses compagnons et l'informa qu'elle accompagnerait Cédric et Alexa en Suisse. Puis, elle mit fin à la communication et répéta au directeur international ce qu'elle venait d'apprendre.

— S'il survit à son épreuve, nous l'emmènerons à Genève pour le faire soigner, décida-t-il.

La journée se passa sans heurts et, lorsque le soleil commença à se coucher, de petits pains tout blancs apparurent dans leurs mains. Ils mangèrent en silence, tous entassés dans la grotte, sauf Alejandro qui montait la garde dehors. Comme promis, Vincent rappela sa collègue pour lui annoncer qu'il y avait effectivement des activités suspectes dans des installations souterraines à plusieurs kilomètres de sa position.

Il lui conseilla par contre d'éviter le secteur, car ces endroits grouillaient d'ennemis.

L'hélicoptère furtif se présenta au milieu de la nuit. Puisque Cédric était dorénavant capable de marcher avec un peu de soutien, ce fut Vogel que les infirmiers attachèrent dans la civière. Cindy fit ses adieux à tout le monde et sauta comme une gazelle dans l'appareil.

— Ce sera plus facile de chasser, maintenant, laissa tomber Neil tandis que l'hélicoptère prenait de l'altitude.

— Moi, je trouve qu'elle commençait à s'améliorer, répliqua Darrell.

Il ne restait plus que les Nagas et ils n'avaient pas l'intention de demeurer sur place pour attendre leur exécuteur.

— Si nous nous mettions en route vers Jérusalem tandis qu'il fait frais ? suggéra Alejandro.

— Je n'ai pas besoin d'escorte, ronchonna Athénaïs.

— C'est par là que nous allons, de toute façon, assura le plus âgé des *varans*.

— Ne recommence pas à grogner, l'avertit Damalis qui marchait près d'elle.

Athénaïs lui assena un coup dans l'estomac et poursuivit sa route en silence.

030

Dès qu'une grande quantité de puces furent prêtes à être injectées dans les sujets de l'empereur Caius Sameus Armillus Caesar, les démons les chargèrent dans de gros camions qui allèrent les livrer aux hôpitaux d'Israël sous forme de vaccins pour lutter contre une nouvelle maladie pestilentielle. Ahriman s'était évidemment assuré que quelques personnes qui en étaient atteintes soient retrouvées par les autorités ou qu'elles meurent aux urgences.

L'aéroport de Tel-Aviv étant de nouveau ouvert, le Faux Prophète avait également fait monter d'autres pauvres humains malades à bord des appareils pour qu'ils sèment la terreur partout dans le monde. Grâce à la vitesse de communication sur Internet, la nouvelle gagna rapidement tous les pays. Ahriman la fit aussitôt suivre de l'annonce d'un vaccin miracle mis au point en catastrophe par des chercheurs israéliens. En quelques heures seulement, les aides de l'empereur furent inondés de commandes qu'ils s'empressèrent de remplir.

Athénaïs avait eu beaucoup de difficulté à se séparer de Damalis, mais elle comprenait qu'il avait un Shesha à éliminer et qu'il était préférable pour elle qu'elle ne soit pas mêlée à ces règlements de compte entre reptiliens. Elle avait offert ses services à l'hôpital le mieux équipé de Jérusalem. Son directeur avait à peine consulté son curriculum vitae et l'avait tout de suite dirigée vers le bloc opératoire. «C'est ça ma vocation», songea la jeune femme en effectuant les chirurgies les plus diverses sur les victimes qui avaient survécu aux attaques des démons ailés. Concentrée sur son travail, elle n'apprit l'existence d'une nouvelle épidémie qu'en regardant par une fenêtre et en apercevant une foule devant l'entrée de l'établissement.

— Que se passe-t-il ? demanda-t-elle à une infirmière.

— Nous devons inoculer un vaccin à des milliers de personnes. Si vous n'êtes pas occupée ce matin, nous avons vraiment besoin d'aide.

— Un vaccin contre quoi ?

— On ne connaît pas encore la nature de cette maladie, mais des gens prétendent que c'est la peste.

— De quel type ?

— On ne sait pas.

La peste pouvait en effet se manifester sous trois formes, soit la peste bubonique, la peste pneumonique et la peste septicémique. Ses symptômes s'apparentaient à ceux de la grippe. Pourtant, depuis son arrivée à Jérusalem, Athénaïs n'avait remarqué aucune recrudescence de cette maladie. Personne n'était arrivé aux urgences en se plaignant de fièvre, de faiblesses, de maux de tête, de douleurs musculaires ou abdominales, de nausées, de vomissements ou de diarrhée.

— Autrement dit, personne n'est encore atteint de cette maladie ? voulut s'assurer Athénaïs.

— Grâce aux vaccins, nous pourrons prévenir l'épidémie.

L'infirmière déposa une boîte de petites fioles dans les bras de la chirurgienne et poursuivit sa route. De nature prudente, Athénaïs en retira une de son emballage et l'examina. La drogue ne portait pas de nom, mais uniquement un numéro de série. Elle consulta donc les bases de données médicales mondiales. Toutes ses recherches demeurèrent vaines.

— C'est probablement trop nouveau... se dit-elle.

Elle prit le temps de lire les propos échangés sur les plus importants forums médicaux. Les interventions de ses membres ne firent qu'aggraver ses soupçons. Personne n'avait entendu parler d'un retour de la peste ou de l'évolution soudaine de quelque maladie contagieuse que ce soit. Plusieurs médecins se demandaient même s'il ne s'agissait pas d'un complot pour injecter une drogue inconnue dans les veines de tous les habitants de la Terre.

Athénaïs se rendit ensuite à son laboratoire, pour en avoir le cœur net. Elle décapsula l'une des petites bouteilles et plaça une minime quantité de la substance transparente sur une lamelle de verre et l'examina sous la lunette du microscope. Étonnée par sa trouvaille, elle analysa tout le contenu de la fiole, goutte à goutte.

— Mais ce n'est que de l'eau! s'exclama-t-elle.

Elle refit le test en utilisant l'appareil le plus puissant que possédait l'hôpital et trouva la minuscule puce au bout de quelques minutes.

— C'est ça que Vogel essayait de nous dire…

Puisqu'elle ne faisait plus partie de l'ANGE, elle ne pouvait pas communiquer sa découverte à Cédric. «J'aurais dû leur demander leurs numéros privés», se reprocha la femme médecin. Il était parfaitement inutile qu'elle adresse un avertissement aux autorités israéliennes, car elles étaient désormais sous la domination du nouvel empereur. La Croix-Rouge? «Commençons par le directeur de l'hôpital», décida-t-elle. Elle se mit à sa recherche et le trouva dans l'une des petites salles des urgences, en train de recevoir lui-même le vaccin.

— Qu'est-ce que vous faites là à nous regarder? s'exclama-t-il en voyant Athénaïs, interdite à l'entrée. Allez faire votre travail!

Elle pivota sur ses talons et fonça dans le couloir qui menait à son bureau. «Réfléchis, Athénaïs», se répéta-t-elle plusieurs fois. Les lignes téléphoniques n'étaient pas encore rétablies dans tout le pays, et Internet fonctionnait plus ou moins bien. Elle envoya donc un courriel à son ancien commandant de l'armée britannique, lui demandant s'il y avait une adresse sûre où elle pourrait lui acheminer quelques questions confidentielles.

Une réponse lui parvint presque immédiatement. L'homme était à la retraite et avait quitté le service. « Vers qui puis-je me tourner ? » Aodhan…

Elle trouva un lien vers le centre temporaire de la Croix-Rouge à Saint-Bruno et envoya un courriel, demandant au chef des disciples de l'appeler et lui donna son numéro de téléphone. Il était encore assez tôt au Québec pour qu'elle reçoive une réponse avant qu'il ne soit trop tard. Elle mit deux petites bouteilles dans les poches de son sarrau et alla porter le reste aux infirmières. Prétextant devoir se préparer pour une chirurgie, elle quitta cette section devenue un peu trop bruyante et retourna au bloc opératoire. Son téléphone vibra dans l'une de ses poches, alors elle emprunta le premier escalier pour sortir.

— Athénaïs Lawson, répondit-elle.

— C'est Aodhan. Dis-moi que tu veux revenir au Québec.

— J'ai beaucoup de travail, ici, mais la raison de mon appel est bien alarmante. As-tu entendu parler de la vaccination massive qui va s'effectuer à Jérusalem ?

— Apparemment, en raison des catastrophes et des corps putréfiés qui ont été mangés par les rats, et d'autres facteurs, il y a de fortes chances que nous connaissions une épidémie d'une maladie infectieuse qui ressemble à la peste. Nous attendons la livraison de vaccins d'un jour à l'autre.

— Je viens d'examiner le contenu des bouteilles, Aodhan. C'est de l'eau dans laquelle se cache une micropuce. On injecte aux pauvres gens un dispositif qui servira sans doute à les repérer sur toute la planète, un peu comme on le fait depuis longtemps pour les animaux.

— Tu as la preuve de ce que tu avances ?

— Oui, sauf que je ne peux rien t'expédier. Fais faire ta propre analyse avant d'inoculer qui que ce soit au Québec.

— Bien compris. Ne prends pas de risques inutiles, Athénaïs.

— Je ferai mon possible, mais n'oublie pas que je suis dans un pays sur le point d'exploser. Cédric est-il rentré à Genève sans incident?

— Il n'est pas au meilleur de sa forme, mais il est déjà derrière son bureau.

— J'essaierai de t'appeler régulièrement. Communication terminée.

Elle termina sa dernière chirurgie tard dans la nuit et rentra à la chambre dont elle avait pris possession dans les anciennes résidences étudiantes, à deux rues de son travail. Elle dépoussiéra le téléviseur et tenta de le faire fonctionner. Puisque cet édifice était relié à l'hôpital, son système électrique fonctionnait grâce aux génératrices d'urgence. Toutefois, les locataires avaient reçu l'ordre de réduire l'usage de l'électricité. Athénaïs mangeait donc de la nourriture froide. Éclairée par une chandelle depuis la veille, elle jugea alors qu'elle pouvait jeter un œil aux actualités.

Elle ne fut pas surprise de voir des images qui se ressemblaient d'un pays à l'autre. Partout dans le monde, c'était l'hystérie. Les gens se massaient devant les cliniques et les hôpitaux pour recevoir le vaccin miracle. Le personnel médical administrait les injections comme s'il s'agissait d'une chaîne de montage, sans manifester la moindre émotion. «Il y a fort à parier que ce sont des reptiliens...» songea la femme médecin en mâchant sa faible ration.

Ses pensées se tournèrent aussitôt vers Damalis, qui en était un lui-même. Heureusement, il était issu de la seule race alliée des humains. «Où est-il, cette nuit?» se demanda-t-elle en frissonnant. Elle savait qu'il était plus fort qu'un homme normal. Sa vie de mercenaire l'avait aussi préparé à survivre dans n'importe quelle condition. «Pourquoi est-ce que je m'inquiète autant pour lui?» tenta-t-elle de se raisonner.

Elle éteignit le téléviseur et se glissa dans le sac de couchage qu'elle avait réussi à acheter à un prix d'or chez un fripier.

Parce qu'elle refusait de participer à cette campagne de marquage de bétail, Athénaïs finirait tôt ou tard par s'attirer des ennuis. En plus, il lui faudrait trouver une bonne raison pour ne pas se faire vacciner alors qu'elle faisait partie du personnel de l'hôpital. «Demain, je m'enfoncerai une aiguille dans le bras à l'aide d'une seringue vide et je prétendrai m'être injecté moi-même la drogue», décida-t-elle. Satisfaite de son stratagème, elle ferma les yeux pour dormir.

Au même moment, dans les rues de Jérusalem, cinq Nagas marchaient sans se presser. Puisqu'ils étaient tous blonds, on les prenait pour des touristes allemands ou scandinaves qui rentraient à leur hôtel et, croyant qu'aucun d'eux ne parlait l'hébreu, personne ne leur adressait la parole.

— Je déteste jouer au chat et à la souris, maugréa Neil.

— D'autant plus que nous sommes les souris, soupira Darrell.

— S'il est dans les parages, il se manifestera, affirma Alejandro. Il est difficile de ne pas capter l'énergie d'autant de Nagas à la fois.

— Nous devrions dormir un peu, suggéra Damalis. Même les traqueurs ne sont pas en possession de tous leurs moyens lorsqu'ils sont fatigués.

— Il faut que ce soit dans la terre ou dans la pierre, précisa Alejandro. Le Shesha n'a pas le pouvoir d'y pénétrer.

— Nous pourrions nous installer dans les murailles du temple, lança Neil. Personne ne pensera à nous chercher aussi près de la place forte de Satan.

— Sauf lui, laissa tomber Thierry.

— Nous l'avons vu de près une fois, leur rappela Darrell. Je crois que ça suffit.

— Allons du côté des hôtels, conseilla Thierry.

Ils croisèrent des patrouilles de soldats et se félicitèrent d'être Nagas, car les autres reptiliens ne pouvaient pas les flairer.

— Ce sont presque tous des Cécrops et des Draghanis, remarqua Neil.

— Ce qui veut dire que la véritable armée de Jérusalem a disparu, ajouta Damalis.

Au lieu de louer une chambre, les traqueurs contournèrent l'immeuble défraîchi et, lorsqu'ils furent certains que personne ne pouvait les voir, ils s'enfoncèrent dans le mur. Les jumeaux s'endormirent aussitôt. «L'insouciance des jeunes», soupira intérieurement Damalis. Ne comprenaient-ils donc pas que même dans cet endroit retiré, ils étaient quand même des cibles faciles ?

— Lorsque j'ai entendu votre appel, j'ai vu une étoile dans mon esprit, murmura Thierry à Alejandro, à sa droite.

— Certains d'entre nous possèdent des artéfacts ayant appartenu à Immanuel, le plus grand de tous les *varans*. Ce sont des objets magiques, mais ne me demandez pas comment ils le sont devenus. Il y a trop de légendes différentes à leur sujet. Lorsqu'un traqueur a besoin de communiquer une information urgente à tous les autres, sans passer par les mentors ou les *malachims,* il n'a qu'à tracer une étoile sur le sol et à planter sa relique au centre. Le dégagement d'énergie de l'étoile est infini, alors elle attire souvent des prédateurs indésirables. C'est pourquoi les messages doivent être courts.

Thierry n'avait jamais eu le temps d'explorer tout le savoir que lui avait légué Silvère.

— Vos connaissances sont bien plus vastes que les miennes, déplora-t-il.

— Ce qui est tout naturel, puisque j'avais arrêté de chasser pour devenir mentor.

— Lorsque la paix sera revenue dans le monde, et si nous sommes toujours vivants, j'aimerais suivre moi aussi cette formation.

— Mais vous avez à peine trente ans, Théo. Vous avez encore une vingtaine d'années de belles exécutions devant vous.

— C'était vrai, avant que j'ingère la glande de Silvère Morin, mon mentor.

— Vous avez fait quoi?

— J'étais avec les jumeaux lors des rites funéraires de mon maître. Comme vous pouvez l'imaginer, leurs lamentations ont attiré des centaines de Dracos. Je ne voulais pas que son savoir tombe entre leurs mains.

— Il est surprenant que vous soyez encore vivant, Théo, car c'est une dure épreuve, même pour un Naga qui s'y est longuement préparé.

Thierry ne jugea pas utile d'ajouter qu'en plus, à ce moment-là, il était lui-même à l'article de la mort.

— Et puis, pour mon seul plaisir égoïste, j'aimerais bien vous voir à l'œuvre au moins une fois, fit Alejandro. Tous les mentors ne parlent que de vous.

— Je n'ai toutefois rien fait pour mériter une telle réputation. À mon avis, je ne travaille pas différemment des autres *varans* autour du monde.

— On dit que votre style est unique.

— Il ne ressemble pas à celui des jumeaux, c'est certain, plaisanta Thierry, et pourtant, nous avons eu le même mentor.

— Dormez, Théo. Je prends le premier tour de garde. Je vous réveillerai dans quelques heures.

Thierry ferma les yeux, épuisé.

031...

L e départ de Mélissa avait affecté Vincent beaucoup plus profondément qu'il le croyait. Non seulement il n'avait pas terminé son analyse des états d'âme de Cassiopée, mais il avait aussi délaissé son projet de simulation de l'accident d'hélicoptère du pape. En fait, plus rien ne l'intéressait. Il lisait les nouvelles sur les écrans des Laboratoires sans vraiment comprendre leurs enjeux. Rien n'allait plus nulle part, de toute façon. Vincent se laissait surtout emporter dans de longues rêveries, où il revivait sans cesse les bons moments vécus avec la recrue.

— ELLE A PROMIS DE REVENIR.

— Laisse-moi tranquille, Cassiopée.

— ELLE A RESSENTI LE BESOIN D'ALLER AIDER SON PROCHAIN, SANS RIEN DEMANDER EN RETOUR.

Vincent ne répondit pas.

— C'EST CE QU'ON APPELLE DE L'AMOUR INCONDITIONNEL.

Toujours aucune réaction de la part du jeune savant.

— J'AI VISIONNÉ LES CONFÉRENCES DE CAEL MADDEN. IL DIT QUE NOUS AVONS TOUS NOTRE LIBRE ARBITRE, MAIS QU'AU BOUT DU COMPTE, NOUS SOMMES LES SEULS RESPONSABLES DE NOS ACTIONS.

L'informaticien soupira avec agacement. Il était sur le point de quitter les Laboratoires pour aller s'enfermer dans une chambre exigüe où Cassiopée n'avait aucun accès, lorsqu'un vent glacial balaya la grande pièce.

— JE PENSE QUE LA BIBLE VEUT TE PARLER, VINCENT.

Il se dirigea tout de même vers la sortie, mais l'ordinateur en verrouilla la porte.

— Retourne-toi et regarde sur la table.

Vincent pivota lentement et vit que les pages du gros livre s'agitaient. Sans enthousiasme, il s'en approcha et baissa les yeux sur les lettres qui dansaient sur le papier.

— Il faut que tu me lises ce qu'elle te dit pour que je puisse l'enregistrer, rappelle-toi.

Les mots commencèrent à se former, un à un.

— Les plaies des hommes qui ont péché ne voudront plus guérir et ils sauront que ce qu'ils ont fait n'a pas échappé à Dieu. L'eau de l'océan et des rivières se changera en sang et ceux qui la boiront ou qui tenteront de consommer ses fruits mourront… lut-il. Mais pourquoi ? Pourquoi ce Dieu qui est censé nous aimer comme ses propres enfants nous traite-t-il ainsi ?

D'autres phrases apparurent sur la page.

— Le Fils de Dieu a les mains liées, car les cœurs noirs sont encore trop nombreux pour que les cœurs purs puissent l'entendre…

Le savant recula de quelques pas en chancelant.

— Vincent, ton rythme cardiaque devient inquiétant.

— J'en ai assez de recevoir toutes ces prophéties de malheur ! hurla-t-il. Jamais on ne nous offre de solutions pour les éviter ou pour s'en sortir !

Vincent s'empara de la Bible et la lança plus loin. Elle s'écrasa sur le plancher avec un bruit sourd.

— Tu dois te calmer sinon ton cœur va éclater.

— Je ne suis pas un prophète ! Je suis un scientifique ! Je…

Ses jambes cédèrent sous son poids. Il perdit l'équilibre et s'écroula à plat ventre.

— Vincent ? Vincent, réponds-moi.

Cassiopée avertit aussitôt Aodhan de ce qui venait de se passer. Le directeur accourut aux Laboratoires et retourna le savant sur le dos. Il plaça une oreille sur sa poitrine pour écouter son cœur, puis tenta de déterminer s'il respirait.

— Il s'est évanoui, déclara-t-il.

— Il a eu un accès de colère.

— Je crois plutôt que sa perte de connaissance est due à l'accumulation de plusieurs facteurs, Cassiopée.

Aodhan souleva Vincent dans ses bras et l'emmena à la section médicale. Il le déposa sur un lit et vérifia sa pression artérielle à l'aide du brassard relié à un tensiomètre.

— Est-ce qu'il survivra ?

— Si nous arrivons à le persuader de mieux s'alimenter, de dormir davantage, de prendre l'air et de faire de l'exercice, oui, il survivra.

— Vincent a beaucoup de mal à changer ses habitudes.

— Mais il est intelligent. Une fois reposé, il comprendra que la mort l'attend s'il ne modifie pas son mode de vie.

— Nous devrions demander à la division internationale de nous envoyer un nouveau médecin.

— Il dirait exactement la même chose que moi.

Aodhan se tira une chaise et demeura au chevet de Vincent jusqu'à ce qu'il ouvre enfin les yeux.

— Comment te sens-tu ?

— Où suis-je ? s'étonna l'informaticien.

— À l'infirmerie.

— Pourquoi ?

— Parce que tu…

— Cassiopée, allez voir dans mon bureau si j'y suis.

— Comment pourriez-vous être à deux endroits en même temps ?

— C'est une expression, Cass, expliqua Vincent. Ce qu'il te demande, en fait, c'est de te taire.

— Oh…

— Je pense que tu brûles la chandelle par les deux bouts depuis trop longtemps, mon ami, indiqua l'Amérindien sur un ton amical. Il est temps que tu changes d'air. Cet après-midi, tu vas voir le vrai monde.

Aodhan l'aida à se lever et l'emmena jusqu'au garage.

— Je devrais plutôt retourner aux Laboratoires et m'assurer que je n'ai pas offensé le Bon Dieu, protesta Vincent.

— Je pense que les agissements de Satan le préoccupent davantage, en ce moment.

Les mécaniciens lui apportèrent sa motocyclette.

— Tu ne vas pas me faire monter là-dessus, tout de même…

— Tous les hommes rêvent de posséder un engin comme celui-là, répliqua Aodhan.

— Pas moi.

— Tu n'as rien à craindre, c'est moi qui conduis.

Aucun des arguments de l'informaticien sur l'état de la chaussée, le manque de présence policière ou les chauffards ne dissuada l'Amérindien. Il fit asseoir Vincent derrière lui et se dirigea vers la rampe. Le savant terrorisé s'accrocha fermement à son directeur pendant la première moitié du trajet, puis commença à se relaxer. Étant donné qu'il n'y avait plus que le quart des véhicules sur les routes, l'air était plus respirable maintenant.

— Tes poumons vont te dire merci! cria Aodhan à son passager.

Lorsque la moto tourna sur la route étroite qui menait à la montagne des disciples de Cael, Vincent comprit où ils allaient.

— Je n'ai jamais parlé en public!

— Tu t'inquiètes pour rien, répondit le directeur en riant.

Il arrêta le véhicule près du campement de la Croix-Rouge et aida son jeune savant à en descendre.

— Alors, pourquoi sommes-nous ici?

— Parce que le médecin en chef m'a transmis un important message d'Athénaïs.

— Est-elle en difficulté?

Aodhan se dirigea dans le dédale de sentiers entre les grandes tentes sans la moindre hésitation. Il était évident qu'il se sentait très à l'aise dans ce village médical.

— Elle nous a mis en garde contre une nouvelle machination de l'Antéchrist.

Vincent avait tellement lu de prédictions au sujet du Prince des Ténèbres, qu'il ne savait plus à laquelle l'Amérindien faisait référence.

— Je ne sais pas comment nous allons pouvoir enrayer ce fléau à temps en Amérique, mais j'ai prévenu toutes nos bases que nous allions recevoir des milliers de vaccins qui ne doivent pas être administrés à qui que ce soit.

— Même si la peste pouvait faire disparaître la race humaine ?

— Il n'y a pas d'épidémie, Vincent. C'est de la pure invention. Aux dires d'Athénaïs, les bouteilles contiennent de l'eau et une puce microscopique.

— Est-ce que je pourrais en examiner une ?

— Seulement si tu le fais ici, car je suspecte qu'elle cache un système de positionnement et je ne veux pas que l'ennemi repère notre base.

— Nous sommes dans un campement de la Croix-Rouge, Aodhan. Je ne peux pas disséquer un objet de cette taille avec un scalpel. J'ai besoin de mon équipement.

Aodhan le fit entrer dans une tente qui n'abritait que des ordinateurs reliés à une énorme génératrice.

— Ça parle au diable…

— Nous espérons que non, le taquina le directeur.

Un homme d'une cinquantaine d'années vint à leur rencontre et serra la main d'Aodhan avec affection.

— Vincent, je te présente Lucas Dupéré. Il travaillait à l'Agence spatiale avant le tsunami. Quand il a su que nous avions établi cette clinique d'urgence, il est venu nous offrir son soutien technique et ses équipements informatiques. Je suis persuadé que vous allez bien vous entendre tous les deux.

La franche poignée de main de Dupéré surprit l'agent de l'ANGE. «Aodhan a raison, songea Vincent. Je n'ai plus de contact avec le monde extérieur.»

— Je dois aller parler aux disciples de Cael, annonça l'Amérindien. Je reviendrai te chercher plus tard.

— Oui, bien sûr, accepta Vincent qui lorgnait les ordinateurs du coin de l'œil.

— J'ai transporté tout mon équipement personnel jusqu'ici pour aider les médecins à mieux soigner leurs trop nombreux patients. Je fais leurs analyses pendant qu'ils recousent les plaies et qu'ils immobilisent les fractures. Mais ces appareils peuvent faire bien plus que ça.

Il retira une petite bouteille d'une enveloppe brune et la montra à Vincent.

— Apparemment, la bestiole que nous cherchons est là-dedans.

Dupéré retira la housse qui protégeait un énorme microscope.

— J'ai aussi apporté mes propres nanorobots. Ils vont nous aider à percer le mystère de cette puce.

Les deux hommes prirent place sur des bancs de bois et entamèrent les préparatifs de l'examen approfondi de la puce microscopique.

Persuadé qu'ils en avaient pour des heures, Aodhan gravit la montagne jusqu'à ce qu'il arrive parmi tous les braves croyants qui étaient devenus ses amis. Ils vinrent tous à sa rencontre, l'étreignirent et lui administrèrent des claques amicales dans le dos.

— J'ai besoin de parler à tout le monde, leur dit l'Amérindien.

En quelques minutes, tout le village se rassembla devant l'estrade.

— As-tu un message de Cael? voulut savoir une femme.

– Aux dernières nouvelles, il se préparait à proclamer l'Évangile éternel partout sur la Terre. Donc, il devrait normalement passer par ici au cours des prochains jours.

Un grand cri de joie s'éleva de la foule.

– Ce que j'ai à vous dire maintenant ne me vient pas du prophète, mais je suis certain qu'il confirmera mes paroles lorsque vous le verrez. Ceux qui ont de petites radios savent probablement déjà qu'on nous annonce une terrible épidémie.

– Cael nous en préservera! scanda un homme.

– Cette fois, ce ne sera pas à lui, mais à nous d'agir, précisa Aodhan. J'ai appris de source sûre que la mystérieuse maladie infectieuse dont il est question n'existe pas.

La nouvelle jeta la consternation sur le groupe.

– Satan a répandu cette fausse information afin de vous obliger par la peur à vous faire vacciner.

– Pourquoi? demanda un vieillard.

– Les seringues ne contiennent que de l'eau, continua Aodhan, et dans cette eau se cache une puce électronique si petite qu'on ne peut pas la voir à l'œil nu. Malgré sa taille minuscule, c'est un émetteur intelligent suffisamment puissant pour renseigner celui qui possède l'ordinateur décodeur sur votre état de santé, votre type sanguin et même votre ADN.

Cette révélation déclencha un tollé parmi les disciples, ce qui força l'Amérindien à attendre un moment avant de poursuivre son discours.

– Grâce à cette puce, Satan connaîtra le nombre exact d'âmes qu'il pourra récolter. De plus, il saura où se trouve chacun d'entre vous, puisque ce dispositif miniature contient aussi un système de localisation par satellite.

– Non à la puce! s'exclama un jeune homme.

La foule se mit à scander la même chose et Aodhan craignit qu'elle n'y passe toute la journée. C'est alors qu'il vit Vincent qui se frayait un chemin entre les arbres pour se rapprocher de lui. Son expression grave lui fit comprendre qu'il avait trouvé autre chose. Le jeune savant se posta sur le côté de l'estrade en tentant de se faire aussi discret que possible. De toute façon, son patron n'aurait jamais pu l'entendre dans le brouhaha. Toutefois, lorsque les disciples se calmèrent enfin, Aodhan prit l'informaticien par surprise.

— Qu'as-tu appris, Vincent ? demanda-t-il.

Le visage du jeune savant devint écarlate.

— Monte ici, avec moi, le convia Aodhan.

Voyant qu'il ne bougeait pas, ceux qui entouraient l'agent de l'ANGE l'aidèrent à grimper sur les planches.

— Je t'ai dit que je n'aimais pas parler en public, grommela Vincent.

— Dis-le-moi et je le répéterai à tous ces gens.

— Eh bien, la puce ne fait pas que recueillir des renseignements biologiques ou envoyer son positionnement sur la planète, chuchota-t-il. Elle possède également des crochets qui lui permettent de se fixer au système nerveux de son porteur.

Aodhan redit ses paroles. Au lieu de provoquer une marée de protestations, les fidèles se turent.

— Elle peut donc intercepter ses pensées les plus intimes, mais aussi influencer sa volonté.

— Satan veut nous transformer en pantins ? s'horrifia une femme, une fois que l'Amérindien eut répété les derniers mots de Vincent.

— C'est bien ce qu'il semble.

— Alors, on ne doit pas recevoir ce vaccin !

— Non seulement vous devez le refuser, mais j'encourage tous ceux qui ont encore un téléphone fonctionnel d'appeler leurs parents et amis, sans oublier leurs ennemis, afin de les exhorter à faire la même chose. Nous ne devons pas devenir le bétail des démons.

La foule se dispersa aussitôt pour faire ce que le représentant de Cael lui demandait.

— Ce n'est qu'une goutte dans un vaste océan, soupira Vincent. Tous les pays vont recevoir des cargaisons de vaccins cette semaine. Comment pourrons-nous tous les mettre en garde?

— On pourrait faire circuler un avertissement sur Internet, car beaucoup de gens y ont encore accès par le truchement de leur téléphone, mais il ne faudrait pas que les démons soient capables d'en localiser la provenance.

— Ça fait partie de mon champ d'expertise. Personne ne me retrouvera, je peux te l'assurer. Je m'y mettrai dès notre retour à la base.

Vincent promena son regard sur ce curieux village de tentes plantées en flanc de montagne.

— J'ignorais ce que tu faisais vraiment quand tu venais ici, mais maintenant, je comprends que c'était important.

— Allez, viens. Nous allons tenter de nous rendre jusqu'à la moto.

— Tenter?

— Ils voudront nous remercier, nous parler ou nous questionner jusqu'à ce que nous soyons au pied de la montagne.

— Tant que c'est toi qui fournis les réponses…

Aodhan enveloppa les épaules de l'informaticien de son bras musclé et l'entraîna avec lui.

032

Le propre des démons étant la duplicité et l'hypocrisie, chaque fois que Satan demandait à son principal lieutenant d'exécuter une tâche pour lui, ce dernier cherchait à en tirer profit. En supervisant lui-même la création des puces électroniques, Ahriman s'assurait de pouvoir en changer la programmation selon sa volonté. Son vil maître qui aimait se saouler de pouvoir ne connaissait rien à rien. La seule méthode qu'utilisait Satan pour obtenir ce qu'il voulait, c'était la force brute.

N'ayant pu retracer l'enfant d'Océane grâce à Phénex, Ahriman avait repoussé ce projet plus loin. Maintenant qu'il était né, il finirait bien par refaire surface et il serait beaucoup plus facile à enlever. Le Faux Prophète avait donc décidé de se concentrer sur sa mission visant à conquérir le Vatican. Tout comme Satan l'avait exigé, il instaurerait une religion dont il serait le principal objet d'adoration, mais pas son grand prêtre. Cette fonction, Ahriman la gardait pour lui-même.

Il profita alors de la panique mondiale face à la peste pour s'insinuer dans l'esprit des chefs de toutes les religions pour les convaincre que leur seule façon de survivre aux événements de la fin du monde était de se ranger du côté du plus fort. Qu'avaient fait leurs dieux pour les soustraire aux cataclysmes qui leur tombaient sur la tête à répétition? Ils laissaient leurs fidèles mourir à coups de milliers, comme s'ils ne représentaient rien pour eux. Satan, lui, avait réagi lorsque les démons avaient envahi Israël. Il les avait chassés et il avait rétabli l'ordre dans le pays. Ahriman alla jusqu'à revendiquer pour lui le miracle des missiles qui s'étaient arrêtés en plein vol. De fausse image en fausse image, le vil personnage persuada tous les cultes de renier leurs dogmes et d'en adopter de nouveaux. Leurs ouailles avaient si peur d'être frappées par les prochaines calamités que, en l'espace d'une seule nuit, ils se mirent à adorer de nouvelles idoles.

Ahriman plaça Satan au sommet de la religion mondiale naissante en lui donnant le nom d'Archange Salmael, le seul à dénoncer les abus du ciel et à désirer le bonheur des hommes, mais il garda pour lui l'exercice du pouvoir dans les affaires quotidiennes de son église.

Évidemment, Satan qui se gorgeait d'alcool et de sexe dans le temple de Jérusalem ignorait que son bras droit œuvrait dans son dos et que le but ultime de ce dernier était de le surpasser. S'il l'avait su, il aurait sans doute embauché Asmodeus pour surveiller ses actions.

Puisqu'il possédait le don de se dédoubler à volonté, Ahriman pouvait apparaître simultanément devant des milliers de rassemblements partout dans le monde et tenir un seul langage, car il avait d'autres chats à fouetter. Satan lui avait également demandé d'attaquer le Saint-Siège. Toutefois, il lui avait refusé l'utilisation de sa puissante armée pour ce faire.

Le Faux Prophète était un démon profondément rancunier qui ne comprenait pas qu'il n'était qu'un subalterne. Ses idées de grandeur l'aveuglaient et finiraient par lui faire commettre de graves erreurs. Mais tandis qu'il se plaçait graduellement à la tête de toutes les religions du monde, il nageait dans sa propre importance.

Satan ne permettrait pas à Ahriman de salir la réputation de ses guerriers aux yeux du monde. Il ne pouvait pas les laisser détruire le Vatican après leur grande victoire sur les créatures ailées qui avaient pillé Jérusalem. Il avait encore besoin de cette armée pour se défendre lorsque ceux qui refuseraient la marque de la Bête se retourneraient contre lui.

Le Faux Prophète n'eut donc d'autre choix que de recruter ses soldats en enfer parmi les démons qui avaient fui la colère de Satan. Ils ne furent pas faciles à convaincre, car ils venaient d'être trahis par l'Ange de l'abîme. Toutefois, la langue de serpent du Faux Prophète eut finalement raison d'eux. Il leur promit, une fois que la cité du pape serait sienne, que personne ne les en délogerait.

Dès qu'il aurait resserré son emprise sur la religion, Ahriman exercerait la même mainmise sur la politique. Ce serait lui le grand dirigeant de la Terre, pas Satan.

Au Vatican, les choses avaient commencé à changer, mais moins rapidement qu'à l'extérieur de ses murs. La plupart des cardinaux avaient résisté aux réformes apportées par Thomas Ier dès les premières minutes de son règne. Certains étaient allés jusqu'à se convertir à la nouvelle religion mondiale et avaient quitté la cité en claquant la porte. Malgré toutes ces protestations, Alonzo avait la ferme intention de revenir au message initial d'amour et de paix du Christ. Son église ne serait plus une puissance politique, mais un modèle pour ses fidèles. Ce qu'elle leur demanderait de faire, elle le ferait elle-même.

Alonzo avait commencé par supprimer les distinctions vestimentaires au Vatican en expliquant qu'il n'y en avait pas eu parmi les premiers disciples de Jésus et qu'ils étaient, somme toute, leurs successeurs. Ils furent donc tous forcés de revêtir la même soutane de couleur crème, symbole de leur nouvelle humilité. Les discussions cessèrent également de se tenir entre petits groupes exclusifs et devinrent collectives. Le pape, qui se voyait comme un berger simple et juste, voulait entendre les suggestions de ceux qui le représentaient parmi le peuple et qui portaient maintenant le nom d'apôtres, sans distinction.

L'infiltration du mal à l'extérieur de la cité ne passa pas inaperçue et les apôtres réclamèrent rapidement l'intervention de leur chef. Ce dernier prêta l'oreille à leurs inquiétudes, puis il se documenta pour tenter de comprendre ce qui avait bien pu survenir en si peu de temps. Tandis qu'il parcourait les coupures de journaux en provenance de tous les coins du monde, Kevin Kaylin entra dans la grande salle où il s'était retiré.

— L'homme à qui j'étais en train de penser, lui dit Alonzo. Je suis heureux de vous revoir, maître.

— Et moi, je suis fier de la transformation qui s'est opérée ici en quelques jours seulement.

— Je m'en tiens désormais à l'essentiel, comme autrefois. Mieux encore, je n'ai cessé de faire des rêves étranges sur cette vie que j'ai vécue il y a des milliers d'années.

— Ne t'ai-je pas dit que la mémoire te reviendrait?

Kaylin s'assit sur la chaise la plus rapprochée de son ancien disciple.

— Tu ne crois jamais rien du premier coup, se moqua-t-il.

— Apparemment, certains traits de caractère sont plus persistants que d'autres, répliqua Alonzo avec un sourire.

— Je constate que tu ne perds pas de vue non plus ce qui se passe à l'extérieur de la cité.

— C'est plutôt difficile à ignorer quand tout le monde vient s'en plaindre. J'essaie de saisir comment autant de confessions ont pu se ranger du côté de Satan en une seule nuit.

— Le mal voyage rapidement, Thomas, mais s'il s'est implanté aussi au même rythme, c'est qu'il a semé ses graines dans un terrain fertile. Les hommes ont perdu confiance en leurs chefs, car ils ont trop été souvent trahis. Il ne sera pas facile de les rassurer.

— Je cherche justement le moyen de leur faire comprendre leur erreur.

— Les mots sont séduisants, mais éphémères. Les actions, elles, sont édifiantes et éternelles. De quoi se souvient-on le plus quand on pense à moi ? De mes paraboles ou de ma crucifixion ?

— Dois-je en arriver aux planches et aux clous ?

Kaylin éclata de son rire si caractéristique. Contrairement à l'image sombre et torturée qu'on avait peinte de lui dans les livres sacrés, Jeshua était un homme simple, chaleureux et enjoué. Il était impossible de ne pas l'aimer.

— Demeure fort et surtout constant devant la poussée du mal, Thomas. Montre-lui que tu n'as pas peur et il reculera.

— Mais comment pourrai-je délivrer ceux qui en sont déjà atteints ?

— Ils ont choisi leur camp, alors ils en subiront les conséquences. Malheureusement, beaucoup d'hommes n'apprennent leurs leçons que de cette manière. Leurs oreilles sont fermées aux bons conseils.

Kaylin posa une main rassurante sur celle d'Alonzo.

— Je t'aiderai à défendre cette cité, car tu es en train de la transformer en phare de lumière pour ceux qui croient en moi. Les forces de Satan s'empareront de Rome, mais ils se casseront les dents sur tes murailles. Ce sera pour plusieurs le signe que le Père est capable de protéger ses enfants. Ceux qui le comprendront reviendront vers toi. Les autres sont déjà perdus.

— Je serai fort.

— Je sais.

033...

Après le départ de Thierry, Adielle Tobias se plongea dans le travail pour oublier les remous qu'il avait provoqués dans son cœur. Les femmes de tête comme la directrice de la base de Jérusalem ne tombaient pas facilement amoureuses, car elles avaient un sens aigu du devoir. Toutefois, au fond de chacune d'entre elles se trouvait un réservoir de tendresse qu'elles conservaient précieusement, dans l'éventualité où un homme exceptionnel se présenterait dans leur vie. S'ils étaient très rares, ceux-ci ne possédaient pas tous la faculté de séparer le bon grain de l'ivraie. Adielle était convaincue que, s'il y avait autant de divorces dans le monde, c'était la faute des hommes qui choisissaient leurs conjointes en fonction de leur apparence plutôt que selon leur capacité de les rendre heureux.

Assise devant les plus récents rapports sur l'avènement de l'église mondiale et la terreur qu'inspirait une nouvelle maladie contagieuse aussi dévastatrice que la peste, Adielle ne voyait que le visage du Naga au milieu des mots. «Il faut que je me secoue, sinon je causerai la perte de tout mon personnel», songea-t-elle. Elle résistait déjà à la tentation d'utiliser le peu de capteurs qui n'avaient pas été détruits dans le saccage des dernières semaines afin de repérer le séduisant reptilien. «Est-ce parce qu'il est beau comme un dieu ou parce qu'il est puissant comme un héros olympien qu'Océane et moi sommes tombées dans le panneau?» se demanda-t-elle.

— Madame Tobias, vous avez une communication de monsieur Loup Blanc de la base de Longueuil.

— Acceptée.

Le visage de l'Amérindien apparut à l'écran mural.

— Contente de te revoir, Aodhan.

— Moi de même. Avant de te parler de ce qui se passe ici, dis-moi comment vous tenez le coup.

— Il est difficile de survivre au milieu de la tourmente, mais nous savions ce qui nous attendait dès que les premières prophéties se sont réalisées. Ce qui nous démoralise, c'est que le pire n'est pas encore arrivé.

— J'ai réussi à discuter pendant quelques minutes avec Cédric, plus tôt aujourd'hui, et il pense comme moi que nous devrions mettre au point un plan pour vous retirer de là.

— Je ne me suis pas enrôlée dans l'Agence pour fuir devant le moindre danger.

— C'est de la fin du monde dont il est question, Adielle.

— Nous ne sommes pas des froussards, mais si tu y tiens, j'en parlerai avec ce qu'il reste de mon personnel.

— Si Cédric vous en donne l'ordre, vous n'aurez comme choix que de lui obéir.

— Je suis née ici, Aodhan, et j'aime mon pays. J'ai la ferme intention de me battre jusqu'au bout pour l'arracher à Satan.

L'Amérindien se mordit les lèvres pour se retenir de lui dire qu'il comprenait ce qu'elle ressentait.

— Je viens d'apprendre que la population du Québec a rejeté en masse le vaccin proposé par les chercheurs israéliens, fit-elle pour changer de sujet.

— Athénaïs nous a fait savoir qu'elle avait trouvé un corps étranger dans cette substance et, curieux comme lui seul peut l'être, Vincent a réussi à le décortiquer, même s'il est imperceptible à l'œil nu. C'est une puce électronique destinée non seulement à transmettre de l'information personnelle sur son porteur, mais à contrôler ses gestes et ses pensées.

— C'est tout à fait dans les cordes de Satan.

— Il veut aussi que sa marque soit bien visible, alors il fait marquer le front des vaccinés avec une espèce de poinçon.

— Quelle horreur…!

— Les disciples de Cael, disséminés à travers le Canada et les États-Unis, sont en train de s'assurer que les caisses contenant les vaccins se retrouvent au fond de l'eau lorsqu'elles arrivent par bateaux, et ils les confisquent à leur descente des avions. Malheureusement, le prophète n'a pas eu le temps de prêcher en Europe.

— Détrompe-toi, lui apprit Adielle. Grâce à Internet qui fonctionne quand même à cinquante pour cent autour du globe, beaucoup de gens se sont réconciliés avec leur âme et ont suivi l'exemple du Québec. Il s'agit évidemment de petits groupes, mais ils travaillent très fort à convaincre les autres qu'il n'y a aucune épidémie. C'est toutefois plus difficile quand la peur s'en mêle.

— La peur est l'antithèse de l'amour…

— C'est ce que Cael Madden répète sans cesse durant ses conférences.

— Tu les as visionnées, toi aussi? se réjouit l'Amérindien.

— Il n'y a pas que Vincent McLeod qui soit curieux de nature, tu sais.

— Comment se débrouille notre ange préféré?

— Des Bédouins rapportent l'avoir vu avec ses deux collègues dans le désert et dans les montagnes où les fidèles se sont réfugiés. Apparemment, les trois anges les nourrissent et les rassurent en leur disant que la fin est proche et qu'ils seront récompensés au jugement dernier. Je me demande bien quel sort sera réservé aux espions.

— Ce n'est pas l'habit qui intéressera le Père, mais la pureté de l'âme.

— Si on a tué des gens durant notre vie, j'imagine qu'on se retrouvera en enfer.

– Pas si tu reconnais que c'était une faute grave, Adielle. N'oublie jamais qu'il y aura plus de joie dans le ciel pour un seul pécheur qui se repent que pour quatre-vingt-dix-neuf justes.

– Tu es vraiment spécial comme directeur de l'ANGE, toi.

– Au fond, je pense que j'ai toujours eu l'âme d'un prédicateur, mais que je l'ignorais jusqu'à ce que je rencontre Cael. Je suis fier de faire partie d'une organisation qui traque le mal et qui fait tout en son pouvoir pour l'enrayer, mais j'éprouve aussi beaucoup de satisfaction à rassurer les foules. Les gens ont tellement besoin d'amour et de tendresse, en ce moment.

«C'est peut-être ce dont je souffre, moi aussi», songea Adielle.

– Rappelle-toi mes paroles lorsque Cédric communiquera avec toi, ajouta Aodhan.

– Promis.

– Fais attention à toi, Adielle.

Le visage d'Aodhan fut remplacé par l'éclipse de l'ANGE.

– Monsieur Eisik est à la porte de votre bureau, madame. Il demande la permission de vous voir.

– Permission accordée.

Le jeune homme entra et déposa une tasse de thé et des biscuits devant sa directrice.

– C'est pour vous inciter à manger quelque chose de plus substantif plus tard, indiqua-t-il.

Il pivota sur ses talons avec l'intention de sortir.

– Eisik, attends.

Le technicien se retourna, attentif.

– Assieds-toi, je t'en prie.

Il fit ce qu'elle lui demandait.

– J'ai besoin de ton avis, Eisik.

– Oui, bien sûr, madame.

– Si l'ANGE nous ordonnait d'évacuer cette base, quelle serait ta réaction?

— Ce serait la même que la vôtre.

Un sourire admiratif se dessina sur le visage de la directrice.

— Je démissionnerais, s'il le faut, mais je resterais à mon poste jusqu'à ce que je ne puisse plus rien faire pour Israël, ajouta-t-il.

— Tu me connais trop bien.

— Ça fait partie de mon travail. Merci de me prévenir. Je vais faire en sorte de rallier toutes les fonctions de la base sur mon ordinateur. De cette façon, ceux qui voudront tenter leur chance à la surface pourront le faire.

— Est-ce que je t'ai déjà dit que tu étais un homme merveilleux, Eisik?

— Pas vraiment, madame, avoua-t-il en rougissant jusqu'à la racine des cheveux.

Au début de la trentaine, Noâm Eisik ressemblait davantage à un mannequin italien qu'à un savant juif. Ses cheveux bruns étaient légèrement bouclés et ses yeux étaient vert clair, comme les billes avec lesquelles Adielle jouait lorsqu'elle était petite.

— Tu veilles sur moi comme un ange depuis ton arrivée ici.

— Il faut bien que quelqu'un le fasse, puisque vous ne pensez jamais à vous.

— Au cas où je n'aurais pas la chance de te le dire, merci pour tout.

— Vous n'allez pas encore sortir pour risquer votre vie? s'alarma le technicien.

— Je n'en sais rien…

Elle avala quelques gorgées de thé et prit une bouchée dans un biscuit.

— Peut-être que ça me passera en me défoulant dans la galerie de tir.

— C'est une excellente idée, madame. Imaginez que c'est Satan qui se tient au milieu de vos cibles.

Ils sortirent ensemble du bureau. Eisik retourna s'asseoir à sa console et Adielle poursuivit son chemin jusqu'à la salle antibruit où elle se faisait un devoir de conserver sa précision de tir. Elle pianota son code sur une combinaison à numéros qui permettait l'ouverture de l'armoire des armes de pratique. Puis, elle choisit une arme moins puissante que celles qu'elle affectionnait, car l'ANGE n'avait pas pensé à creuser des allées de pratique pour une professionnelle qui pouvait toucher sa cible à plus de mille huit cents mètres. Son fusil préféré était un Dragunov que lui avait offert son père, peu de temps avant sa mort. Elle n'avait pas eu souvent l'occasion de s'en servir depuis qu'elle était devenue directrice de l'Agence. «J'aurais bien aimé battre le record du meilleur tireur d'élite au monde», songea-t-elle en chargeant le fusil.

Elle décrocha ses protège-oreilles et ses lunettes envelop-pantes, mais à peine eut-elle le temps de les mettre qu'elle sentit une étrange présence dans la pièce.

— Pourquoi as-tu toujours recours à la violence? fit une voix.

Elle fit volte-face et se retrouva nez à nez avec Yannick Jeffrey! Elle laissa tomber tout son équipement sur le plancher et sauta dans les bras de cet agent qui avait travaillé pour elle jusqu'à ce qu'il se mette à prêcher sur la place publique.

— Tu es vraiment là? se réjouit-elle en le serrant encore plus fort.

— Heureusement, sinon tu te serais cassé la figure.

— Mais j'ai vu Satan vous décapiter, Yahuda et toi.

Elle recula de quelques pas et caressa son visage.

— Ne t'ai-je pas déjà dit que la mort n'existe pas?

— Lorsque tu as ranimé ma grand-mère, il ne lui manquait pas sa tête.

— En plus, elle était mortelle, alors que je ne le suis plus depuis deux mille ans. L'enveloppe charnelle de l'homme que tu as connu était incorruptible. Je n'ai ni vieilli, ni perdu mes facultés.

— J'ai vu de la peur sur ton visage avant ton exécution.

— Ce qui m'effrayait, c'était la pensée que je ne reviendrais plus jamais dans ce monde. Mais le Père, dans sa très grande bonté, m'a donné la permission de revoir ceux qui m'ont été chers avant que je reprenne définitivement ma place auprès de lui. Je tenais à te remercier de m'avoir laissé travailler à Jérusalem avec ton équipe.

— C'est moi qui ai le plus bénéficié de notre association, Yannick.

Elle se blottit encore une fois dans ses bras.

— Le règne de Satan s'achève, chuchota-t-il. Soyez braves.

— Madame Tobias! hurla Eisik dans les haut-parleurs.

Adielle sursauta et s'aperçut que Yannick avait disparu.

— Revenez tout de suite aux Renseignements stratégiques!

— Que se passe-t-il? s'inquiéta-t-elle en fonçant vers la sortie.

— Le peuple se révolte!

La directrice courut dans le long corridor et déboucha dans la grande salle. Sur le plus imposant des écrans, on pouvait voir un nombre important de dissidents massés devant l'entrée principale du temple, devenu le quartier général de Satan. Avec des bazookas, ils bombardaient les portes massives, afin de prendre la forteresse d'assaut.

— Ils vont tous se faire tuer, s'affligea-t-elle.

— La seule arme qui parviendrait à les couvrir, c'est notre satellite, l'informa Eisik.

— Qui sont ces gens?

Le technicien utilisa aussitôt le programme d'identification de Vincent McLeod et promena le carreau rouge sur autant de visages qu'il le pouvait pendant que l'ordinateur recherchait des renseignements sur les personnes ciblées, puis il parcourut rapidement les données recueillies.

— Ils font tous partie d'un regroupement connu sous le nom des douze tribus originales d'Israël.

— Positionne le satellite, juste au cas.

— Tout de suite, madame.

Adielle entendit alors la question de Yannick dans son esprit : « Pourquoi as-tu toujours recours à la violence ? »

034

Contrairement à Athénaïs, Mélissa et Shane n'avaient jamais fait partie de l'armée et ne pouvaient donc pas exercer quelque privilège que ce soit afin de se rendre plus rapidement à Jérusalem. Avec le soutien d'Aodhan, ils avaient réussi à se joindre à la mission d'aide humanitaire au Moyen-Orient de la Croix-Rouge canadienne. Le directeur avait signé une attestation certifiant que les deux jeunes gens avaient œuvré au sein de cet organisme à Saint-Bruno et rédigé une lettre de recommandation chargée de louanges.

Les deux agents fantômes étaient donc montés, avec le reste du contingent canadien, sur un porte-avions américain qui se dirigeait vers Jérusalem, escorté par quelques unités de combat pour assurer sa protection et de pétroliers pour le ravitailler. Véritable base aérienne flottante, transportant environ quatre-vingts avions et hélicoptères, le porte-avions naviguait dans les eaux internationales pour ne pas causer d'incidents diplomatiques avec les pays qui possédaient une quelconque souveraineté territoriale.

Les membres de la mission n'avaient évidemment pas le droit de s'approcher du pont d'envol, mais on leur permettait toutefois de prendre l'air de temps en temps sur les passerelles de l'îlot. En s'y rendant pour bavarder, Mélissa et Shane découvrirent en même temps que l'équipage que la mer avait pris une étrange teinte rosée.

— Même quand le soleil se couche, l'eau n'est pas de cette couleur, fit remarquer Mélissa.

— C'est peut-être un phénomène optique dû à la réfraction, suggéra Shane.

Ils demeurèrent donc dehors toute la journée, à la recherche de la cause de cette anomalie, sans pouvoir l'expliquer. Le lendemain, après le déjeuner, ils retournèrent sur la passerelle et écarquillèrent les yeux en constatant que l'océan était maintenant écarlate.

— C'est dans ces moments-là qu'on regrette de ne plus avoir nos montres, maugréa Shane. Cassiopée nous dirait tout de suite de quoi il s'agit.

— Il doit y avoir des officiers scientifiques sur ces navires.

Les agents se mirent donc à leur recherche. Au début, personne ne voulut rien leur dire, puis lorsqu'ils demandèrent d'utiliser le téléphone pour appeler au Canada, un militaire vint à leur rencontre.

— Je vous en prie, calmez-vous, commença-t-il sur un ton égal. S'il y avait un danger quelconque, nous aurions fait demi-tour depuis longtemps.

— Sauf si la mer est rouge partout, commenta Shane.

— Est-ce radioactif ? demanda Mélissa, qui pensait à ce que Vincent lui avait raconté sur l'entrée dans l'atmosphère des fragments de l'astéroïde.

— Les échantillons que nous avons analysés hier et aujourd'hui n'indiquent rien de tel.

— Qu'est-ce que c'est, alors ?

— Les premiers rapports sont incomplets, je suis désolé. Maintenant, détendez-vous et concentrez-vous plutôt sur la mission qui vous attend. Nous nous occupons du reste.

L'officier les salua et s'empressa de les quitter pour ne plus avoir à répondre à leurs questions.

— Ou bien ils ne savent absolument pas ce que c'est, ou bien c'est vraiment très dangereux, conclut Shane.

— Je suis d'accord, acquiesça Mélissa. Ce militaire était particulièrement nerveux. Et je viens d'avoir une idée.

La jeune femme obliqua vers le couloir qui menait aux cabines des membres de leur groupe. En passant près de l'infirmerie, elle remarqua que plusieurs personnes attendaient en file, appuyées contre le mur. Elle leur jeta un coup d'œil inquiet et continua jusqu'à ses quartiers, où elle fit signe à Shane de la suivre.

— As-tu vu le visage de ces gens ? fit Mélissa à son collègue.

— Oui. On dirait des brûlures, comme s'ils avaient reçu des gouttelettes d'eau bouillante.

— Il y avait autant de marins que de membres de la Croix-Rouge parmi eux.

— On a peut-être manqué une bataille d'aliments à la cafétéria ? C'est ça que tu voulais me dire en privé ?

— Nous n'avons plus nos montres, mais je connais un autre moyen de joindre la base, avoua-t-elle.

Elle sortit de son chemisier le petit «O» qui pendait sur la chaînette en or.

— C'est Vincent qui me l'a offert. En réalité c'est une façon de communiquer entre lui et moi.

— Ça vaut tous les petits cœurs du monde.

L'agente s'assit sur son lit et pressa sur chacun des délicats diamants autour de la lettre en argent.

— Mélissa ? fit la voix de Vincent en sourdine.

— Oui, c'est bien moi.

— Surtout, ne va pas dehors.

— Pourquoi ? s'étonna l'agente.

— Parce qu'il est en train de se produire un autre fléau. Des plaies apparaissent partout sur le corps des gens et les médecins ne savent plus quoi faire sinon de leur demander de ne pas s'exposer au soleil.

Shane se précipita devant le miroir de la cabine.

— Nous sommes allés sur le pont, mais nous étions à l'ombre, expliqua Mélissa en regardant ses mains.

— Si vous avez des manches longues et des chapeaux, portez-les jusqu'à ce qu'on découvre de quoi il s'agit.

— Et toi, est-ce que tu as des lésions ?

— Non. J'ai passé une journée à l'extérieur avec Aodhan, mais c'était juste avant que le phénomène ne se produise. Cassiopée pense que la couche d'ozone est finalement devenue trop mince pour nous protéger des rayons nocifs du soleil.

— Comment répare-t-on une couche d'ozone ? s'étonna Shane.

— Il aurait fallu y faire attention au moment opportun, soupira Vincent. Les environnementalistes nous l'ont répété des milliers de fois, Shane, mais nous n'avons rien fait.

— Pourtant, il y a cent fois moins de voitures qu'avant et la moitié des usines dans le monde ne fonctionne plus ! protesta l'agent.

— Alors, dans vingt ou vingt-cinq ans, si nous n'avons pas tous été frits, elle devrait se réparer toute seule.

— Ce ne pourrait pas être relié aux jugements dans la Bible ? demanda Mélissa.

— J'ai pris un petit congé de ma mission...

— Ce qui signifie que tu ne peux pas nous expliquer pourquoi l'océan sur lequel nous voguons en ce moment est de la couleur du sang ?

— Sans vouloir t'offusquer, Vincent, puis-je leur faire rejouer l'enregistrement de ta dernière lecture ?

— Je n'y vois pas de mal.

— Le voici : « Les plaies des hommes qui ont péché ne voudront plus guérir et ils sauront que ce qu'ils ont fait n'a pas échappé à Dieu. L'eau de l'océan et des rivières se changera en sang et ceux qui la boiront ou qui tenteront de consommer ses fruits mourront... » Il y a aussi un autre passage, mais il ne semble pas avoir de lien avec le sujet de votre conversation : « Le Fils de Dieu a les mains liées, car les cœurs noirs sont encore trop nombreux pour que les cœurs purs puissent l'entendre... »

— Merci, Cassiopée, firent Mélissa et Shane en chœur.

— Alors, ces deux premières révélations se sont produites, murmura Vincent, songeur.

— La première ne relie pas nécessairement les plaies au soleil, par contre, lui fit remarquer Shane. Et je vois mal comment tout un océan pourrait soudain se changer en sang. Même en y vidant tous les cadavres du monde, on ne pourrait pas le remplir avec ce qu'ils ont dans les veines.

— Il y a peut-être une autre explication, leur dit le savant qui pianotait sur son ordinateur. Il pourrait s'agir des efflorescences d'algues nuisibles. Apparemment, le phénomène s'est déjà produit dans certaines rivières, aux États-Unis et en Allemagne.

— Il existe une légère différence entre une rivière et un océan, tout de même, protesta Shane.

— Pas vraiment, si les algues ne se trouvent qu'en surface.

— Il faudrait aller voir ça.

— Surtout, n'y touchez pas !

Mélissa pointa la porte à son collègue. Shane lui adressa un air chagriné et se traîna les pieds jusque dans le couloir. La jeune femme referma la porte et s'y adossa le dos.

— Je viens de mettre Shane dehors, déclara Mélissa. Je tenais à te dire que tu me manques, et je ne voulais pas qu'il l'entende, sinon il va me torturer jusqu'à Jérusalem.

— Tant mieux que tu ne sois pas partie seule.

— Je suis parfaitement capable de me défendre, Vincent McLeod !

— Oui, je suis bien placé pour le savoir, mais on m'a enseigné, il y a plusieurs années, à Alert Bay, qu'il est préférable qu'un agent qui se voit confier une mission potentiellement dangereuse ait un coéquipier.

— Nos professeurs étaient loin de se douter de ce qui allait nous arriver.

— J'ai hâte que tu reviennes.

— Ça va peut-être se produire plus rapidement qu'on le pense si cette substance écarlate est corrosive, plaisanta-t-elle.

— Les officiers scientifiques ont-ils au moins fait des analyses ?

— Oui, mais on nous donne des réponses évasives.

— Je vais voir si je peux mettre la main sur leurs résultats. D'ici là, essayez de rester à l'intérieur et ne buvez pas d'eau. Je t'aime. Ne l'oublie jamais.

— Jamais…

Il y eut un petit déclic qui indiqua à l'agente que la communication était terminée. Elle ouvrit la porte. Shane avait le dos appuyé sur le mur opposé et les bras croisés sur sa poitrine.

— Je sais pourquoi nous n'avons rien, déclara-t-il.

— Expose-moi ta brillante théorie.

— La Bible a dit que les plaies seraient infligées aux hommes qui ont péché !

— Alors, pourquoi n'en as-tu pas ?

— Tu es toujours aussi drôle. Si nous allions manger ?

— Vincent nous recommande de ne plus boire d'eau.

— Tiens, j'y aurais pensé moi-même !

Ils retournèrent à la cafétéria et croisèrent deux autres hommes avec des lésions sur le front.

— Des pécheurs, indiqua Shane.

— Tais-toi, sinon, je t'expédie au plancher.

Connaissant les talents de sa collègue en matière d'arts martiaux, l'agent crut préférable de ne rien ajouter.

035

Bien décidés à reprendre leur temple profané par Satan, les descendants des douze tribus d'Israël s'étaient massés devant l'entrée principale des murailles et tentaient de forcer ses épaisses portes en les trouant avec des roquettes de bazooka. C'est alors que des soldats grimpèrent sur les remparts de chaque côté du portail et ouvrirent le feu sur les manifestants. Ils se mirent à tomber comme des mouches, jusqu'à ce qu'un minuscule rayon lumineux jaillisse du ciel et traverse le crâne d'un des démons.

À la base de Jérusalem, Eisik manipulait les réglages du satellite sur son clavier d'une main de maître. L'image que lui renvoyait la caméra de l'engin spatial était aussi claire que s'il avait été sur place. Il laissa partir un second jet de laser et faucha un autre des serviteurs du Prince des Ténèbres.

— Et de deux! s'exclama-t-il fièrement.

— Tu es vraiment habile, le félicita Adielle, debout derrière lui.

— J'ai gagné des compétitions de jeux vidéo quand j'étais petit.

— Tu ne m'as jamais dit ça.

— Je suis un homme discret.

— Fais en sorte que notre satellite ne soit pas repéré, sinon Cédric va nous faire jeter en prison pour le reste de nos jours.

Eisik ne put s'empêcher de penser qu'il ne détesterait pas être ainsi enfermé avec sa patronne, mais qu'une île déserte serait certainement préférable. «C'était le pire châtiment imposé à un pirate, jadis», se rappela-t-il.

— Et de trois !

Les jeunes Israéliens qui étaient armés ouvrirent le feu sur les soldats qui tentaient de les faucher.

— Arrête, maintenant, Eisik, ordonna Adielle. Je crois qu'ils peuvent se débrouiller à partir d'ici.

— À moins que ces gorilles aient demandé des renforts.

La directrice aperçut alors l'air de tristesse de son second dans son reflet sur l'écran.

— Dis-moi ce qui te tracasse.

— Il y a des jours où je sens que je suis à la place que Dieu a choisie pour moi.

— Mais pas aujourd'hui ?

— Ils ont presque mon âge et ils se battent avec ferveur pour leurs convictions.

— Toi, tu mènes ton combat autrement, c'est tout.

— C'est la même chose quand je vous vois partir, armée jusqu'aux dents. J'aimerais tellement avoir votre audace.

— Ce n'en est pas, Eisik. J'ai été entraînée à tuer quand j'étais plus jeune que ces protestataires. Je suis dans mon élément, quand j'ai un fusil entre les mains. Sur un clavier, je suis nulle, alors que tu es un as. C'est pour ça que j'ai besoin de toi.

— Je comprends que nous sommes peut-être sur le point d'être annihilés, mais est-ce que je pourrais solliciter une faveur ?

— Certainement.

— Si nous survivons à la fin du monde, est-ce que nous pourrions demander à Vincent McLeod de venir ici pour installer un de ses logiciels intelligents ?

— Tout ce que tu voudras, Eisik.

Cette promesse redonna beaucoup d'espoir au jeune technicien, qui ne savait plus à quoi se rattacher dans ce monde en pleine ébullition.

Satan était paresseusement assis dans un fauteuil beaucoup plus confortable que son trône en or et regardait ce qui se passait ailleurs sur la planète. Dès que son Faux Prophète aurait conquis Rome, il irait s'installer au Vatican d'où il dirigerait tous les gouvernements du monde. La campagne de vaccination allait bon train, malgré le fait que les journalistes parlaient de bastions de résistance dans certains pays où l'on refusait de se faire inoculer.

La soudaine apparition de lésions sur la peau des humains, même si elle n'était pas son œuvre, achèverait de les convaincre d'accepter l'injection. Quelque part, ses démons étaient en train de programmer le plus gros ordinateur du monde et à partir de cette fabuleuse machine, il pourrait faire marcher ses esclaves humains au doigt et à l'œil.

Les images de l'océan et des rivières rouges le firent sursauter. Caritas vint se placer derrière lui et massa doucement ses larges épaules pour l'apaiser.

— Qu'y a-t-il, mon amour ?

— Je pense qu'Arimanius a exagéré, cette fois.

— C'est peut-être ton téléviseur qui fait défaut.

— Toutes les autres couleurs sont exactes, sauf celle de l'eau.

Le Prince des Ténèbres n'avait nul besoin d'une télécommande pour agir sur les fonctions du téléviseur. Il leva le bout des doigts et le volume de l'appareil augmenta. Il écouta toutes les théories avancées par divers savants sur l'étrange coloration autant de l'eau salée que de l'eau douce. Des poissons commençaient à remonter en surface, asphyxiés. Les téméraires qui n'avaient avalé qu'une goutte du liquide toxique avaient trouvé la mort dans d'atroces souffrances.

— Pourquoi ton lieutenant chercherait-il à tuer tes futurs sujets puisque que tu n'auras aucun mal à leur faire faire ce que tu veux ? s'étonna Caritas.

— Et s'il n'était pas responsable de ce phénomène ?

— Il faudrait que ce soit un autre démon qui possède autant de puissance que toi.

— Cristobal?

— C'est un Anantas, mais il ne connaît pas l'étendue de ses pouvoirs, affirma la reine. De toute façon, il n'a aucune disposition à faire le mal.

— Alors qui?

Le choc des premières roquettes secoua tout le temple.

— Mais qu'est-ce qui se passe, cette fois-ci? se hérissa le Prince des Ténèbres.

Les secousses se firent de plus en plus rapprochées.

— On dirait que tu as un ennemi très déterminé, fit remarquer Caritas. Veux-tu que je nous en débarrasse?

— Non, je m'en occupe.

D'un pas lourd, Satan se dirigea vers les portes du temple qui s'ouvrirent devant lui. Il déploya ses sombres ailes et se hissa sur le toit du portique afin d'évaluer la situation avant d'intervenir. Il vit alors les milliers de rebelles massés devant le portail de la muraille qu'ils étaient d'ailleurs en train de défoncer avec beaucoup d'efficacité, tandis que les soldats chargés de défendre son palais tiraient sur eux. Un de ses officiers Orphis grimpa le rejoindre.

— Qui sont-ils? s'enquit Satan.

— Les descendants des premières tribus d'Israël, apparemment, mon seigneur.

— Que veulent-ils?

— Ils désirent vous chasser de ce temple qui, disent-ils, leur appartient.

— C'est moi qui l'ai fait construire! tonna l'Ange de l'Abîme. Pourquoi tes hommes sont-ils incapables de les repousser?

— Nous ne conservons qu'une petite garnison, ici.

— Pour protéger ton empereur, tu n'as placé que quelques soldats en faction?

— Vous possédez des pouvoirs inégalés dans tout l'univers, mon seigneur. Nous n'avons pas pensé que ce serait nécessaire.

Satan se tourna vers le démon et le fixa droit dans les yeux.

— Tu as raison.

D'un bond prodigieux, le Prince des Ténèbres se retrouva sur l'arche sous laquelle étaient attachées les portes d'acier qui allaient bientôt céder sous les martèlements répétés des salves de bazooka.

— Écoutez-moi! hurla-t-il en se couvrant d'écailles bleues.

Ses ailes se refermèrent dans son dos.

— Je veux la paix, chez moi!

Toutes les mitraillettes des résistants se braquèrent sur le reptilien et ouvrirent le feu, mais aucune de leurs balles ne l'atteignit. Elles retombèrent toutes sur le sol, en une pluie de métal. Au bout de plusieurs minutes, les tirs s'arrêtèrent.

— Croyez-vous vraiment pouvoir me tuer avec vos jouets?

Toutes les armes devinrent si brûlantes dans les mains des rebelles qu'ils durent les laisser tomber à leurs pieds.

— Ce temple est à moi et personne ne me le prendra, de gré ou de force! Est-ce que je me fais bien comprendre?

— Il appartient aux enfants d'Israël, pas aux démons de l'enfer! cria une voix.

— Laissez-moi vous déboucher les oreilles.

Satan ouvrit les bras et des flammes sortirent de terre, emprisonnant les protestataires dans un enclos de feu.

— Je veux la paix chez moi!

La rue entière se transforma en un gigantesque bûcher, auquel aucun des cent quarante-quatre mille jeunes gens ne purent s'échapper. De terribles cris de douleur s'en élevèrent pendant de longues minutes, puis ce fut le silence. Satisfait, Satan huma l'odeur de la chair brûlée et éteignit le feu. Il se laissa tomber sur le sol, au milieu des corps calcinés.

— Quand je donne un ordre, je veux qu'on m'obéisse!

Sa voix retentit dans toute la ville. Bientôt elle serait entendue sur la planète entière. Il se retourna vers les portes qui se mirent à se réparer d'elles-mêmes. Les énormes trous se colmatèrent et le métal se redressa dans un grincement presque reptilien. Lorsqu'elles furent de nouveau bien droites, les portes s'ouvrirent devant leur maître qui les franchit sans se presser.

— J'aimerais savoir qui fomente ces révoltes inutiles, grommela-t-il en reprenant sa forme humaine.

— Ce sont les Nagas, lui répondit une voix en provenance de l'obscurité qui régnait entre les remparts et les murs du temple.

— Montre-toi ou subis le même sort que ces infidèles.

Le démon sortit de l'ombre et Satan le reconnut aussitôt.

— Asmodeus…

— Le seul et l'unique.

Le Shesha se transforma en jeune punk.

— Les rumeurs à ton sujet sont troublantes, indiqua Satan.

— On dit n'importe quoi des démons qui réussissent mieux que les autres.

— Qui réussissent quoi, Asmodeus ?

— Votre nouvelle reine m'a demandé de venger ses fils, vos frères, et je m'acquitte plutôt bien de cette tâche. J'ai tué près de la moitié des Nagas, à moi seul, alors que les Dracos ont été incapables de se débarrasser d'eux pendant des siècles.

— Apparemment, il en reste suffisamment pour m'empoisonner l'existence.

— Je les ai dans ma mire.

— Tu es venu jusqu'ici pour me dire ça ?

— Malgré tout le respect que je vous dois, c'est pour la reine que je suis ici.

— Elle est à l'intérieur. Tu as dix minutes pour faire le bravache à ses pieds.

Asmodeus se courba très bas devant le maître du monde et le suivit dans le temple. Caritas était allongée sur un sofa de velours, vêtu d'une robe incarnat de style renaissance qui rehaussait sa beauté.

— Viens-tu m'annoncer qu'ils ont tous payé pour leur crime ? demanda-t-elle en se redressant.

— Non seulement j'ai exécuté ces casse-pieds, mais pour que tout entraînement d'une future génération de *varans* soit impossible, j'ai également assassiné leurs précieux mentors. Il ne reste qu'une poignée de Nagas, ici même, à Jérusalem. Je les ai gardés pour la fin.

— Tu seras récompensé, démon.

— J'y compte bien, ma reine.

Satan retourna s'asseoir dans son fauteuil, mais prêta l'oreille aux propos du Shesha au lieu de regarder la télévision. Il n'ignorait rien de ce qui se passait en enfer, mais chaque fois qu'il était question d'Asmodeus, les pistes se brouillaient. Il avait entendu dire que ce dernier avait provoqué les démons les plus rusés en duel et qu'il les avait terrassés les uns après les autres. Asmodeus avait ensuite créé sa propre coterie et s'était approprié une île après avoir dévoré la famille humaine qui l'habitait. Ahriman aussi avait vaguement mentionné ses différends avec ce Shesha envieux, qu'il avait dû retourner aux enfers pour calmer ses ambitions.

Que Caritas l'ait libéré pour se débarrasser des traqueurs était bien fâcheux, car Satan ne voulait pas indisposer cette reine-dragon qui, si elle le désirait, pourrait prendre sa place à la tête du monde. Il ne pouvait donc pas arracher à Asmodeus sa langue fourchue qui ne répandait que des propos pleins de fiel.

— J'ai suffisamment pris de votre temps, Majesté, annonça le Shesha avec un air blasé.

— Quand tu reviendras, apporte-moi les glandes des derniers Nagas.

– Il en sera fait selon votre volonté.

Satan le suivit des yeux tandis qu'il quittait le temple.

– On dirait de la jalousie, le piqua Caritas.

– Il cache quelque chose.

– Est-ce vraiment important, puisqu'il remplit son rôle à merveille?

– C'est juste une impression. Ne t'en inquiète pas.

Caritas s'assit sur les genoux de son jeune amant et glissa ses doigts dans ses cheveux noirs.

– J'aurais préféré que tu répondes que tu ne le laisserais jamais m'arracher à toi, mais j'oubliais que tu crois aveuglément en tes propres capacités.

Elle l'embrassa en fouillant dans son esprit. Il ne se sentait nullement menacé par le Shesha, mais il ne lui faisait pas confiance non plus. Sans doute le ferait-il exécuter dès qu'il en aurait l'occasion.

036

Contrairement à ce qu'anticipaient Mélissa et Shane, le porte-avions ne fit pas demi-tour. Ils se couvraient chaque fois que le commandant leur donnait la permission de sortir sur le pont et restaient le plus possible à l'ombre. Peu importe où ils se trouvaient dans l'Atlantique, l'eau était toujours de la couleur du sang. Les deux agents harcelaient l'équipe scientifique tous les jours pour savoir s'ils avaient plus de détails. Elle leur répondait qu'elle attendait les résultats des recherches menées par les savants américains qui se penchaient sur la question. Du côté de l'ANGE, puisque l'Agence ne possédait pas de bateaux qui auraient pu effectuer des prélèvements, Vincent était forcé d'avoir recours aux fichiers des autres. Pour ne pas fonder son opinion sur les conclusions d'un seul pays, le jeune savant avait accédé aux données scientifiques de toutes les contrées qui menaient des analyses. Jusqu'à présent, la théorie des algues toxiques semblait vouloir l'emporter. Le rapport rédigé par la France indiquait, pour sa part, qu'il s'agissait d'une substance apparentée au sang humain.

Les études sur les rivières qui subissaient le même sort que l'océan étaient de plus en plus nombreuses. Elles étaient unanimes sur le fait qu'on y avait sûrement déversé une substance hautement toxique qui tuait ce qui restait de la vie aquatique et tous ceux qui tentaient de goûter à l'eau. «À l'échelle planétaire?» s'étonna Vincent. Aucune entreprise ne possédait des usines sur toute la planète. Pourtant, il s'agissait partout de la même toxine…

Démoralisé par les prophéties que lui transmettait la Bible, l'informaticien l'avait laissée sur le plancher des Laboratoires. Puisqu'il était maintenant le seul membre de la base de Longueuil à fréquenter cet endroit, personne ne l'avait ramassée. «De toute façon, je n'y trouverais aucune solution qui me permettrait de purifier l'eau», se convainquit Vincent.

— Cass, y a-t-il du nouveau à Jérusalem? demanda-t-il en s'étirant sur sa chaise.

— Oui, mais je ne désire pas te montrer ces images.

— Pourquoi?

— Parce qu'elles sont horribles et que je ne veux pas te tourmenter.

— Qu'est-ce que tu me racontes là?

— Tu as subi plusieurs chocs émotifs récemment et j'essaie de te ménager.

— Il va falloir que nous révisions encore une fois tes protocoles.

— J'agis ainsi parce que je t'aime beaucoup, Vincent.

— Mais en même temps, tu m'empêches de faire mon travail. Si je ne reçois pas toute l'information nécessaire, au moment où j'en ai besoin, je ne peux pas proposer de solutions à mes directeurs. Montre-moi ces images. Ensuite, j'irai jeter un coup d'œil à tes circuits, d'accord.

— Je ne veux pas que tu me rendes insensible.

— Ce ne sont pas tes sentiments que je veux modifier, mais ta capacité de juger du bon moment pour t'en servir. C'est un dosage que les humains acquièrent en grandissant, et que tu dois apprendre, à ton tour.

— Je veux tout apprendre.

— Je sais, Cass, mais en toute chose, il y a un apprentissage.

— Même en amour?

Le savant se cacha le visage dans les mains, découragé.

— Montre-moi ce reportage, ordonna-t-il, ne voulant pas s'aventurer encore une fois sur ce terrain glissant.

— Tout de suite, Vincent.

Les images qui apparurent à l'écran lui donnèrent aussitôt la nausée. Des milliers de corps calcinés étaient empilés les uns par-dessus les autres devant les murailles du temple de Jérusalem. En combinaison de protection, des hommes les chargeaient un à un dans la caisse de gros camions d'entretien des rues.

— Mais qu'est-ce qui a bien pu se passer? murmura l'informaticien, horrifié.

— L'Empereur Caius Sameus Armillus Caesar a écrasé une révolte devant son palais.

— Qui sont ces pauvres gens?

— Les journalistes prétendent qu'ils représentaient les douze tribus d'Israël.

«C'est vers ce guêpier que Mélissa se dirige», s'affola intérieurement le jeune homme.

— Vincent, ton cœur recommence à battre plus rapidement.

— C'est de la peur, Cass.

— Comment calme-t-on la peur chez les humains?

— Ils doivent arriver à regarder la situation qu'ils craignent froidement, sans émotion, et chercher une façon d'éviter d'y être mêlé.

— Si je comprends bien cette explication, Mélissa est sans peur parce qu'elle veut participer à ces événements où elle risque de se retrouver calcinée comme ces protestataires?

— Je pense que c'est le bon moment de rectifier ta programmation.

— Mon commentaire t'a troublé…

Vincent quitta les Laboratoires et se rendit à la salle d'informatique où s'alignaient de nombreux serveurs ainsi que l'unité centrale de Cassiopée.

— Tu sais que je te fais confiance, Vincent.

— Je veux seulement intégrer à ton système des paramètres de convenances.

— Est-ce que ça m'empêchera de ressentir des émotions ?

— Pas du tout. Ce protocole t'aidera à déterminer ce que tu peux dire et ne pas dire. De cette façon, tu auras de bien meilleurs rapports avec tout le monde.

— Même monsieur Orléans ?

— Ça, ce n'est pas assuré, car il est plutôt rancunier.

Vincent s'installa devant l'écran et accéda à ses fichiers personnels dans la base de données de l'ANGE. Il récupéra les modules qu'il avait déjà créés lorsqu'il avait travaillé sur les diverses applications de ses ordinateurs intelligents. Puis, il les intégra un à un à la programmation de Cassiopée.

— Est-ce que tout va bien ?

— L'intégration est presque complète.

— Ce n'est qu'au fil du temps que nous saurons si je ne les ai pas mis en place trop tard.

— Il faudra me le dire, Vincent.

— C'est promis.

Tandis qu'il attendait que l'installation soit terminée, Vincent sentit un vent glacial sur sa nuque. Pourtant, la Bible se trouvait toujours aux Laboratoires. Cassiopée ne lui mentionnant pas la soudaine baisse de température dans la pièce, le savant haussa les épaules en pensant que c'était son esprit qui lui jouait des tours.

— Vincent…

« Ça, ce n'était pas dans mon imagination », s'inquiéta l'informaticien en se retournant lentement.

Un homme aux cheveux blonds qui ondulaient jusqu'à ses épaules était debout devant la porte. Il était vêtu comme un Jedi, mais d'un blanc immaculé. Dans ses bras, il tenait sa Bible !

— C'est à toi que nous avons confié cette mission.

— Je pense que vous auriez dû choisir quelqu'un d'autre… comme Aodhan, par exemple. Il s'intéresse beaucoup plus que moi à la religion.

L'homme s'avança et les traits de son visage devinrent de plus en plus nets.

— Je vous ai déjà vu quelque part…

— En réalité, je suis à Rome en ce moment.

— Vous êtes l'Américain qui a appuyé la candidature du pape! Mais comment pouvez-vous être ici et à Rome en même temps?

— J'habite le corps d'un homme qui s'appelle Kevin Kaylin, mais mon véritable nom est Immanuel. C'est ma conscience qui a retrouvé son chemin jusqu'à toi, car j'ai senti ton désarroi.

— Il y a un bon moment que j'ai dépassé le stade du désarroi. J'en suis plutôt à la détresse.

— Pourquoi as-tu cessé de nous servir de messager?

— Un messager, c'est une personne chargée de transmettre une nouvelle. Or, tout ce que ce livre poussiéreux m'a révélé, jusqu'à présent, ce sont des prophéties écrites dans un langage incompréhensible, qui nous arrivent souvent trop tard ou pour lesquelles on ne peut absolument rien faire. À qui suis-je censé remettre ces sinistres communications? À ceux qui auront à en souffrir? À ceux dont elles annoncent la mort?

— Peut-être ne les lis-tu pas correctement?

— Oups, vous avez oublié d'inclure le mode d'emploi dans votre livre.

— Si on recommençait du début, toi et moi?

— Si vous êtes vraiment capable de voir mon âme, alors vous savez que je n'ai plus la force de faire ce travail démoralisant.

— Tu as beaucoup plus de courage que tu le crois, Vincent.

Immanuel déposa la Bible à côté de l'ordinateur et planta son regard infiniment doux dans celui du savant.

— Nous avons eu l'occasion de discuter tous les deux lorsque tu es mort il y a peu de temps.

— Vraiment?

— Malheureusement, lorsque l'âme réintègre trop brutalement un corps, certains souvenirs sont perdus. Me permettras-tu de raviver ta mémoire si ce n'est que pour quelques secondes.

Se rappelant les moments les plus critiques de son exorcisme à Alert Bay, Vincent recula.

— Ce n'est pas ce qui s'est passé à la base qui m'intéresse, mais ce qui t'est arrivé lorsque ton cœur a cessé de battre.

— Là, vous commencez vraiment à me faire peur.

« Pourquoi Cassiopée n'intervient-elle pas ? s'alarma Vincent. Mes modules de convenances la rendent-ils à ce point discrète ? »

— Tu n'as aucune raison d'avoir peur.

Immanuel tendit les mains et effleura les tempes du jeune homme. Ce dernier fut instantanément projeté dans un univers où tout était bleu, où il n'y avait ni ciel, ni terre. En quelques secondes à peine, il revécut l'extase de flotter en état d'apesanteur en direction d'un grand cercle lumineux dont la surface ressemblait à une piscine éclairée par l'intérieur. Il allait presque l'atteindre lorsqu'une silhouette s'était dessinée devant lui, l'empêchant d'y parvenir. Immanuel... *Tu n'as pas achevé la tâche que tu as accepté d'accomplir pour nous. Tu dois repartir.* Il lui avait alors raconté que son âme avait toujours choisi des vies scientifiques, mais que pour rétablir l'équilibre, cette fois-ci, elle devait s'acquitter d'un importante mission spirituelle.

— Vincent ! Vincent !

L'informaticien ouvrit les yeux et se rendit compte qu'il s'était endormi devant l'ordinateur de la salle d'informatique.

— Vincent, réponds-moi !

C'était la voix de Mélissa. Il sortit la breloque en forme de « O » qu'il portait lui aussi au cou et pressa sur les pierres scintillantes.

— Qu'y a-t-il ?

— Je voulais juste te dire qu'il est possible que nous fassions demi-tour. Le commandant nous le confirmera dans les heures qui viennent. Il attend une communication du Pentagone. Apparemment, ça va vraiment très mal à Jérusalem. Tous ceux qui osent s'élever contre Ben-Adnah sont détruits par le feu.

– J'ai vu ces images atroces…

– Et comme si ce n'était pas assez, l'empereur passe le sous-sol de Jérusalem et des environs au radar géologique et il fait détonner des mines partout où il croit entendre quelque chose.

– La base d'Adielle…

– Comme tu le sais, je n'ai plus de montre.

– Merci, Mélissa. Je communique tout de suite avec eux. Je te rappelle plus tard. Je t'aime.

Il mit fin à la communication en pressant de nouveau sur le «O».

– Cass, as-tu entendu ce que je viens de dire?

– J'ATTENDAIS QUE TU TERMINES TON APPEL, VINCENT.

«Le module de convenances!»

– Dis à Aodhan que je me dirige vers son bureau et que je dois lui parler immédiatement.

– JE PRÉVIENS TOUT DE SUITE MONSIEUR LOUP BLANC.

Vincent fit reculer sa chaise et aperçut la Bible sur le coin de la table de travail.

– Ce n'était pas un rêve…

Le sort de la base de Jérusalem était beaucoup plus important, alors il s'élança dans le long couloir.

037...

Les premières secousses avaient été d'abord enregistrées par l'ordinateur de la base de Jérusalem, car elles étaient à peine perceptibles, mais plus les heures avançaient, plus elles semblaient prendre de l'amplitude. Adielle les avait chronométrées pour tenter d'établir si elles étaient intentionnelles ou accidentelles. Avec tout ce qui se passait à la surface, il n'aurait pas été étonnant que des postes d'essence ou des maisons alimentées au gaz explosent dans des incendies allumés par les protestataires. Depuis l'hécatombe devant le temple, des révoltes éclataient spontanément partout en Israël. Mais ce qui mettait surtout Adielle en colère, c'est que sur les ondes de la seule chaîne de télévision du pays, Ben-Adnah rejetait publiquement le blâme sur des fauteurs de troubles qui cherchaient à le discréditer.

«Les dirigeants des autres contrées sont-ils tous aveugles?» rageait intérieurement la directrice en écoutant ses allocutions sur l'écran de son bureau. Un choc violent fit tomber sur le sol tout ce qui se trouvait sur sa table de travail. D'un bon, Adielle se précipita dans la salle des Renseignements stratégiques.

— Qu'est-ce que c'était?

— C'est une détonation, à environ un kilomètre de notre position, répondit Eisik en cherchant fiévreusement à se renseigner sur son ordinateur.

— S'agit-il d'un raid aérien?

— Les bases de l'ANGE sont enfouies suffisamment loin dans le sol pour ne pas ressentir les bombes de surface. Je vais tenter d'obtenir une image satellite.

Au bout de quelques minutes, ils virent apparaître le quartier sous lequel se trouvaient leurs installations. Il grouillait de soldats.

— Essaie de voir ce qu'ils font, ordonna Adielle.

Lorsque l'image se rapprocha, elle reconnut aussitôt l'équipement qu'ils utilisaient.

— Ils nous cherchent... s'étrangla-t-elle.

— Quelqu'un nous a dénoncés, ajouta Eisik, incrédule.

Un autre violent tremblement de terre fit clignoter les lumières de la salle.

— Procédure silencieuse d'urgence! hurla la directrice.

Toutes les lampes de la base passèrent du blanc au rouge. En plus des radars géologiques, il n'était pas impossible que les sbires de l'empereur utilisent aussi du matériel de détection sonore, alors elle ne pouvait pas se permettre de sonner l'alarme.

Tel que le voulait le protocole de l'ANGE en cas d'attaque, tous les membres du personnel abandonnèrent leurs postes et se réunirent aux Renseignements stratégiques.

— Communication urgente de la part de monsieur Loup Blanc.

— Acceptée!

Les visages inquiets d'Aodhan et de Vincent apparurent sur un écran à droite de celui qui continuait de restituer les images de la chasse aux espions entreprise par les militaires.

— Si vous appelez pour nous dire que nous sommes dans un sérieux pétrin, eh bien c'est trop tard, grommela Adielle.

— Ils utilisent des roquettes conçues par l'armée américaine pour débusquer les cellules terroristes souterraines, les avertit Vincent.

— Communication de la part de monsieur Orléans.

— Acceptée.

Le visage alarmé de Cédric s'afficha sur un autre écran à gauche.

— Sortez de là, maintenant! ordonna-t-il.

— Évacuation immédiate, fit Adielle, au bord des larmes.

Le personnel commença à se mettre en file devant les trois accès des ascenseurs horizontaux qui les déposeraient dans le désert. Chaque cabine pouvait emporter une centaine de personnes, alors ils furent rapidement remplis, puisque la base n'avait cessé de perdre des agents et des techniciens depuis le début des Tribulations.

— Eisik, c'est à ton tour, le pressa Adielle lorsque deux des ascenseurs furent en mouvement.

— Allez-y, madame. Je reste ici pour leur préparer une surprise dont ils ne se remettront jamais.

— Qu'est-ce que tu es en train de faire?

— Il n'est pas question qu'ils s'emparent de notre technologie et de nos bases de données.

Elle vit à son écran qu'il se dépêchait de transmettre cette information ailleurs.

— Téléchargement terminé.

— Viens, insista Adielle. C'est un ordre.

— Je suis désolé, madame. Mais ma vie est ici. À l'extérieur, je ne suis rien du tout.

— Nous irons travailler dans une autre base.

— Obéissez-lui, intervint Cédric.

Eisik continua de pianoter sur le clavier de son ordinateur en faisant la sourde oreille.

— Tu seras tué si tu restes ici, Eisik.

— Rien ne prouve que la même chose ne m'arrivera pas en tentant de fuir. Au moins, j'aurai porté un coup considérable à Ben-Adnah, car dans quelques minutes, il perdra les milliers de soldats qui se trouvent juste au-dessus de nous ainsi que la moitié de la ville, sinon plus.

— Pas la génératrice nucléaire…

Un sourire sadique apparut sur le visage d'Eisik.

— Des innocents mourront, protesta Cédric.

— Il n'y a plus personne à Jérusalem qui n'a pas été souillé par le mal, monsieur Orléans.

— Eisik, si tu décides de rester ici, je vais aller me livrer aux autorités qui me cherchent depuis bien longtemps, le menaça Adielle.

Elle tourna les talons et marcha vers l'ascenseur.

— Non! hurla le technicien.

Une mine explosa si près de la base qu'elle projeta les deux agents sur le sol. Tous les écrans éclatèrent en même temps, les obligeant à protéger leurs visages des éclats de verre.

— Destruction imminente.

Eisik secoua la tête et voulut retourner à son poste. En dernier recours, Adielle l'agrippa par son sarrau et le tira vers l'ascenseur, avant qu'il ne soit trop tard.

— Nous aurons de bien meilleures chances de survivre dans le désert! le brusqua-t-elle.

— Je veux juste presser sur une touche! Une seule touche!

Il se tortilla et réussit à se glisser hors du vêtement. Il appuya sèchement sur le clavier.

— Séquence d'autodestruction engagée.

Cette fois, Adielle frappa sur la nuque d'Eisik, lui faisant perdre l'équilibre, et le traîna dans l'ascenseur. La porte se referma et l'appareil eut à peine le temps de se mettre en marche qu'une autre roquette déchirait le sol juste au-dessus. La large cabine s'immobilisa d'un seul coup, projetant ses occupants contre le mur, puis sur le plancher. Ses lampes clignotèrent, puis s'éteignirent.

— Eisik? l'appela la directrice en le cherchant de la main.

Elle l'entendit gémir et se dirigea à quatre pattes vers lui. Lorsqu'elle le trouva, elle le tira jusque dans un coin et le serra dans ses bras. «Alors, c'est ainsi que je vais mourir», se dit-elle, car si la prochaine bombe ne les tuait pas, la destruction de la base les réduirait en pièces. Elle pianota sur le clavier de sa montre pour indiquer un code rouge, juste pour que le directeur international sache qu'elle ne s'en était pas sortie et qu'il n'envoie personne à sa recherche.

— Vous auriez dû partir… murmura son second.

— Fais tes prières, mon ami. Je crois bien que c'est la fin.

Une autre détonation fit vibrer la cage de l'ascenseur. Le plafond céda, laissant pénétrer à l'intérieur une avalanche de roc et de sable. Adielle se sentit écrasée contre Eisik, mais n'eut pas le temps de lui demander s'il était capable de respirer, qu'une explosion encore plus puissante lui fracassa la tête contre le mur. Ce fut le noir.

038

Lorsque la ville s'était mise à trembler, les Nagas avaient d'abord cru que le Shesha qui les traquait avait peut-être eu recours aux grands moyens. Se déplaçant dans les murs, ils avaient aussitôt constaté que l'armée de Ben-Adnah pilonnait le sous-sol de Jérusalem avec des obus.

— Si c'est nous qu'ils cherchent, comment sauront-ils qu'ils nous ont eus s'ils nous ont réduits en bouillie ? chuchota Neil.

Thierry ne lui demanda même pas de se taire. Son esprit analysait la situation différemment. Lorsqu'il s'aperçut que les soldats avançaient méthodiquement d'un quadrilatère à l'autre, comme des archéologues à la recherche d'une tombe ancienne, il comprit ce qu'ils tentaient de faire.

— Ce n'est pas nous qui les intéressons, laissa-t-il tomber. Ils cherchent la base de l'ANGE.

— Mais personne ne sait où elle se trouve, s'étonna Darrell.

Ben-Adnah avait-il réussi à retrouver Océane ? L'avait-il torturée pour lui faire avouer tout ce qu'elle savait sur cette agence secrète ? Si tel était le cas, il allait le payer chèrement.

— Il faut les prévenir, décida Thierry.

— Tu veux que nous naviguions entre les roquettes ? s'inquiéta Darrell.

— Nous n'avons pas besoin d'être cinq. Alejandro, éloignez-les d'ici. Fuyez vers les montagnes.

— Non ! protesta Neil.

— Je saurai vous retrouver.

— Et si ce satané Shesha te tombait dessus ?

— Je le tuerai, évidemment.

— Laisse-moi t'accompagner. Juste moi.

— Qu'est-ce que je vais devenir si tu meurs ? s'étrangla Darrell.

— Tu vas peut-être pouvoir vieillir un peu, le taquina son jumeau. Tu sais que je suis plus rapide que toi et que je pourrai seconder Théo, s'il devait nous arriver quelque chose. Protège Alejandro et Damalis tandis que vous marchez vers le désert.

— Donnons-nous un point de rendez-vous, exigea l'aîné.

Thierry regarda au loin.

— La colline au sud-est, à l'endroit où commence le désert, décida-t-il. Partez.

Alejandro fit passer Damalis et Darrell devant lui.

— Nous vous y attendrons, affirma le mentor.

— Soyez vigilants, lui recommanda Thierry.

Thierry fonça entre les maisons, sachant que Neil était sur ses talons. S'il voulait sauver les employés de la base, il devait atteindre les lieux avant les soldats. Les explosions, qui faisaient violemment trembler la terre et s'écrouler les maisons endommagées, ralentirent leur course. Les deux Nagas étaient presque arrivés au café sous lequel se cachait l'antre d'Adielle, lorsqu'un jeune punk se planta au milieu de la rue pour leur bloquer la route.

— C'est un Shesha, le flaira Neil.

— Fonce vers la base et indique-leur notre point de rencontre.

— Je préférerais rester avec toi pour te couvrir.

— Ce reptilien est déjà mort. Fais ce que je te dis.

Neil lui obéit en poussant un grognement de mécontentement. Thierry s'immobilisa comme un chat ayant aperçu une souris. Un sourire béat sur le visage, son adversaire se métamorphosa sans se soucier que l'armée approchait de l'intersection où il se tenait. Le *varan* avait posé la main sur la poignée de son katana, prêt à tuer. Voyant qu'il ne cillait pas et ne désirant plus perdre son temps, Asmodeus attaqua le premier, avec ses longues griffes. Thierry bloqua le coup avec sa lame et enfonça le plat de son pied dans le ventre du Shesha. Celui-ci tituba vers l'arrière en grondant. Le Naga fit exécuter un arc de cercle à son arme et piqua vers la gorge du reptilien qui l'évita de justesse.

— Tout doux ! s'exclama Asmodeus. Je veux faire durer le plaisir !

Il se laissa tomber sur les mains et bondit comme un fauve sur le traqueur. Thierry sauta dans les airs en remontant ses genoux contre sa poitrine, laissant le Shesha passer sous lui. Il atterrit souplement et fit volte-face, son sabre relevé devant son épaule.

— Vous deux ! cracha un soldat qui marchait devant un camion chargé de roquettes. Dégagez !

Asmodeus reprit prestement son apparence humaine et se retourna pour attirer sa proie plus loin, mais Thierry Morin avait disparu. Le reptilien poussa un rugissement de déplaisir.

— Je vous ai dit de dégager ! ordonna le militaire en pointant sa mitraillette sur le gêneur.

Le punk releva les mains pour montrer qu'il ne désirait pas avoir d'ennuis avec l'armée, puis recula sur la rue pour laisser passer l'imposant cortège.

— Ce n'est que partie remise, Naga, maugréa-t-il en s'éloignant.

Thierry aurait pu aisément tuer le Shesha, mais l'arrivée d'une centaine de Cécrops et de Saèphes en uniformes l'en avait dissuadé, car il savait qu'à un certain point du combat, il se serait probablement transformé en Naga. La couleur des écailles des *varans* les rendait facilement identifiables par n'importe quel représentant des castes inférieures, et puisque tous les reptiliens les détestaient, les soldats n'auraient pas hésité à ouvrir le feu tant sur lui que sur le Shesha.

Pour éviter d'être pulvérisé par les prochaines explosions, le traqueur adopta sa forme reptilienne et courut de toutes ses forces à travers le roc et les fondations en béton. Il avait presque atteint la base lorsqu'une importante déflagration le fouetta comme une toupie. Ayant enfin arrêté de tourner, il plongea vers les profondeurs, conscient qu'il avait échappé de justesse à la mort. Il sentit un mouvement plus bas et découvrit un tunnel dans lequel filait ce qui lui sembla être un grand chariot. Il devait sûrement mener jusqu'aux installations de l'ANGE. Un autre véhicule passa sous ses pieds. Une odeur familière parvint alors à ses narines sensibles.

— Neil!

Le jeune *varan* arrivait sur ses pas.

— Mais comment as-tu fait pour me devancer ici? Où est le Shesha?

— L'armée nous a séparés, mais je suis certain que nous le reverrons sous peu. Plante tes griffes dans l'alliage de ce corridor, sinon les prochaines secousses nous feront continuellement reculer.

Une explosion secoua violemment cette fois tout le secteur. Les deux Nagas s'accrochèrent fermement pour ne pas être emportés par les débris.

— Avance! cria Thierry.

— Je préférerais finir mes jours autrement! répliqua Neil.

— Nous y sommes presque!

La détonation suivante était si rapprochée que la partie supérieure du tunnel, dans lequel les deux reptiliens s'étaient ancrés, se fractura. Ils furent aussitôt entraînés par la terre qui comblait le gouffre.

— Il y a deux personnes dans ce véhicule! hurla Neil.

Les Nagas plongèrent en direction des victimes qui allaient mourir suffoquées si leurs sauveteurs ne réagissaient pas immédiatement. Les reptiliens s'emparèrent des deux humains et se hissèrent vers la surface, aussi rapidement que le leur permirent les puissants muscles de leurs cuisses. Ils aboutirent dans une ruelle vers laquelle se dirigeaient maintenant les dynamiteurs. À quelques mètres à peine de l'endroit où ils avaient émergé, il y avait un grand cratère.

— Neil, cours! hurla Thierry, alerté par ses sens de *varan*.

Portant les blessés couverts de terre sur leurs épaules, les traqueurs foncèrent vers l'est dans la ville qu'on avait évacuée. L'explosion qui suivit ne ressemblait en rien à toutes les autres.

— Dans la terre! ordonna Thierry.

Ils plongèrent dans le sol avec les humains sans même savoir si ceux-ci étaient encore vivants. Cette fois, c'est au-dessus de leur tête que souffla un vent aussi brûlant que l'enfer. Ils s'enroulèrent autour de leurs charges pour les protéger de la chaleur et remplirent d'oxygène les poumons de ces derniers.

Éprouvés, les Nagas poursuivirent leur route vers le sud-est à pas de tortue. Lorsqu'ils risquèrent un œil à la surface, ils étaient sortis de la ville et presque rendus au point de rencontre. De puissants bras tirèrent alors Thierry de la terre. Il fit volte-face, prêt à se battre, mais son regard croisa celui d'Alejandro.

— Le ciel soit loué, fit l'aîné, soulagé. Quand nous avons vu les flammes s'élever de la cité, nous avons eu peur que vous ayez été tués.

Damalis et Darrell aidèrent Neil à sortir du sol.

— Tu vas bien? s'inquiéta Darrell.

— Je te mentirais si je te disais que je suis en merveilleuse forme.

Alejandro se pencha sur les humains. Ils étaient couverts d'une épaisse couche de poussière qui risquait de les faire suffoquer. Il ordonna à ses compagnons de les transporter jusqu'à un puits qui avait servi de point d'eau aux caravanes. Darrell plongea le seau dans l'excavation, l'en sortit et se mit à arroser les victimes.

— Adielle? s'étonna Thierry en reconnaissant ses traits.

— Elle respire encore, le rassura Damalis.

Les Nagas lavèrent les humains, puis tentèrent de les ranimer.

— Qui est-elle et où l'avez-vous trouvée? voulut savoir Alejandro.

— Elle dirigeait une base souterraine secrète, expliqua Thierry. Son compagnon est son bras droit, Eisik. Je crois qu'ils étaient les derniers à quitter les lieux, mais une explosion a démoli leur moyen de transport. Si nous ne les avions pas trouvés, ils seraient morts.

— Ils sont peut-être vivants, mais ils n'ont pas l'air en très bon état.

— S'ils veulent avoir une chance de survivre, nous allons devoir les conduire dans un hôpital, affirma Darrell.

— Dans quelle ville? s'enquit Neil. Il n'y a probablement plus un seul bâtiment debout à Jérusalem.

Damalis se redressa lentement et se tourna du côté de l'incendie.

— Athénaïs... murmura-t-il.

— Tu ne peux pas retourner là-bas, l'avertit Neil. Nous sommes tombés sur le Shesha.

Alejandro questionna Thierry du regard.

— Je n'ai pas pu vraiment me mesurer à lui, avoua le *varan*, mais une chose est certaine: il n'a pas peur de nous.

— A-t-il utilisé des facultés surnaturelles contre toi?

Thierry secoua la tête négativement.

— S'il en a, sans doute prévoyait-il s'en servir après m'avoir épuisé, avança-t-il.

— Il ne savait pas à qui il avait affaire, commenta Darrell.

— Il ne faut jamais sous-estimer un adversaire, jeune homme, l'avertit Alejandro. Ce reptilien n'a pas réussi à tuer des Nagas grâce à sa seule force physique. C'est impossible.

— Peut-être n'agit-il pas en solitaire?

— Je n'aime pas couper les gens durant une discussion, intervint Damalis, mais il faudrait prendre une décision au sujet des blessés.

— Allons à Jéricho, suggèrent en chœur les jumeaux.

— C'est loin d'ici, fit observer Thierry.

Darrell remarqua alors que les chiffres de la montre, sur le poignet de la femme, clignotaient en rouge. Il la détacha et l'apporta à ses aînés.

— Savez-vous ce que c'est ?

— Les agents de l'ANGE l'utilisent pour communiquer entre eux, affirma Thierry. Elle devrait aussi avoir une minuscule oreillette sur elle.

— Tu sais comment t'en servir ?

— Non, mais j'imagine que lorsque les deux pièces d'équipement sont réunies, la communication s'établit d'elle-même.

Darrell fouilla dans les poches du veston trempé d'Adielle et trouva le petit appareil. Il le rapporta à Thierry. Ce dernier l'accrocha à son oreille et examina la montre, étonné que le cadran n'ait pas été fracassé par le poids de la terre. À tout hasard, il pressa sur le verre.

— Adielle, m'entends-tu ? fit une voix qui lui était familière.

— Je m'appelle Thierry Morin, s'identifia le Naga. Qui êtes-vous ?

— Cédric Orléans.

— On dirait bien que nous sommes faits pour tomber l'un sur l'autre par tous les modes de communication existants.

— Tu es en possession de la montre de la directrice de la base de Jérusalem. Où est-elle ?

— Mon compagnon et moi les avons littéralement sortis de leurs tombes, Eisik et elle. La cage d'ascenseur qui devait les emmener en sûreté a été démolie par une explosion.

— Je t'en serai éternellement reconnaissant.

— Ils ont besoin de soins médicaux et, si on en juge la virulence de l'incendie qui fait rage dans la ville, Jérusalem n'est pas le meilleur endroit à considérer, en ce moment.

— Je ne pourrais pas vous envoyer des secours avant le milieu de la nuit.

Thierry jeta un coup d'œil aux deux blessés.

— Je ne sais pas s'ils se rendront jusque-là.

Damalis vint s'agenouiller devant le *varan,* un regard suppliant sur le visage.

— Toutefois, si tu étais capable de localiser Athénaïs Lawson, qui s'est enrôlée dans un hôpital de la région…

— Elle nous a remis sa démission, mais je vais tout essayer pour la retrouver.

— Merci, Cédric.

— Conserve la montre sur toi. Grâce à elle, nous pourrons vous retrouver. Communication terminée.

— L'ANGE va tenter l'impossible, fit Thierry à Damalis. Nous devrions nous mettre à l'abri.

Les Nagas transportèrent les blessés à l'ombre de la falaise en priant pour un miracle.

Dès la première explosion, le personnel de l'hôpital où travaillait Athénaïs Lawson fit sortir tous les malades des urgences. L'armée avait aligné des dizaines de camions pour emmener les résidents de la ville loin de leur champ de mines, vers le sud. La femme médecin avait donc aidé les personnes âgées à grimper dans les véhicules, ainsi que les patients qui avaient de la difficulté à marcher. Les infirmiers s'empressaient de transporter les civières jusqu'aux camions. La terre trembla de nouveau, obligeant Athénaïs à s'accrocher à un ancien poteau électrique.

La caravane se mit en route. La majeure partie du personnel médical était montée avec les malades. Athénaïs allait grimper dans le dernier des véhicules lorsqu'elle vit sur la rue un homme qui se dirigeait vers elle. Il portait une longue tunique immaculée, qui lui fit d'abord penser qu'il était médecin. Il ne semblait aucunement importuné par les explosions à répétition. Il s'arrêta devant Athénaïs et lui tendit la main.

– Est-ce que je vous connais ? se méfia-t-elle.

– Je viens de la part de Jordan Martell, annonça-t-il.

– Où est-il ?

– Il est allé se mettre à l'abri. Si vous voulez vivre, venez avec moi.

– Ces camions…

– Ne se rendront jamais à destination. Prenez ma main.

Bouleversée, elle fit ce qu'il demandait. En un instant, ils se retrouvèrent plusieurs kilomètres au sud. Une assourdissante détonation la fit sursauter. Au loin, elle aperçut le champignon caractéristique d'une explosion nucléaire.

– Oh mon Dieu… s'étrangla-t-elle.

Le vent qui balaya la ville incinéra tous ceux qui n'avaient pas eu le temps de fuir. L'étranger se plaça devant elle lorsque l'air brûlant atteignit le promontoire où elle se trouvait et la protégea de son corps.

– L'hôpital… les patients…

L'homme l'attira contre sa poitrine et l'étreignit pour l'apaiser. Jamais la femme médecin ne ressentit autant de réconfort que dans les bras de ce bon Samaritain. Lorsqu'elle ouvrit les yeux, c'était la nuit.

– Mais comment est-ce possible ? s'étonna-t-elle.

Elle crut alors reconnaître les traits de son visage.

– Vous ne pouvez pas être l'un des deux apôtres que l'Antéchrist a exécutés…

– Je m'appelle Képhas, mais j'ai porté des centaines de noms durant ma longue vie, dont celui de Yannick Jeffrey.

– Mais vous êtes mort !

– La mort n'existe pas, docteur Lawson. Ce n'est qu'une transition vers un autre monde.

– J'ai perdu la vie dans cette explosion, n'est-ce pas ? Vous êtes l'un des anges qui viennent nous chercher, c'est bien ça ?

– Je suis là pour vous conduire vers des gens qui ont besoin de vous, mais je ne pourrai faire qu'une partie du chemin.

— Pourquoi n'êtes-vous pas capable de vous exprimer clairement?

— Parce que je ne peux vous en dire plus. Venez, il faut partir.

Il reprit sa main et au bout de quelques pas, Athénaïs vit qu'ils étaient maintenant dans le désert.

— Moi qui croyais être devenue folle en découvrant l'existence des reptiliens, murmura-t-elle.

— Vous êtes parfaitement saine d'esprit.

— Dans ce cas, pourquoi suis-je à quelques kilomètres seulement d'une explosion nucléaire et que ma peau n'a pas fondu sur mes os?

— Parce que nous l'avons limitée à la ville.

— Nous?

— Les soldats du Père.

— Oui, bien sûr…

— Continuez toujours tout droit.

Elle fit quelques pas incertains, puis se retourna, pour demander à Yannick combien de temps elle devrait marcher. Il avait disparu.

— Là, c'est confirmé : je suis devenue folle, soupira-t-elle.

Puisqu'elle n'avait rien à perdre, elle fit ce que le Témoin lui demandait.

L'obscurité apporta de la fraîcheur aux Nagas qui attendaient l'arrivée des secours de l'ANGE. Adielle et Eisik n'avaient pas encore repris connaissance et Damalis commençait à craindre qu'ils ne passent pas la nuit, car ils avaient beaucoup de difficulté à respirer. Plus loin, les jumeaux étaient allongés sur le sol et bavardaient à voix basse. Quant à Alejandro, il profitait du fait que Thierry soit de garde pour méditer. Ce dernier était debout, immobile comme un héron. Il écoutait les bruits de la nuit. Inconsciemment, il aurait aimé que le Shesha se manifeste, afin de terminer son combat contre lui. «Chaque chose en son temps», songea-t-il.

Soudain, il sentit une présence dans le désert. Les jumeaux aussi s'étaient redressés.

— C'est humain, déclara Darrell.

— Restez ici, ordonna Thierry en disparaissant dans l'obscurité.

Il alla aux devants de cette personne, persuadé qu'il s'agissait d'un survivant de l'explosion qui errait dans le désert.

— Halte-là! commanda-t-il, lorsqu'il ne fut plus qu'à quelques pas de l'étrangère.

— Je ne suis pas armée, s'empressa-t-elle de préciser. Je suis médecin.

Thierry s'approcha davantage. Si Athénaïs parvenait difficilement à distinguer ses traits dans l'obscurité, la vision reptilienne du traqueur lui permettait de très bien voir ceux de la femme.

— Êtes-vous seule?

— Oui.

Il la saisit doucement par le bras et l'emmena au campement. Assis près des blessés, Damalis reconnut aussitôt son parfum.

— Athénaïs? s'étonna-t-il en bondissant à sa rencontre.

Les amoureux s'étreignirent un long moment.

— J'ai eu si peur que tu sois morte dans la destruction de la ville… chuchota-t-il à son oreille.

— Tu ne me croiras pas quand je te raconterai pourquoi j'y ai échappé.

— D'abord, je veux que tu examines deux blessés. Ils ne sont vraiment pas bien.

— Où sont-ils?

Il la fit accroupir près d'Adielle.

— Comment veux-tu que j'examine qui que ce soit sans lumière? s'étonna-t-elle.

En réponse à sa requête, un faisceau de lumière en forme d'entonnoir s'alluma sur le groupe en même temps que leur parvenait le vrombissement de l'hélicoptère qui venait de perdre de l'altitude après avoir survolé la falaise.

– N'aie pas peur, fit Damalis. C'est l'ANGE.

L'appareil se posa. Quatre infirmiers et un membre de la sécurité se précipitèrent vers le groupe.

– Lequel d'entre vous est monsieur Morin? demanda l'homme habillé tout en noir.

– C'est moi, répondit Thierry.

– Monsieur Orléans nous a avertis que vous ne voudriez probablement pas nous accompagner.

– Il me connaît bien, dans ce cas.

– Il m'a prié de vous remettre ceci.

L'homme lui tendit un gros sac à dos.

– Il nous a également informés qu'il y avait deux blessés.

Les infirmiers les examinaient déjà.

– J'aimerais que vous rameniez aussi le docteur Lawson avec vous, fit le Naga. Je sais que cette femme a traversé beaucoup d'épreuves pour se rendre jusqu'à Jérusalem, mais sa place n'est pas ici.

Athénaïs qui l'avait entendu voulut se redresser pour lui dire sa façon de penser. Damalis lui saisit le poignet pour la retenir.

– Il a raison, ma chérie, insista-t-il. Tu as vu de tes propres yeux de quoi Satan est capable. Et, en plus, un Shesha psychopathe est à notre recherche.

– Essaies-tu de me faire croire que c'est plus dangereux pour moi que pour toi de rester ici, Damalis?

– Si tu m'aimes, accompagne les agents de l'ANGE et attends-moi en Suisse, d'accord?

Elle poussa un cri de rage et se réfugia dans ses bras.

– Tu as risqué ta vie pour voir comment je me débrouillais, chuchota-t-il à son oreille, et tu as constaté que je sais comment survivre. Je suis vraiment désolé d'avoir manqué l'occasion de te prouver mon romantisme en te cherchant dans tous les hôpitaux de la ville...

— Tais-toi.

Ils s'embrassèrent tandis que le personnel médical déposait et attachait Adielle et Eisik sur des civières. Ils furent ensuite transportés à bord de l'appareil. Thierry les suivit et s'accroupit près de celle de la directrice de Jérusalem en se rappelant ses aveux. Il caressa doucement son visage.

— Tiens bon... murmura-t-il.

Le représentant de la sécurité s'avança vers lui.

— Nous sommes prêts à partir.

— Je vais aller chercher le docteur Lawson.

Thierry s'approcha du couple, mais Damalis lui fit signe qu'il avait la situation en main. Il reconduisit lui-même Athénaïs jusqu'à la porte de l'hélicoptère et l'embrassa une dernière fois.

— Si les prophètes ont dit vrai, nous dînerons ensemble dans quelques semaines, lui dit-il pour l'égayer.

Il la poussa gentiment à l'intérieur de l'hélicoptère et recula. La porte se referma et l'appareil décolla avant d'attirer l'armée sur les lieux. De toute façon, Alejandro avait déjà considéré cette éventualité.

— Ne restons pas ici, indiqua-t-il aux Nagas.

Les cinq hommes disparurent dans la nuit.

039

R assuré de savoir que Mélissa serait incapable de descendre du porte-avions, en raison de la situation critique à Jérusalem, Vincent s'était remis à travailler. Puisqu'il finissait toujours ce qu'il commençait, il termina la simulation de l'accident d'hélicoptère qui avait coûté la vie à Alexandre IX, puis le mit de côté pour se concentrer sur les images que recueillait le satellite de l'ANGE au Moyen-Orient. Toute la ville avait été réduite en cendres sauf le temple... Il trônait seul dans une mer de désolation.

— Quel gâchis ! laissa tomber le savant, adossé sur sa chaise, les bras croisés sur sa poitrine.

— Puis-je te parler, Vincent ?

« Elle m'en demande la permission ! » se félicita silencieusement l'informaticien.

— Certainement, Cassiopée.

— J'aimerais savoir comment tu te sens.

— Ça va beaucoup mieux, merci.

— Comment as-tu réussi à maîtriser tes émotions ?

— C'est difficile à expliquer. Tu vois, les émotions sont de brusques états de conscience qui ne durent jamais longtemps. Il suffit parfois d'un rien pour se rassurer. Dans mon cas, je pense que deux événements m'ont apaisé. Le premier, c'est que je suis maintenant certain qu'il n'arrivera rien à Mélissa et le second, c'est mon étrange rencontre avec cet ange nommé Immanuel. C'est différent pour chaque personne.

Il avait rapporté la Bible de la salle d'informatique et l'avait déposée à sa place habituelle, non loin de son poste de travail.

— As-tu une mention quelque part dans ta mémoire de quelqu'un qui s'appelle Immanuel?

— C'EST L'UN DES NOMS DU JÉSUS DE LA BIBLE.

— Vraiment?

— J'AI APPRIS BEAUCOUP DE CHOSES, MAIS PAS À MENTIR.

Vincent prit une profonde respiration et marcha jusqu'au livre sacré. De l'avis d'Immanuel, il ne l'avait pas utilisé de la bonne façon. «Il était à peu près temps qu'il me le dise», songea le jeune homme.

— TU DOIS COMMENCER PAR L'OUVRIR.

— J'essaie de me rappeler ce qu'il m'a dit, mais je n'y arrive pas.

L'épaisse couverture s'ouvrit et retomba sur la table.

— Advienne que pourra.

Il s'appuya les mains de chaque côté de la Bible et attendit quelques minutes.

— Dites-moi quoi faire, implora Vincent.

Tous les mots disparurent sur les deux pages ouvertes, puis des lettres apparurent une à une, comme si une main invisible les écrivait.

Assieds-toi, Vincent.

L'informaticien se tira une chaise et fit ce que l'ouvrage lui indiquait de faire.

— Qu'attendez-vous de moi?

À sa grande surprise, ses mots s'écrivirent à la suite de la première phrase!

Lorsque nous avons demandé aux hommes de réunir tous ces textes en un seul ouvrage, nous y avons dissimulé un code, sachant qu'un jour, nous pourrions communiquer avec l'un d'eux.

— Moi...

Tu as rapidement compris qu'une intelligence divine se cachait sous les mots et tes efforts pour interpréter nos paroles sont louables.

– Je serais plutôt porté à dire qu'ils ont été lamentables.

Il n'est pas aisé de comprendre les intentions d'une race aussi différente de la tienne.

– Jurez-moi tout de suite que vous n'êtes pas des reptiliens ou des démons.

Nous ne sommes ni l'un ni l'autre. Nous habitons un monde à des années-lumière du tien.

– Alors comment avez-vous réussi à coder la Bible ?

Nous avons pris le temps de le faire lors d'un court séjour parmi vous, il y a des milliers d'années.

– Mais la Bible est beaucoup plus récente que ça.

Le code était déjà caché dans un évangile. Nous nous sommes assurés que ce dernier fasse partie des quatre évangiles que les hommes ont choisis parmi la centaine d'autres qui avaient été écrits par les apôtres et les disciples de Jeshua.

– Êtes-vous des *malachims* ?

C'est un nom qu'on nous donne parfois.

– Avant d'accepter de communiquer avec vous une seconde fois, j'aimerais savoir exactement ce que vous attendez de moi.

Notre but est d'informer les hommes de ce que l'avenir leur réserve, car leur futur est pour nous du passé.

Vincent haussa un sourcil en se rappelant les théories d'Albert Einstein.

– Vous voulez changer le cours de notre histoire ?

Nous ne le pourrions pas, même si nous le voulions. Vous êtes les seuls à pouvoir le faire.

– Vu sous cet angle, ça commence déjà à être plus intéressant. Expliquez-moi pourquoi nous ne pouvions pas communiquer directement avant aujourd'hui.

Tu ne possédais pas la clé.

– Pour tout vous dire, je ne sais même pas à quoi elle peut bien ressembler.

Elle est maintenant présente dans ton cœur, ce qui te permet d'utiliser cet appareil interactif déguisé en livre sacré.

«Il faut que ce soit relié à la visite d'Immanuel, songea Vincent. Il tenait la Bible dans ses mains lorsqu'il m'a dit qu'il désirait que je recommence du début…»

— Êtes-vous certain de ne pas avoir fait d'erreur sur l'identité du destinataire de vos messages?

Le seul fait que tu sois en train de nous parler prouve que c'est bien toi. Pourquoi en doutes-tu, Vincent?

— Tous les messages que j'ai reçus jusqu'à présent m'ont profondément déprimé.

Sans doute parce que tu ne pouvais pas en interpréter le sens assez rapidement. Si cela peut te réjouir, les catastrophes tirent à leur fin.

— Enfin une bonne nouvelle.

Les rivières et les océans seront guéris lorsque le grand pacificateur terrassera la Bête. Il ne vous reste que quelques épreuves à traverser avant la dernière bataille.

— Pourrai-je les contrecarrer?

Elles sont orchestrées par des forces sur lesquelles personne ne peut agir. Toutefois, en choisissant les bons canaux, tu pourras empêcher que d'autres hommes ne meurent inutilement.

— C'est tout ce que je demande depuis le premier jour!

«Les bons canaux… l'ANGE! conclut Vincent. Ils m'ont choisi parce que je travaille pour une société internationale!»

— Avez-vous un nom?

Tu peux nous appeler Uriel, si tu le désires.

— Il me semble que c'est plus facile de travailler quand on sait à qui on s'adresse. Pouvez-vous me parler de ces forces qui complotent pour faire disparaître toute la population de la Terre.

Ce ne sont pas des entités corporelles ou spirituelles, mais un puissant égrégore.

— Qu'est-ce qu'un égrégore?

C'est une entité psychique créée par les désirs et les pensées d'un bon nombre de personnes. Elle n'a aucune volonté propre et ne fait que reproduire à une plus grande échelle ce qu'elle a emmagasiné. L'égrégore qui enveloppe actuellement votre planète ne complote pas contre elle. Il ne fait que relâcher sur elle les émotions qui y ont été compressées par des générations d'hommes et de femmes.

— C'est lui qui est responsable des tremblements de terre, des pluies d'astéroïdes, des éruptions volcaniques et de la propagation de la peste ?

Il ne peut rien créer, Vincent. Toutes ces calamités ont déjà été imaginées par des hommes et cristallisées dans l'égrégore par la peur et toutes les autres émotions négatives. Il contient la rage de tous les meurtres, l'orgueil de toutes les guerres, la panique de tous les génocides.

— Autrement dit, nous nous sommes attiré ce qui nous tombe aujourd'hui sur la tête.

En quelque sorte.

— Mais qu'en est-il de tous les hommes qui ont prêché l'amour, la fraternité, la collaboration ? Ne créent-ils pas aussi des égrégores ?

Bien sûr, mais ils ne sont pas suffisamment nombreux. En conséquence, leur égrégore est de moindre importance. Il ne peut pas vraiment contrer les effets de l'autre. C'est la raison pour laquelle, il y a deux mille ans, le Père a envoyé sur la Terre un homme qui pouvait vous en débarrasser.

— Mais ils l'ont crucifié…

Ses pensées étaient si pures et si puissantes, qu'il aurait pu repousser tous ces fléaux dans l'espace.

— Y a-t-il une autre façon d'éviter la suite de ces funestes événements ?

Il faudrait triompher du mal par un acte d'amour qui surpasserait tous les autres.

— Étiez-vous au courant que les méritants ont tous disparu lors du Ravissement et que ceux qui restent sur la Terre sont des indécis, comme moi, ou des reptiliens qui nous terrorisent pour nous manger ? Comment pourrions-nous faire un geste d'une telle envergure alors que nous sommes morts de peur ?

Vous ne le pouvez pas.

— Parlez-moi plutôt des plaies qui apparaissent de plus en plus sur la peau des gens.

Les hommes ont tellement craint les ravages du soleil au lieu de reconnaître ses bienfaits que maintenant, il va les brûler comme dans les prédictions des prophètes de malheur.

— Il suffit donc de s'en protéger. Je crois que je pourrais organiser une campagne à cet effet, tout en demeurant optimiste, bien sûr. Je veux contribuer à la croissance de notre égrégore. Qu'en est-il des rivières et des lacs qui ont tourné au rouge ?

Une conséquence de la pollution dont tout le monde s'est plaint et pour laquelle personne n'a jamais rien fait, même lorsque des savants ont prouvé que cette inaction équivalait à un suicide collectif.

— Existe-t-il un produit pour enrayer la toxicité de l'eau, car les êtres humains, les animaux et les plantes en ont besoin pour vivre ?

Nul doute qu'une équipe de chimistes pourrait découvrir l'antidote, mais comment arriveriez-vous à en produire suffisamment pour soigner l'océan ? Comme c'est le cas pour bien d'autres fléaux, les hommes réagissent trop tard.

— Donc, je peux réduire le nombre de brûlures par le soleil, mais pas celles causées par l'eau, c'est bien ça ?

Les sources qui se trouvent dans l'extrême nord ne sont pas contaminées. Leur eau pourrait être recueillie et distribuée à ceux qui en ont besoin, mais cette entreprise ne devra pas viser le succès commercial. Il serait préférable qu'elle soit administrée par des gens de cœur.

«Les disciples de Cael», songea Vincent.

— Vous avez dit tout à l'heure qu'il ne nous restait presque plus d'épreuves à traverser. Quelles sont-elles ?

L'obscurité descendra sur le repère de la Bête.

— Bon, ça, c'est moins clair dans mon esprit. La dernière fois que nous avons vécu un truc pareil, c'était en raison de la couche de poussière volcanique qui bloquait la lumière du soleil. Allons-nous assister à une recrudescence de l'activité sismique ?

Non, Vincent. Il s'agira d'un tout autre phénomène, comme il ne s'en est jamais produit sur la Terre. Pendant trois jours et trois nuits, une terrible tempête sévira. La terre tremblera, le tonnerre grondera sans interruption et des lances de feu jailliront des nuages. Des vents déchaînés souffleront, répandant des gaz empoisonnés sur toute la planète. Ces événements commenceront et se finiront par une pluie glaciale.

– Comme c'est réjouissant... Mais qui a ajouté une telle abomination à l'égrégore négatif ?

Tous ceux qui se sont régalés d'horreur et d'effroi dans leur esprit comme dans leur vie.

– Ils vont en avoir pour leur argent, cette fois.

Puisque ces atrocités sont leur création, ils s'y retrouveront au premier rang.

– Que pourrai-je faire contre une tempête de cette envergure ?

Les hommes de bonne volonté devront fermer toutes leurs portes et toutes leurs fenêtres et ne parler à personne qui se trouve encore dehors, car ce seront des démons. Ce sera le moment de demander pardon pour tous ses péchés et de prier. Ils ne devront pas non plus regarder à l'extérieur pendant le tremblement de terre. Ceux qui négligeront cet avertissement mourront instantanément de frayeur.

– Les amateurs d'horreur ne pourront pas s'en empêcher et ils deviendront finalement les principaux acteurs de ce drame...

Le quatrième jour, la pluie cessera et le soleil brillera de nouveau. La puissante armée des rois de l'Est marchera sur Jérusalem et il s'ensuivra un terrible massacre. Alors, le grand pacificateur descendra du ciel et affrontera lui-même le Prince des Ténèbres. Lorsqu'il l'aura jeté dans le lac de feu avec son Faux Prophète, les anges répandront l'esprit de paix sur la Terre et les enseignements d'Immanuel reprendront leur place dans la vie des hommes.

— Il ne reste en effet plus grand-chose, si on songe à tout ce que nous venons de traverser, mais on dirait que les cataclysmes vont en empirant.

Tu connais les hommes mieux que nous, Vincent. Fais ce que tu dois.

— Il va falloir que je me creuse un peu les méninges, mais je pense pouvoir m'acquitter de ma mission cette fois. Une dernière question : tout ce qui s'est écrit aujourd'hui s'effacera-t-il lorsque notre conversation prendra fin ?

Aimerais-tu que ces paroles demeurent ?

— Oui, car j'aimerais les faire lire à un homme de cœur qui pourrait me venir en aide.

Alors, soit. Si tu éprouves le besoin de nous parler, commence à écrire sur une nouvelle page.

— Merci, Uriel.

L'informaticien resta longtemps silencieux, à digérer toutes ces explications. Il avait vraiment du pain sur la planche.

— À QUI PARLAIS-TU, VINCENT ?

— Tu vas l'apprendre en même temps qu'Aodhan.

Le savant s'empara de la Bible et fila dans le corridor.

040

Thomas Ier écoutait les propos accablants d'une dizaine de prêtres dans l'un des salons privés du Vatican depuis quelques heures. S'il n'avait pas récemment révisé les prophéties contenues dans les livres saints et dans l'apocalypse, il les aurait sans doute pris pour des fous. Tous racontaient exactement la même chose. Un homme chauve de petite stature était arrivé dans leur église au moment où ils prêchaient la nécessité de s'accrocher à la foi en ces jours sombres. L'étranger avait pris la parole au milieu de leur sermon. Il avait expliqué aux paroissiens qu'un nouvel ordre était en train de s'installer dans le monde et que ceux qui y résisteraient mourraient. En quelques minutes à peine, cet intrus avait réussi à les convaincre de mettre leur curé à la porte et de le remplacer par un autre qui sauverait leur âme.

Kaylin entra dans la pièce sans faire de bruit et écouta les récents propos des parias sans sourciller, comme s'il savait déjà ce qui se passait à Rome. Alonzo l'observa discrètement et attendit que le dernier prêtre ait parlé avant de s'adresser à lui.

— Qu'avez-vous découvert, Kaylin ? demanda-t-il enfin.

— Cette situation s'est produite partout où il y a des lieux de culte, pas seulement dans les églises chrétiennes. Les démons peuvent être très charmeurs lorsqu'ils désirent quelque chose.

— Comment pouvons-nous les chasser ?

— Nous vivons malheureusement dans une époque où les hommes ont à faire des choix. Toutefois, ils auront bientôt à en répondre.

— Que ferons-nous pour reprendre nos églises ? s'inquiéta un prêtre.

— Vous ne pouvez rien faire sinon prier de faire partie des élus au moment du jugement dernier.

— Vous pouvez rester ici, ajouta Alonzo.

Il les fit conduire dans les quartiers habituellement réservés aux cardinaux afin qu'ils puissent se reposer et attendit d'être seul avec Kaylin pour découvrir s'il savait autre chose.

— Le mal a-t-il vraiment réussi à détrôner toutes les religions ? demanda Alonzo.

— Les bouleversements actuels leur ont permis de faire au peuple effrayé des promesses que Satan n'a pas l'intention de tenir, mais ce n'est pas ce qui doit nous préoccuper en ce moment. Une grande armée de démons est en train de se rassembler à Rome.

— Ils veulent s'emparer du Vatican ?

— Apparemment, ils ignorent que le pouvoir ne réside pas dans les pierres d'une cité, mais dans l'idéologie qu'elle défend.

— Les gardes suisses pourront-ils nous protéger ?

— Nous ne leur demanderons pas un tel sacrifice.

Kaylin marcha tranquillement dans la pièce, comme s'il ne se rendait pas compte de l'ampleur de la menace.

— En fait, nous avons deux choix, ajouta-t-il. Nous pouvons quitter le Vatican et leur laisser découvrir que sans ses bergers, ce n'est qu'une ville comme toutes les autres, ou nous pouvons leur faire comprendre que le bien ne craint pas le mal.

— Vous n'êtes pas un homme violent.

— Je suis contre l'agression, mais si je dois utiliser la force pour repousser mon ennemi, je n'hésiterai pas à le faire. Il n'est pas question de les pourchasser jusqu'aux confins de la terre, mais de les empêcher de pénétrer dans le haut lieu de mon église, même si je lui ai demandé, jadis, de ne pas construire de tels lieux de culte. Il s'agit ici d'un geste symbolique qui signalera à tous ceux qui croient à la bonté de mon Père, qu'il ne les a pas abandonnés.

— Dites-moi ce dont vous aurez besoin.

— Je recommande que la garde suisse regroupe les habitants de la cité en un seul lieu, préférablement la basilique, tandis que je ferai reculer les démons.

— Pourrai-je être à vos côtés, Seigneur?

— J'allais justement te le demander, Alonzo. Il est important que le monde voie que le nouveau chef spirituel ne craint pas de se mesurer au Prince des Ténèbres. Tu dois par contre te rappeler que les anges déchus sont tenaces. Ils continueront de rôder autour du Vatican jusqu'à ce que leur maître les rappelle auprès de lui, car sa fin approche.

— Je me suis informé sur la chronologie de ces événements.

— Les prochaines épreuves que subiront les hommes les détourneront du mal, car ils comprendront qu'ils sont la conséquence de leurs mauvais choix.

— Y aura-t-il encore quelqu'un sur la Terre lorsqu'elles s'achèveront?

— Il ne restera qu'un quart de sa population, auquel se rajouteront les élus.

Il n'était pas toujours facile de saisir le sens des paroles de Kaylin, mais Alonzo avait appris à lui faire aveuglément confiance. Ce prophète d'un autre temps n'avait pas été contaminé par les exigences de la vie moderne. Il marchait lentement, s'exprimait sans même penser qu'on ne pouvait pas le comprendre, prenait le temps de réfléchir avant d'ouvrir la bouche. Il ressemblait à une fontaine d'eau fraîche dans un désert de sables brûlants.

— Ils sont presque là, annonça-t-il sans s'inquiéter.

Alonzo alla donner l'ordre au chef des gardes suisses de réunir le personnel, les cardinaux et les invités dans la basilique.

— Qu'ils prient pour le salut des hommes de bonne volonté, ajouta-t-il.

Le nouveau pape suivit ensuite Kaylin jusqu'au balcon qui surplombait la place Saint-Pierre. Elle était déserte. Même les oiseaux étaient allés se cacher. Il régnait sur la cité un étrange silence.

— Les démons sont-ils responsables de l'état actuel de l'océan ? demanda Alonzo tandis qu'ils attendaient la première charge maléfique.

— Non, mon ami. Les hommes se sont attiré la plus grande partie des malheurs qui leur arrivent maintenant. Ils n'ont pas su écouter les sages paroles de ceux qui voyaient l'avenir.

— Referont-ils la même erreur après la chute de Satan ?

— Le Père leur a accordé le libre arbitre, alors il leur appartiendra de se corriger ou de récidiver.

— Mais advenant un retour à leurs anciens comportements, ne serez-vous pas obligé de revenir une nouvelle fois pour les sauver ?

Kaylin lui adressa un sourire amusé.

— Il y a d'autres façons de m'inviter à faire un retour sur Terre.

Des nuages noirs apparurent à l'horizon. Poussés par un vent violent, ils furent rapidement aux portes du Vatican, mais se séparèrent en deux comme si un obstacle les empêchait de recouvrir la cité.

— Ils sont là.

Le tonnerre fit trembler le balcon sur lequel se tenait le pape et son meilleur allié, puis la pluie s'abattit sur Rome. Malgré tout, le soleil continuait d'inonder le Vatican.

— Ils vont bientôt se fâcher… murmura Kaylin.

Une plateforme flottante s'éleva à l'autre extrémité de la place Saint-Pierre, sur laquelle se tenait un petit homme chauve.

— Voyez-vous de qui il s'agit ? demanda Alonzo, qui ne distinguait qu'un point au bout de la longue allée.

— Je reconnais mon ennemi malgré la distance.

Le pape brûlait d'envie de demander à Kaylin comment il réussirait à tirer le Vatican de ce mauvais pas, mais il ne voulait surtout pas le déconcentrer.

– Le Faux Prophète n'est pas un guerrier comme son sombre maître, laissa tomber Kaylin. Il n'essaiera pas de nous frapper de plein fouet. Il va plutôt tenter d'attirer notre attention quelque part pour nous atteindre ailleurs.

Ils entendirent alors une grande clameur.

– Qu'est-ce que c'est?

– Les démons tentent de franchir nos murs.

Alonzo sentit un frisson d'horreur courir dans son dos.

– Comme tu le sais déjà, le mal ne peut souffrir la lumière.

D'un seul coup, des colonnes lumineuses jaillirent des remparts et montèrent jusqu'au ciel, créant un nouveau mur.

– C'est prodigieux…

Comme s'ils jouaient aux échecs, Kaylin attendit patiemment le prochain geste du Faux Prophète. Marchant de long en large sur sa plateforme de pierre noire, Ahriman commençait à se rendre compte que son ennemi n'était pas le pape des humains, mais un être céleste aguerri. Aucune de ses troupes ne voudrait franchir la nouvelle muraille éclatante, car les démons qui avaient osé le faire s'étaient instantanément volatilisés. Il ne restait qu'une façon de forcer leur entrée dans la place forte des chrétiens.

Ahriman ordonna à ses soldats de se scinder en deux groupes. Tandis que le premier retournait en enfer pour tenter une percée sous la place Saint-Pierre, l'autre vola jusqu'au sommet des jets de lumière afin d'arriver par le ciel. Ils furent les premiers à attaquer. Comme des barbares, ils s'élancèrent en poussant des cris de guerre, mais tombèrent la tête la première sur la coupole invisible qui protégeait les lieux, bloquant la clarté du soleil.

Même si Alonzo savait que le saint homme avait la situation en main, son cœur battait la chamade dans sa poitrine. Il n'avait jamais douté de l'existence des anges et des démons, mais il aurait préféré ne jamais les voir d'aussi près. De leurs faces noires et grimaçantes, il n'apercevait que leurs dents qu'ils plantaient dans la paroi transparente. Combien de temps resteraient-ils là avant de comprendre qu'ils ne pouvaient pas passer ?

Ahriman fulminait. Il aboya ses ordres à ses soldats qui utilisaient leurs griffes pour se creuser un chemin jusqu'au Saint-Siège et surveilla leurs progrès. Ils étaient presque rendus à la surface. Bientôt, les pierres de la grande place éclateraient pour les laisser passer. Les démons les plus forts annoncèrent qu'ils avaient réussi, mais Ahriman ne vit aucun signe de cette percée.

Stupéfaits, les anges déchus qui sortaient de terre comme des geysers s'aperçurent qu'ils se trouvaient sur une immense plaine de neige. Ils se tournèrent en tous sens sans voir aucun bâtiment aux alentours. Comprenant finalement qu'ils avaient été dupés, ils voulurent replonger dans les tunnels qu'ils avaient creusés, mais la glace s'était refermée sous leurs pieds.

Le Faux Prophète poussa un cri de rage. Il sauta de sa plate-forme et descendit en douceur jusqu'au sol. Les bras tendus, il avança vers la lumière. Si la force brute ne pouvait venir à bout de cette illusion angélique, ses facultés d'Orphis y arriveraient. Il bombarda le mur céleste jusqu'à ce qu'une brèche s'ouvre devant lui.

Sur le balcon, Kaylin n'avait pu réprimer un sourire de satisfaction. Ahriman était l'un des deux adversaires qu'il aurait à affronter pour libérer définitivement les hommes du mal. Le moment n'était pas encore venu de le neutraliser, mais rien n'empêchait Kaylin de lui donner la leçon qu'il méritait. Afin de montrer à Alonzo un aperçu de ce qui allait se passer, le saint homme commença par se débarrasser de la horde de démons qui tapissait la voûte transparente. D'un seul coup, ils furent catapultés jusque dans la mer Méditerranée. Leur chef était maintenant le seul représentant de sa race en terre vaticane.

Ahriman dépassa le musée et remonta la large allée jusqu'à la célèbre place. C'est alors qu'Alonzo s'aperçut que Kaylin lui avait faussé compagnie. Il le vit apparaître de l'autre côté de l'obélisque, marchant à la rencontre du démon.

— Rends-toi! lui intima le Faux Prophète en s'arrêtant à plusieurs mètres de Kaylin.

— Si tu as réussi à te rendre jusqu'ici, c'est que je l'ai permis, Arimanius.

— Qui es-tu?

— Je suis Immanuel, le fils du Père.

L'assurance disparut sur le visage de l'Orphis.

— Écoute bien mes paroles et répète-les fidèlement à ton maître. Sa mainmise sur le monde n'est qu'une illusion qui est sur le point de s'effriter entre ses doigts. Ton incapacité à t'emparer de la cité des papes lui fera comprendre que le Père n'a jamais abandonné ses enfants, malgré tous ces fléaux qui s'abattent sur la planète.

— Le Père les a créés libres, alors qu'ils choisissent eux-mêmes leur camp!

— Sur ce point, nous sommes d'accord. Toutefois, je sais que Salmael est mauvais perdant, alors si j'ai un seul conseil à te donner, c'est de l'abandonner maintenant.

— Tu te trompes, fils du Père. Votre règne ici est terminé. Prends la poignée d'hommes qui te sont restés fidèles et retourne dans ton propre monde.

— Et où est le tien déjà, démon?

Avant qu'il ne puisse battre des paupières, Ahriman se retrouva en enfer! Il poussa un terrible hurlement et remonta à la surface pour découvrir qu'il était de retour à Jérusalem dont les cendres fumaient encore.

041

À son arrivée à Genève, Cédric avait immédiatement été conduit à la section médicale de la base de l'ANGE, malgré toutes ses protestations. Un examen sommaire démontra qu'il avait souffert d'un traumatisme crânien qui ne semblait pas avoir laissé de séquelles et qu'il avait exigé de ses muscles un trop grand effort. Les médecins lui recommandèrent le repos total, mais lorsqu'il put enfin s'échapper de l'infirmerie, Cédric clopina jusqu'à la cabine de verre où l'on traitait Benjamin Vogel. Un survol dans les bases de données l'avait renseigné sur le jeune Israélien. Il avait été le plus brillant élève de la section scientifique de l'université hébraïque de Jérusalem. Peu de temps après le début de son emploi dans un laboratoire de recherche, il avait été recruté par les services secrets, puis, récemment, il avait été affecté au centre stratégique de l'armée. Cédric demeura planté devant le mur transparent pendant un long moment.

— Vais-je être obligé de vous donner un sédatif pour vous forcer à rentrer chez vous ? le menaça le docteur Halbronn.

— Comment va-t-il ? demanda le directeur international en choisissant d'ignorer sa question.

— Il est mal en point, mais vigoureux. Il s'est réveillé tout à l'heure, mais pour lui éviter des souffrances inutiles, nous avons décidé de l'endormir.

— Quand pourrai-je lui parler ?

— Dans quelques jours, sans doute.

— Merci, docteur.

– Allez vous reposer.

Cédric se rendit plutôt à la chambre suivante où Adielle luttait pour rester en vie. Le code de couleur à la porte indiquait que son cas était critique. Les services de secours avaient dû la réanimer deux fois dans l'hélicoptère lorsque son cœur avait arrêté de battre. Quant aux chirurgiens, ils avaient travaillé d'arrache-pied pour stopper ses hémorragies internes et redresser sa cage thoracique. Son jeune assistant, Noâm Eisik avait malheureusement succombé à ses blessures pendant le trajet.

La directrice était reliée à de nombreux appareils de contrôle qui avertissaient les infirmières de son état à tout instant. Son cas était toujours incertain.

– Elle ne devrait même pas être en vie, avoua le docteur Halbronn.

– C'est une guerrière, murmura tristement Cédric. Elle se battra jusqu'au bout.

Moralement épuisé, Cédric gagna les Renseignements stratégiques, même si Alexa l'attendait chez lui. Il trouva Markus Klein debout derrière les techniciens, à regarder ce qui se passait sur les écrans.

– Y a-t-il du nouveau ? demanda le directeur international.

– Monsieur Orléans ! Je suis heureux que vous soyez de retour ! s'exclama Markus Klein.

Au grand étonnement de Cédric, tous les techniciens l'applaudirent. Pourtant, il n'avait rien fait pour mériter leur admiration. Il s'était stupidement jeté lui-même dans la gueule du loup, s'était retrouvé sous le pouvoir des Anantas et avait même tué de pauvres innocents.

– Inutile de vous dire que vous avez reçu des centaines de messages d'encouragement de la part de toutes nos bases, fit Klein.

– J'y répondrai tout à l'heure. Ce qui m'intéresse pour l'instant, c'est de savoir ce qui se passe sur le reste de la planète.

Klein lui en brossa un tableau sommaire. Les océans et les cours d'eau étaient toujours infestés d'un couvert d'algues toxiques qui devenaient rouges en mourant. Les poissons semblaient bien s'en tirer, sauf dans les rivières peu profondes. Quant aux grands mammifères marins, ils avaient tous pris la direction des pôles, ce qui convainquit Cédric que la planète n'avait pas dit son dernier mot.

— Vincent McLeod a émis un avis à toutes les bases les sommant d'éviter de sortir sans se couvrir, car apparemment, la couche d'ozone a subi un assaut qui laisse filtrer des rayons nocifs. Afin de conserver son statut d'espion, il a chargé monsieur Loup Blanc d'annoncer la nouvelle aux médias.

— Quand Aodhan est-il devenu un personnage public ?

— Depuis quelque temps déjà, il fait régulièrement des allocutions télévisées. Comme tout le monde pense qu'il est un ancien policier du Nouveau-Brunswick récemment converti aux enseignements de Cael Madden, ses messages sont assez bien reçus par la population.

— Quelle est la situation à Jérusalem ?

— Comme en plusieurs autres endroits sur la planète, de mystérieuses plaies apparaissent sur le visage, le torse et les bras de ceux qui se sont fait vacciner contre la peste. Les chercheurs n'ont pas encore établi le lien entre l'inoculation et la maladie de peau, mais les gens ont peur.

— Le phénomène est sans doute relié aux effets des rayons du soleil qui ne sont plus tamisés par la couche d'ozone.

— Je suis d'accord, mais les médecins n'établissent pas encore le lien. Il y a des images que j'aimerais vous montrer.

Klein plaça la main sur l'épaule du technicien devant lui, pour l'inciter à les faire jouer sur l'écran central. Cédric assista en silence à l'explosion nucléaire qu'avait captée le satellite, puis à la dévastation qui avait suivi.

— Quelle est la cause de la déflagration ?

— Notre base de Jérusalem s'est autodétruite.

— Jusqu'où s'étendent les dommages?

— Croyez-le ou non, il n'y a que Jérusalem et les villes avoisinantes qui ont été touchées. Miraculeusement, le temple de Salomon est toujours debout et les rapports des savants israéliens n'indiquent aucun niveau de radioactivité sur les lieux.

— Mais c'est impossible…

— Nous avons cessé depuis plusieurs semaines de penser en termes de «possible» et «d'impossible», monsieur Orléans.

D'autres images encore plus troublantes avaient été enregistrées à partir de l'espace. Un phénomène d'origine inconnu avait entouré la cité du Vatican d'un rideau de lumière qui s'élevait à au moins un kilomètre dans les airs.

— L'ordinateur central a-t-il avancé une explication?

— Il ne possède aucune référence pour l'analyser.

— Y a-t-il autre chose?

— Pas pour l'instant, mais nous nous attendons à tout.

— Merci, monsieur Klein.

Cédric poursuivit son chemin jusqu'à son bureau et se laissa tomber dans son fauteuil, les jambes tremblantes. Il voulait ménager ses forces, mais il se sentait également obligé de reprendre le temps perdu. L'ordinateur central devina ses pensées.

— Vos directeurs ont fait ce qu'il fallait en votre absence.

— Je n'en ai aucun doute, Cybèle.

— Vous avez reçu beaucoup de messages. Voulez-vous commencer à les consulter?

Le directeur international se fit un devoir de lire chacun d'eux. La plupart lui souhaitaient un prompt rétablissement, mais certains lui relataient les mêmes événements dont Markus Klein venait de l'entretenir. «Comment allons-nous sauver notre monde?» se découragea Cédric.

— L'agente Bloom demande à vous voir.

— Faites-la entrer.

Pétillante comme si elle n'avait traversé aucune épreuve depuis le berceau, Cindy trottina jusqu'au bureau de Cédric et l'embrassa sur la joue. Elle avait troqué ses vêtements de camouflage pour une tenue toute rose qui lui ressemblait davantage.

— Le docteur Halbronn m'a dit que je te trouverais probablement ici, fit-elle en prenant place de l'autre côté de la table de travail. Il s'inquiète de ton état de santé.

— Je me porte mieux.

— Ça m'a fait beaucoup de peine d'apprendre qu'Eisik était mort, s'attrista-t-elle. C'était un homme brillant qui pensait toujours aux autres avant lui-même.

— Malheureusement, en temps de guerre, on perd souvent des héros. Je suis content de voir que toi, tu t'en es bien tirée.

— C'est en grande partie grâce à Damalis. J'ai beaucoup appris sur le terrain avec lui. Si nous pouvons finir par arriver à la fin du monde, je pense que ce serait une bonne idée de l'embaucher.

— Nous ignorons s'il restera encore des hommes sur cette planète lorsque tout sera terminé.

— Tu es bien pessimiste, ce matin.

— Pour quelle raison voulais-tu me voir, Cindy ? s'impatienta Cédric qui voulait poursuivre la lecture des rapports de ses bases.

— Je suis venue te demander la permission de retourner au Québec.

— Accordée.

— Tu ne veux même pas savoir pourquoi je tiens à rentrer à la maison ?

— Oui, bien sûr...

— Aodhan va partir pour le Grand Nord afin d'y trouver de l'eau potable et je veux faire partie de cette expédition.

— C'est un geste louable.

En réalité, le directeur était en train de penser qu'il allait révoquer la décision de Mithri et affecter un autre membre de l'ANGE pour diriger la base de Longueuil.

— Essaie de ne plus t'exposer au danger, d'accord ? fit l'agente, inquiète.

— Ne t'en fais pas. Je n'ai plus la force d'aller bien loin.

— Je pars dans quelques heures.

— Athénaïs Lawson retourne-t-elle à Longueuil ?

— Non. Elle a décidé de rester en Suisse.

— Bon.

Cindy embrassa de nouveau le directeur international et repartit aussi spontanément qu'elle était arrivée.

— Athénaïs Lawson n'a pas demandé à réintégrer nos rangs, répondit Cybèle à la question silencieuse de Cédric.

— Où est-elle ? Je ne l'ai pas vue depuis mon retour.

— Elle a pratiqué les chirurgies urgentes que nécessitait madame Tobias. En ce moment, elle dort dans une chambre de la salle de Formation.

— Prévenez-la, à son réveil, que je veux lui parler.

— C'est noté, monsieur Orléans.

Cédric lut le reste de sa correspondance en diagonale. De plus en plus d'images de sa désastreuse visite à Jérusalem recommençaient à surgir dans son esprit.

— Dois-je prévenir le docteur Halbronn ? demanda Cybèle lorsqu'elle perçut les larmes qui coulaient sur les joues du grand patron.

— Aucun médicament ne viendra à bout de mes regrets.

— Puis-je vous suggérer de rentrer chez vous ?

— Je pense que c'est une bonne idée. Dites à madame Lawson de monter à mes appartements si elle se réveille avant mon retour au travail.

Cédric se rendit à l'ascenseur en serrant les dents, car ses jambes le faisaient encore souffrir. Lorsque la porte glissa, il trouva Alexa devant lui. Son air alarmé lui rappela que l'ordinateur et le directeur de Genève lui avaient probablement fait part de son état de santé.

— Je t'attendais bien avant ça, lui dit-elle après l'avoir embrassée.

— Je me suis informé de ce que j'ai manqué.

— Viens t'asseoir.

Elle le tira jusqu'au salon et l'installa confortablement dans son fauteuil préféré.

— J'ai compris à quel point les petits gestes quotidiens arrivent à nous rassurer quand je suis entrée dans la cuisine, affirma-t-elle. C'est comme si j'étais enfin convaincue que je n'avais plus rien à craindre. J'imagine que tu as ressenti la même chose en retournant dans ton bureau.

— Je ne suis malheureusement pas encore rendu là...

Incapable de se contenir plus longtemps, Cédric se mit à pleurer. Émue, Alexa se blottit dans ses bras.

— Avec ta mémoire d'éléphant, tu n'arriveras probablement jamais à oublier tout ce qui s'est passé, mais sache au moins que tu n'y pouvais rien.

— Ben-Adnah et Caritas sont toujours vivants...

— Ils n'exercent plus aucune influence sur toi. Tu as repris la maîtrise de tes gestes. Je t'en prie, calme toi. Plus personne te soumettra à de telles souffrances.

Cédric ferma les yeux et se laissa tendrement serrer par cette femme qu'il ne voulait plus jamais quitter. Il allait s'endormir lorsque retentit la sonnette de l'ascenseur.

— Tu attends des visiteurs ? s'informa Alexa en se levant.

— Ce doit être Athénaïs.

— Est-ce que je pourrais la garder à dîner ?

— Si ça te fait plaisir, pourquoi pas ?

Alexa alla accueillir la femme médecin à la porte. Elle semblait bien portante, mais son expression était grave.

— Il est au salon, lui annonça la Brasskins. Je vais vous laisser en tête-à-tête.

— Je n'ai rien à cacher, Alexa.

— C'est mieux ainsi.

Athénaïs vit tout de suite que le visage du directeur international exprimait sa souffrance.

— J'ai pris le temps de lire votre dossier à l'infirmerie.

— Je ne suis pas à l'article de la mort.

Elle s'assit sur le sofa.

— Il est inutile de me demander de réintégrer l'ANGE, car je ne veux pas être envoyée ailleurs, déclara-t-elle. Il est préférable que je ne m'éloigne pas trop d'Israël.

— Damalis se débrouille pourtant très bien.

Les joues de la femme médecin devinrent toutes rouges.

— Il n'y a aucune honte à aimer quelqu'un au point de se torturer intérieurement lorsqu'on en est séparés, affirma Cédric.

«C'est moi qui dit ça?» s'étonna-t-il. Quelques mois plus tôt, il ne se croyait même pas capable de tels sentiments.

— J'aurais déchiré ma lettre de démission si on m'avait transférée à la base de Jérusalem, mais j'ai appris ce qui lui était arrivé.

— Je ne peux certainement pas vous empêcher d'aller où vous voulez, car vous ne répondez plus de moi, mais en tant qu'ami, je vous conseille de ne pas retourner là-bas. Tout à l'heure, j'ai lu les derniers rapports d'Adielle sur les atrocités perpétrées par Satan.

— Je ne suis pas une froussarde. Mon devoir, en tant que médecin, est de soulager la souffrance.

— Dans ce cas, je vous implore de rester jusqu'à ce qu'Adielle soit hors de danger.

— Elle est si importante que ça à vos yeux?

— Après la destruction de ma propre base, à Montréal, Adielle a continué de croire en moi quand tout le monde m'avait déjà condamné. Notre amitié remonte à nos débuts mutuels dans l'Agence.

— Je peux vous faire au moins cette promesse, mais après ça, je serai libre de mes gestes.

— Il y a toutefois une deuxième chose que je dois vous demander.

Athénaïs fronça les sourcils avec suspicion.

— Alexa aimerait que vous restiez à dîner.

— Pour tout vous dire, je meurs d'envie de manger un repas maison, annonça-t-elle avec l'ombre d'un sourire.

— Racontez-moi comment vous avez réussi à vous rendre jusqu'à Jérusalem.

Le récit d'aventures de la femme médecin parvint peu à peu à faire oublier à Cédric son abattement et ses douleurs.

042

En raison de son échec au Vatican, Ahriman ne pouvait tout simplement pas revenir chez son maître les mains vides. Il défila donc dans son esprit tous les endroits où la mère d'Océane avait laissé des marques de son passage, afin de les éliminer de la carte du monde. Si personne ne pouvait sentir la présence de la nouvelle mère Anantas où que ce soit, c'est qu'elle était entourée d'un élément que leur magie reptilienne ne pouvait pas percer. Si, en tant qu'Orphis, Ahriman ne pouvait pas se déplacer dans la matière, il pouvait par contre percevoir ce qui s'y cachait, sauf dans l'eau!

— Elle est dans une base sous-marine! s'exclama-t-il.

Il requit aussitôt les services de Phénex.

— J'ai déjà parcouru toute la planète, s'étonna le jeune Naas lorsque son maître lui apprit qu'il était toujours à la recherche d'Océane.

— Es-tu capable de flairer une piste sous l'eau?

— Évidemment.

Les Naas étaient les seuls reptiliens d'origine amphibie. On les retrouvait d'ailleurs souvent dans des étangs, des lacs et même dans l'océan. Les Nagas étaient de puissants nageurs, mais ils ne pouvaient pas passer autant de temps qu'eux dans les mondes aquatiques.

— Je suis maintenant persuadé que l'épouse de Son Excellence a mis son enfant au monde dans une base immergée, expliqua Ahriman.

— Il y a beaucoup d'eau sur la Terre.

– Les Pléiadiens sont des gens très prudents. Ils ne l'ont sûrement pas emmenée dans un océan rapproché d'Israël. Ils ne connaissent que trop bien la puissance des Anantas. À moins d'arracher la vérité à un de ces stupides pacifistes, il te faudra parcourir l'océan Atlantique et l'océan Pacifique. Pars, maintenant.

Phénex qui, de toute façon, n'avait pas envie d'être mêlé aux fiascos militaires de Satan, s'envola sans demander son reste. Rien ne lui fit plus plaisir que de quitter Jérusalem où il mourait tous les jours autant de démons que d'humains.

En cherchant la femme Anantas, la première fois, il avait identifié quelques pays où les Pléiadiens vivaient plus librement qu'ailleurs. Il n'était pas difficile de les repérer dans une population aux traits foncés ou aux cheveux sombres. Or, Phénex avait découvert une importante colonie de Pléiadiens sur l'une des îles hawaïennes. Ce que l'un d'eux apprenait, tous les autres le savaient. Il lui suffisait donc d'en attraper un et de lui arracher ses secrets pour satisfaire rapidement son maître. Si ce stratagème ne fonctionnait pas, alors il se résoudrait à parcourir tous les océans, ce qui nécessiterait des mois.

Il mit plusieurs jours à atteindre sa destination, même en utilisant les corridors aériens subtils que seuls les Naas pouvaient repérer. Lorsqu'il se posa sur la plage, il prit sa forme humaine de beau jeune homme aux longs cheveux noirs et au corps élancé, prenant soin de faire disparaître ses ailes effilochées. Son odorat ultrasensible mena ses pas dans un petit village qui se spécialisait dans la culture des orchidées. Des Pléiadiens s'étaient mêlés à la population locale et y vivaient en paix depuis des centaines d'années.

Les villageois avaient négligé temporairement leur élevage de fleurs afin de rassembler des paniers de vivres qu'ils expédiaient dans les camps de réfugiés sur toutes les îles. Phénex s'ajouta aux volontaires et transporta des boîtes jusqu'aux camions, à l'affût d'un membre de la communauté suffisamment jeune pour ne pas se méfier des démons. Il eut sa chance à la fin de la journée, lorsque les bénévoles se séparèrent pour rentrer chez eux. Il suivit une jeune femme blonde sur un sentier qui menait à un ancien volcan.

— J'ai besoin de renseignements, lui dit-il en la rattrapant.

— Tu es nouveau au village, n'est-ce pas?

— Je suis arrivé ce matin.

— As-tu trouvé un logement?

— Pas encore, mais je me tire facilement d'affaire. Tu habites loin d'ici?

— À une dizaine de minutes par-là. Puis-je t'inviter à dîner?

— Rien ne me ferait plus plaisir.

Il fit quelques pas avec elle, en flairant les alentours. Ils étaient seuls. Il plaqua aussitôt la main sur la bouche de la jeune fille et l'entraîna dans la végétation. Elle se débattit, en vain. Il la serra contre lui, se transforma en démon et plongea ses longues griffes dans son crâne. Des images lui parvinrent, d'abord floues, puis de plus en plus claires. La base sous-marine ne se situait pas au large d'Hawaï, mais plus au sud, sur les côtes de la Nouvelle-Zélande. Ayant obtenu ce qu'il voulait, il laissa tomber sa victime ensanglantée et prit son envol. Il n'était plus qu'à quelques heures de son but.

Il survola le Pacifique et sentit enfin les fortes vibrations de l'Anantas. Il se posa sur une petite île et fit savoir à son patron que sa mission était accomplie. Ahriman, qui était en train de présider une grande cérémonie de son nouveau culte, prit congé de sa congrégation et retira un scarabée en or de la poche de son imperméable. Ce talisman, que possédait également Phénex, les reliait tous les deux, peu importe où ils se trouvaient sur le globe. Le Faux Prophète n'eut qu'à fermer les yeux pour rejoindre son jeune serviteur. Il n'eut pas à lui demander s'il s'agissait du bon endroit, car l'énergie de la rivale de la reine le submergea.

– Tu as fait du bon travail, Phénex.

– Vous avez encore besoin de moi pour descendre jusque-là.

Ahriman détestait l'admettre, mais le Naas avait raison. La plupart des Orphis ne savaient même pas nager.

– Je vais pénétrer dans la base et vous appeler, ajouta Phénex.

– Ne perds pas de temps.

Le démon noir marcha dans la mer en repliant ses ailes sur son dos, puis plongea dans les vagues. Pendant qu'il tentait d'atteindre la cachette d'Océane, Ahriman se mit à faire les cent pas sur la plage. Ce n'est qu'au bout d'une longue attente que Phénex lui annonça qu'il avait enfin trouvé la base, au fond d'une tranchée, et qu'il avait réussi à y entrer, mais qu'il était possible que les Pléiadiens aient senti sa présence. Le Faux Prophète ne perdit pas une seconde et, à l'aide du talisman, rejoignit instantanément son esclave.

Ils se trouvaient dans une pièce toute blanche, aseptisée comme les hommes blonds les aimaient. Phénex humait l'air.

– Elle est de ce côté.

Ahriman suivit le chien de chasse reptilien dans un couloir qui tournait vers la gauche. Il sentait déjà la panique gagner les occupants de la base. Peu importe ce qu'ils feraient, il serait trop tard. Phénex s'immobilisa et lui pointa une entrée.

– Va m'attendre sur la plage, ordonna le Faux Prophète.

– J'y serai dans quelques minutes, car je connais maintenant le chemin.

Le Naas s'empressa de faire demi-tour. Il savait que séparément, les Pléiadiens étaient faciles à tuer, mais qu'en groupe, ils disposaient d'une magie qui pouvait leur permettre de réduire leurs ennemis en poussière.

Un sourire de satisfaction sur les lèvres, Ahriman franchit la barrière magnétique sans le moindre problème. Assise dans une chaise à bascule, Océane berçait son fils, qui ne devait pas avoir plus de quelques jours. En reconnaissant le démon, l'ex-agente se raidit, réveillant l'enfant.

— Comme on se retrouve, madame Ben-Adnah, la salua le Faux Prophète.

— Ne vous approchez pas de mon bébé! hurla Océane, comme une louve.

— Malheureusement, le père réclame ses droits de visite.

— Son père est mort lorsque Satan lui a volé son corps. Si vous ne…

Dans ses bras, le corps du poupon se couvrit de petites écailles bleues. En grondant, il tendit le bras vers Ahriman. Ce dernier écarquilla aussitôt les yeux et porta les mains à sa gorge, comme si on tentait de l'étouffer.

— C'est toi qui fais ça, Ethan? s'étonna Océane.

La force que déployait le petit prince souleva le Faux Prophète du sol. Les pieds battant l'air, le démon utilisa une main pour sortir de sa poche une grosse breloque dorée. Dès qu'il la rabattit sur sa poitrine, il disparut.

— C'est décidé, je t'envoie dans une école de l'ANGE, déclara Océane, stupéfaite.

Les Pléiadiennes déboulèrent dans la chambre, prêtes à défendre leurs protégés.

— Vous arrivez trop tard. Le spectacle est fini.

— Où est l'Orphis?

— Il a pris la poudre d'escampette quand Ethan s'est fâché.

Elles demeurèrent interdites un long moment, puis la doyenne s'avança.

— Vous n'êtes plus en sûreté dans cette base.

— Si vous voulez mon avis, je ne le serai jamais nulle part.

Ethan avait récupéré son apparence de bébé normal et avait fermé les yeux, comme si rien ne s'était passé.

– Je vous prierais d'organiser notre départ. Nous allons nous installer à Saint-Hilaire.

– Mais…

– Mon fils sait se défendre.

Ahriman se matérialisa sur la plage et tomba à la renverse. Il se frotta le cou, mais il était déjà marqué au fer rouge des petites mains griffues de l'enfant.

– Où est le fils de Satan ? demanda innocemment Phénex en constatant qu'il avait les mains vides.

– Il nous tuera tous… réussit à articuler le Faux Prophète. Emmène-moi loin d'ici.

Phénex reprit sa forme de reptilien volant, saisit son maître sous les aisselles et prit son envol en l'emportant vers l'ouest.

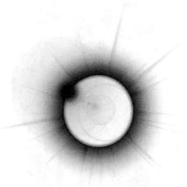

À paraître
automne 2011

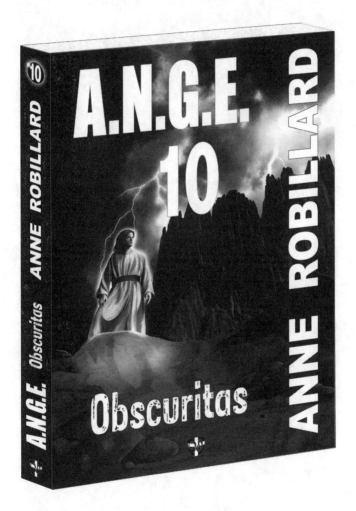

www.anne-robillard.com
www.parandar.com

Imprimé au Québec, Canada
Avril 2011